Monica McCarty

Après avoir étudié le droit à Stanford et exercé le métier de juriste, Monica McCarty s'est tournée vers l'écriture. Passionnée depuis toujours par l'Écosse médiévale, elle se consacre au genre des Highlanders avec des séries à succès comme *Les MacLeods* ou *Le clan Campbell*. Elle est aujourd'hui un auteur incontournable de la romance historique.

À la conquête de mon ennemie a reçu le prix Romantic Times 2009 de la meilleure romance historique ayant pour cadre les Highlands.

À la conquête
de mon ennemie

Monica McCarty

Le clan Campbell

À la conquête de mon ennemie

*Traduit de l'américain
par Astrid Mougins*

AVENTURES
& PASSIONS

Vous souhaitez être informé en avant-première
de nos programmes, nos coups de cœur ou encore
de l'actualité de notre site *J'ai lu pour elle* ?
Abonnez-vous à notre *Newsletter* en vous connectant
sur **www.jailu.com**

Retrouvez-nous également sur Facebook
pour avoir des informations exclusives :
www.facebook/pages/aventures-et-passions
et sur le profil J'ai lu pour elle.

Titre original
HIGHLAND WARRIOR

Éditeur original
The Random House Publishing Group,
a division of Random House, Inc., New York.

À Dave, mon grand gaillard rien qu'à moi.
Hum… je me demande de quoi tu aurais l'air en kilt ?

Remerciements

Entre le moment où j'ai l'idée d'un roman et le jour où je remets les dernières épreuves, de nombreuses personnes interviennent pour m'aider et me conseiller. J'aimerais remercier tout particulièrement mon éditrice Kate Collins dont le retour chez Ballatine Books a coïncidé avec la date de remise de mon manuscrit et qui, en dépit de sa maison inondée, est parvenue à le lire en un temps record. Rien de tel qu'un redémarrage sur les chapeaux de roues, n'est-ce pas, Kate ? Un grand merci également à Charlotte pour son aide au début de ce projet et à Kelli Fellingim pour avoir mis de l'huile dans les rouages. Comme d'habitude, je remercie mes agents Kelly Harms et Andrea Cirillo ; Nyree et Jami, les divas de Fog City ; l'équipe de production de Ballantine ; l'équipe de concepteurs de sites Web d Wax Creative... vous êtes les meilleurs !

Je remercie mon beau-frère Sean pour avoir répondu à mes questions médicales. J'espère que je n'ai pas commis d'erreurs. S'il y en a, elles sont entièrement de mon fait. Qui aurait cru quand ma sœur s'est mariée que j'y gagnerais non seulement un frère mais un médecin s'intéressant aux blessures de guerre historiques ? Je devrais jouer au loto plus souvent.

Merci à Tracy Anne Warren et à Allison Brennan, deux auteurs qui sont « passées par là » et m'ont aidée à m'y retrouver en écrivant *deux* trilogies d'affilée.

Enfin, merci à mes enfants, Reid et Maxine. Vous n'êtes pas encore assez grands pour lire ces livres mais, un jour, j'espère que vous me pardonnerez de vous avoir nourris de plats réchauffés (surtout les fameuses « pâtes de maman »). Sachez que vous avez aidé maman à faire quelque chose qu'elle aime.

1

Une loi n'est pas la justice

Proverbe écossais

Château d'Ascog, île de Bute, Écosse, juin 1608

Caitrina Lamont examina son reflet dans le miroir pendant que la servante fixait la fraise en dentelle derrière sa nuque. Les pointes délicates, rehaussées de minuscules pierreries, encadraient son visage comme un nimbe scintillant. Elle réprima un sourire espiègle, ne se faisant aucune illusion. Ses frères ne manquaient pas une occasion de lui signaler qu'avec son air effronté et ses idées trop arrêtées, elle était tout sauf angélique. Ils la taquinaient en répétant que les hommes n'épousaient que des filles dociles et sages, mais l'encourageaient à être exactement le contraire.

Enfin prête, elle recula pour mieux voir sa nouvelle tenue, les yeux pétillants d'excitation. Le vêtement était magnifique. Elle croisa le regard de sa chère nourrice dans le petit miroir.

— Oh, Mor, tu ne trouves pas que c'est la robe la plus somptueuse du monde ?

Mor l'observait avec l'air consterné et soucieux d'une mère envoyant pour la première fois son fils sur un

11

champ de bataille. La comparaison était à peine exagérée. Ce soir, il y aurait un grand banquet pour célébrer l'ouverture de l'Assemblée des Highlands qui se tenait cette année à Ascog. Caitrina savait que son père nourrissait l'espoir de la fiancer avec l'un des nombreux Highlanders qui descendraient de leurs forteresses pour venir exhiber leur force et leur adresse. Elle refoula vite cette pensée avant qu'elle ne gâte le plaisir que lui procurait ce cadeau.

— Somptueuse ? répéta la vieille femme avec une moue dédaigneuse.

Elle fixait le corsage profondément échancré, laissant entrevoir la rondeur des seins de Caitrina. Elle chassa la jeune servante de la pièce avant de reprendre :

— Elle me paraît surtout impudique. Je ne vois pas ce que tu reproches à la vingtaine d'autres robes suspendues dans ton armoire.

— Voyons, Mor, tu sais bien que je n'en possède aucune comme celle-là !

Caitrina baissa les yeux vers sa poitrine pigeonnante. Comprimée par le corset, elle semblait près de s'échapper de sa prison de satin. Effectivement, le décolleté était assez plongeant. On voyait presque le bord rose de ses... Elle s'efforça de ne pas rougir, ne voulant pas apporter de l'eau au moulin de sa nourrice et déclara d'un ton ferme :

— Elle est tout à fait convenable. À la cour de Whitehall, toutes les dames en portent de pareilles.

Mor marmonna quelque chose qui ressemblait dangereusement à « Fichus Anglais ! » et que Caitrina choisit de ne pas entendre. Des siècles d'inimitié n'allaient pas s'effacer comme par magie, simplement parce que le roi d'Écosse venait de monter sur le trône d'Angleterre. La jeune femme souleva la soie or pâle à la lumière de la fenêtre pour faire jouer ses reflets irisés et soupira :

— Je me sens comme une princesse dans cette robe.

— En tout cas, la faire venir de Londres aura coûté les joyaux de la couronne, c'est sûr ! Quand je pense qu'on a d'excellentes couturières à Édimbourg !

— Elles ne connaissent rien à la dernière mode ! protesta Caitrina.

Toutefois, la remarque de Mor avait fait mouche et Caitrina songea qu'elle n'avait pas réfléchi au prix du présent de son père.

— Tu crois vraiment qu'elle a coûté trop cher ? demanda-t-elle.

Mor haussa un sourcil sarcastique et répliqua :

— Quand on cède au chantage, on y laisse toujours des plumes...

Caitrina se retint de sourire.

— Ce n'était pas du chantage. C'est père qui a eu l'idée de la robe. Il se sentait sans doute coupable de me faire subir les avances de tous ces paons qu'il invite à venir se pavaner dans notre château. Entre nous, je suis sûre qu'il n'a accepté d'accueillir l'Assemblée à Ascog que dans l'espoir que je fasse mon choix parmi ce large éventail de « braves ». C'est un peu comme de choisir un taureau sur le marché aux bestiaux !

En réalité, l'entêtement de son père à lui trouver un mari l'inquiétait plus qu'elle ne le laissait paraître. Cela ne lui ressemblait pas. L'opiniâtreté, c'était plutôt l'apanage de Mor.

Cette dernière évita soigneusement le sujet du mariage, préférant se concentrer sur sa toilette.

— Cet homme t'aurait offert la lune pour sécher tes larmes. Il s'en tire à bon compte s'il a suffi d'une robe.

Elle agita un doigt en direction de Caitrina et ajouta :

— Un jour, il se présentera quelqu'un que tu ne parviendras pas à mener par le bout du nez, ma jolie...

Caitrina se pencha vers elle, déposa un baiser sur sa joue ridée et rétorqua :

— C'est déjà fait. Tu es là, toi.

La vieille femme pouffa de rire.

— Fripone !

Caitrina enlaça la taille de sa nourrice et enfouit la tête dans le creux de son épaule. La laine de son *arisaidh* était rêche contre sa peau et sentait bon la tourbe, la bruyère et l'âtre.

— Elle ne te plaît vraiment pas, cette robe, Mor ? Si c'est le cas, je ne la porterai pas.

Mor pencha la tête en arrière et la regarda dans les yeux.

— Ne fais pas attention à moi, ma fille. Je ne suis qu'une vieille folle qui a peur que son petit agneau soit dévoré par les loups.

Ses traits s'adoucirent et elle lui caressa la joue du revers de la main.

— Tu as toujours été tellement protégée ! Tu ignores tout de la cruauté des hommes. Cette robe me rappelle que tu es désormais une femme.

À la surprise de Caitrina, le regard de sa nourrice se voila de larmes.

— Tu ressembles tant à ta mère ! poursuivit-elle. C'était la plus belle femme des Highlands quand elle s'est enfuie avec ton père…

Caitrina sentit son cœur se serrer. Sa mère les avait quittés depuis plus de dix ans, mais l'émotion était toujours aussi forte. Elle avait onze ans quand sa mère avait été emportée par la consomption. Les souvenirs d'une femme au visage de madone riant aux éclats et la serrant dans ses bras s'estompaient au fil des ans. Elle avait laissé un grand vide dans son cœur et la conscience qu'il lui manquait une partie vitale d'elle-même.

— Raconte-moi encore une fois, Mor.

Elle ne se lassait pas d'entendre comment il avait suffi à son père d'apercevoir la fille de son ennemi pour en tomber éperdument amoureux. Ou comment, après

14

qu'ils se furent fréquentés en secret pendant des mois, il l'avait convaincue de s'enfuir avec lui.

Avant que Mor ne puisse répondre, le plus jeune frère de Caitrina fit irruption dans la chambre en s'écriant :

— Caiti ! Caiti Rose, viens vite !

Elle imagina aussitôt le pire. Quelqu'un s'était blessé ? Elle saisit Brian par les épaules et, s'efforçant de paraître calme, elle demanda :

— De quoi s'agit-il ?

— Tu promets de ne pas te fâcher ?

— Comment veux-tu que je te le promette si je ne sais pas de quoi il s'agit ?

À douze ans, Brian n'avait pas encore mis au point des stratégies de négociation élaborées. Il abandonna aussitôt toute tentative de marchandage et chercha plutôt des excuses.

— Ce n'est pas ma faute. J'ai dit à Una…

En entendant le nom de la fillette, Caitrina comprit de quoi il retournait.

— Brian ! Combien de fois t'ai-je dit de ne pas laisser tes molosses s'approcher des chatons ?

Il baissa les yeux vers ses souliers, piteux.

— Una a oublié de fermer la porte des écuries. Puis, tout s'est passé si vite ! Boru voulait seulement jouer, mais cet idiot de chat a grimpé dans l'arbre.

— Quel arbre ? murmura Caitrina.

L'enfant fit une grimace avant de répondre :

— Le vieux chêne. S'il te plaît, Caiti, aide-moi à le faire descendre de là avant qu'Una s'en aperçoive. Elle va se mettre à pleurer.

Il donna un coup de talon sur le plancher.

— Je ne supporte pas quand elle pleurniche.

Caitrina croisa le regard de Mor, dont Una était la petite-fille adorée. La nourrice tapota le torse maigrelet du garçon du bout de son index noueux et soupira :

— C'est bon, je vais tâcher de l'occuper pendant que tu descends ce chaton de son perchoir.

L'enfant saisit sa sœur par la main.

— Vite, vite, Caiti !

Lorsqu'elle fut hors du donjon et presque parvenue au portail de la barbacane, la jeune femme se rappela soudain, en croisant les regards surpris des hommes du clan, qu'elle portait toujours sa nouvelle robe… sans chaussures. Le ciel était dégagé mais le sol encore trempé par la pluie matinale. La boue se glissait entre ses orteils avec un bruit de succion. Il était trop tard pour y remédier. Elle remonta ses jupes le plus haut possible pour ne pas salir l'ourlet et poursuivit son chemin.

— Tu aurais pu me laisser le temps de me changer, grommela-t-elle.

— Pourquoi ? répondit Brian après un bref regard surpris. Tu es très bien comme ça.

Elle leva les yeux au ciel. Les garçons ! Elle aurait enfilé un sac de jute qu'ils n'auraient rien remarqué.

De l'autre côté du portail, ils descendirent le sentier puis, à la fourche, tournèrent à droite en direction des bois. Le chemin de gauche menait au loch Ascog. Comme on était à la veille des jeux, les dépendances situées sur les berges grouillaient d'activité. En revanche, les bois étaient étonnamment calmes, hormis les aboiements de Boru qui s'intensifiaient à mesure qu'ils approchaient du vieux chêne. Les Lamont descendaient des grands souverains d'Irlande et Brian avait baptisé le chien du nom de son lointain ancêtre, le célèbre monarque Brian Boru.

— Tu as laissé le chien ici ? s'étonna Caitrina.

Son petit frère rougit.

— Je lui ai dit de rentrer à la maison mais il n'a rien voulu entendre. Puisque cet idiot de chat était déjà dans l'arbre, je me suis dit que ce n'était pas grave.

— La pauvre bête doit être morte de peur !

Elle se tourna vers le chien et tonna :

— Boru !

L'animal s'arrêta aussitôt d'aboyer et la regarda d'un air intrigué, une oreille repliée. Elle pointa l'index en direction du château, invisible derrière les arbres.

— File à la maison, tout de suite !

Boru gémit, renifla ses jupes puis la fixa de ses grands yeux bruns d'un air contrit. Elle ne se laissa pas attendrir. Ce chien était un vrai comédien. Sans cesser de couiner, il finit par baisser la tête et s'éloigna au petit trot vers le château, la queue entre les jambes. Brian regarda sa sœur avec stupéfaction.

— Je ne sais pas comment tu fais ! Tu es la seule qu'il écoute.

Caitrina se retint de répondre que c'était sans doute parce qu'elle était la seule à lui donner des ordres. Sans elle, les chiens du château ne seraient qu'une bande de loups sauvages. Elle aurait probablement pu en dire autant de ses frères.

Quand elle leva la tête vers l'enchevêtrement dense de branchages, elle distingua à peine la petite masse de poils roux et blancs.

— Comment est-il arrivé tout là-haut ?

— J'ai voulu grimper derrière lui mais il allait toujours plus haut, expliqua l'enfant. C'est pour ça que je suis venu te chercher. Il a peur de moi.

Caitrina lui lança un regard interloqué.

— Tu n'imagines tout de même pas que je vais monter là-haut ?

— Pourquoi crois-tu que je t'aie fait venir jusqu'ici ? Le chat refuse de me laisser approcher. Toi, il t'aime bien et puis tu as déjà escaladé ce chêne des centaines de fois.

— C'était il y a des années. Au cas où tu n'aurais pas remarqué, j'ai passé l'âge de grimper aux arbres.

— Pourquoi ? Tu n'es pas si vieille que ça.

Si ce garçon voulait avoir une chance de séduire une fille un jour, elle allait devoir lui enseigner quelques notions de galanterie. D'un autre côté, avec un tel visage, il n'en aurait sans doute pas besoin. Ses frères n'avaient aucune manière mais comblaient cette lacune grâce à leur charme et leur allure. Ce n'était qu'une bande de voyous qu'elle aimait plus que tout au monde. Comment son père pouvait-il imaginer qu'elle voudrait les quitter ? Ils avaient besoin d'elle... et réciproquement. Elle ne quitterait Ascog pour rien au monde.

Tenter de raisonner Brian était une perte de temps.

— Il n'en est pas question. Je veux bien te faire la courte échelle ou sinon, trouve quelqu'un d'autre !

Il prit un air abattu qui rivalisait avec celui de Boru un peu plus tôt.

— Mais... pourquoi ?

— À cause de cette robe, d'une part.

— S'il te plaît, Caiti ! Il n'y a personne d'autre. Père, Malcom et Niall sont à la chasse avec les hommes ; les autres sont tous occupés aux préparatifs du banquet.

Voilà qui était étrange.

— Je croyais que la chasse était terminée ?

— Moi aussi, mais ce matin ils sont tous partis au grand galop. Père avait l'air préoccupé. Quand je lui ai demandé où ils allaient, il m'a répondu qu'ils partaient chasser. Alors tu vois, il ne reste que toi, Caiti. S'il te plaît...

Pour ne rien arranger, le chaton émit un miaulement pitoyable. « Maudits soient les hommes et les bêtes ! » songea Caitrina furieuse, tournant le dos à son frère.

— Aide-moi d'abord à m'extirper de là-dedans.

Le sort avait beau s'acharner contre elle, il n'était pas question d'abîmer sa nouvelle robe. Brian se jeta sur elle et l'enlaça de ses longs bras maigrelets.

— Je savais que je pouvais compter sur toi. Tu es la meilleure sœur du monde !

Elle soupira, incapable de rester fâchée contre Brian bien longtemps. Il n'était plus vraiment un enfant et pas encore un homme et pourtant, il la dépassait déjà. D'ici

18

à quelques années, il serait aussi fort et musclé que ses frères aînés Malcom et Niall. À la mort de leur mère, Brian n'était qu'un nourrisson. Caitrina avait toujours pris soin de lui et il n'avait pas été envoyé en nourrice comme la plupart des garçons de son âge. Conformément à la tradition, il partirait bientôt pour servir un chef de clan voisin comme écuyer. À cette pensée, Caitrina sentit son cœur se serrer. Comme elle aurait voulu arrêter le temps !

Elle prit son frère dans ses bras, puis s'attela à la tâche ardue d'enlever sa robe. Jupe, vertugadin, jupon, corsage et manches furent retirés l'un après l'autre jusqu'à ce qu'il ne lui reste plus que sa chemise et son corset, dont Brian avait du mal à dénouer les lacets. Elle l'entendait marmonner dans son dos puis il se mit à tirer des coups secs.

— Aïe ! Tu me fais mal. Sois plus doux.

— Si tu crois que c'est facile ! Pourquoi t'encombres-tu de toutes ces nippes ?

C'était une bonne question, à laquelle elle n'était pas sûre de savoir répondre.

— Parce que c'est ce que portent les dames ! rétorqua-t-elle.

Il parvint enfin à la dépouiller de son carcan d'étoffe et le corset alla rejoindre la robe. Sa chemise en lin était suffisamment discrète mais Caitrina préférait éviter qu'on la voie dans cette tenue.

Elle examina le vieux chêne et réfléchit à la meilleure manière de procéder. En effet, cela faisait belle lurette qu'elle n'avait pas fait d'escalade. C'était l'arbre le plus haut des parages et le chaton avait presque atteint la cime.

— Aide-moi...

Brian mit un genou en terre et elle prit appui sur son autre jambe fléchie pour se hisser jusqu'à la première branche. L'écorce écorchait la plante de ses pieds à mesure qu'elle grimpait lentement en cherchant ses prises.

— Aïe ! lâcha-t-elle encore lorsque son pied glissa contre un chicot tranchant.

À ce rythme, elle finirait les mains et les pieds en sang.

Le chaton observait son ascension avec de grands yeux affolés et des miaulements plaintifs. En approchant, elle le vit plus distinctement. Il tremblait sur son perchoir précaire. Elle tenta de le calmer avec des paroles apaisantes. Plus elle montait, plus les branches étaient fines et elle devait vérifier leur robustesse avant de poursuivre son escalade. Enfin, elle parvint à hauteur du chaton ; il s'était réfugié sur une branche latérale qui ne supporterait pas le poids de la jeune femme. Elle la saisit d'une main ferme et, les pieds posés sur celle du dessous, s'avança en crabe.

— Fais attention ! cria Brian.

Le cœur battant, elle résista à l'envie de baisser les yeux vers lui. C'était une tâche laborieuse ; elle devait marquer un arrêt à chaque pas pour se stabiliser car la branche sur laquelle elle se tenait oscillait sous son poids. Encore un pas...

Enfin, ses doigts se refermèrent sur la petite boule de poils. Elle serra le chaton contre elle et sentit son petit cœur battre aussi vite que le sien. Il tentait désespérément de s'accrocher à elle en enfonçant ses griffes minuscules à travers le lin de sa chemise.

« C'est maintenant que les difficultés commencent », songea-t-elle alors qu'elle entamait la descente. Cette fois, elle n'avait plus qu'une main pour se tenir. Elle poussa un soupir de soulagement lorsqu'elle atteignit de nouveau le tronc. Elle lança un regard en contrebas et constata que Brian avait lui aussi grimpé dans l'arbre et se trouvait quelques branches plus bas. Il tendit les mains vers elle.

— Donne-le-moi...

Consciente qu'elle ne pourrait descendre en se tenant d'une seule main, elle abaissa précautionneusement le chaton vers lui. Il le glissa sous son pourpoint en cuir, descendit de quelques branches puis sauta à terre.

Il fallut quelques instants à Caitrina pour reprendre son souffle, puis elle reprit sa descente.

— Merci, Caiti, tu es la meilleure !

Elle se tourna vers la voix qui s'éloignait mais il était déjà trop tard.

— Attends, Brian ! J'ai besoin de toi pour...

Elle n'acheva pas sa phrase, sachant qu'il ne l'entendrait pas. Déjà, il courait vers le château, son dos disparaissant entre les arbres.

— Voilà comment tu me remercies ! maugréa-t-elle. Attends un peu que je t'attrape...

Elle était encore trop haut pour pouvoir se laisser tomber comme son frère. Soudain, il y eut un craquement sinistre. La branche sur laquelle elle était penchait dangereusement, ne tenant plus au tronc que par un fragment et menaçait de céder à tout instant. Le passage de son frère avait dû la fragiliser.

Elle était coincée. Elle osa un regard vers ses orteils. Elle se trouvait encore à plus de quatre mètres du sol, trop haut pour sauter. Il lui faudrait attendre que Brian se souvienne de son existence... Autant dire qu'elle risquait d'y passer la nuit !

Elle marmonna de nouveau :

— Attends un peu que je t'attrape...

— Vous vous répétez.

Le sang de Caitrina se figea au son de la voix grave, très grave. Baissant de nouveau les yeux, elle croisa le regard d'un inconnu qui se tenait à quelques pas du chêne et l'observait d'un air amusé. Depuis combien de temps était-il là ? Assez de temps pour être descendu de l'imposante monture qui broutait à ses côtés.

Elle se sentit à la fois gênée et soulagée. Certes, elle avait besoin d'aide, mais elle aurait préféré que son sauveur ne fût pas aussi… viril.

Il lui était difficile de l'évaluer avec exactitude depuis son perchoir ; il mesurait sans doute plus d'un mètre quatre-vingt-dix. Un géant, en somme, même dans les Highlands.

Mais peut-être n'était-il pas des Highlands ?

Même s'il s'était exprimé en écossais et non dans le dialecte local, elle avait cru déceler un léger accent de la région. Il ne portait pas le *breacan feile*, le grand kilt des Highlanders, mais cela n'avait rien d'inhabituel pour un homme de haut rang. Sur ce point-là, elle n'avait aucun doute : l'excellente qualité de son pourpoint et son pantalon de cuir noirs en attestaient.

Néanmoins, ses beaux atours ne pouvaient dissimuler la force de sa puissante musculature. Sa carrure, ainsi que l'énorme claymore qu'il portait en bandoulière, ne laissait planer aucun doute sur son statut : ce ne pouvait être qu'un guerrier. Il devait être redoutable sur un champ de bataille.

Il n'y avait pas que sa taille qui la troublait. Elle aurait préféré un sauveur moins impressionnant. Tout chez lui – son assurance, son air impérieux et l'audace avec laquelle il la regardait – portait l'empreinte d'une autorité incontestable. Elle en fut si décontenancée qu'elle ne remarqua pas tout de suite à quel point il était beau. D'une beauté arrogante qui accentuait encore sa virilité.

Lui non plus ne se gênait pas pour l'examiner et elle en fut troublée. Seigneur, quelle audace ! Il promena son regard sur tout son corps, en s'attardant sur ses seins suffisamment longtemps pour la faire rougir. Elle prit soudain conscience qu'elle ne portait pas grand-chose. Sous l'inspection soutenue de l'inconnu, la chemise en lin qui lui avait paru très convenable un peu plus tôt semblait à présent aussi transparente qu'un voile de gaze.

Elle avait toujours été entourée par son père et ses frères. Aucun homme n'aurait osé la regarder de cette façon... comme un fruit prêt à être cueilli.

Ce comportement était fort déplaisant. Certes, elle était en chemise mais n'importe quel homme sensé aurait compris sur-le-champ qu'il avait affaire à une lady... même sans remarquer la robe luxueuse étendue sous son nez.

Qui était donc cet impudent qui se conduisait comme un roi ?

Elle était certaine de ne l'avoir jamais vu. À sa tenue et à ses armes, ce n'était pas un hors-la-loi. Ce devait être le chef d'un clan lointain venu pour les jeux... ce qui signifiait qu'on lui devait l'hospitalité, dans la pure tradition des Highlands. Où étaient donc ses gardes ?

Chef ou pas, il n'aurait pas dû la lorgner ainsi. Elle prit son ton le plus péremptoire pour demander :

— Qui êtes-vous, seigneur ? Vous vous trouvez sur les terres des Lamont.

— Dans ce cas, je suis arrivé à bon port.

— Êtes-vous venu pour les jeux ?

Il soutint son regard avec l'air de savoir quelque chose qu'elle ignorait avant de répondre :

— Entre autres, oui.

Il ne lui avait toujours pas donné son nom mais, pour le moment, elle se fichait de savoir qui il était. Elle aurait accueilli les bras ouverts le diable en personne – voire l'un de ses suppôts, un Campbell – pour peu qu'il l'aidât à descendre de son chêne. Alors qu'elle s'agrippait toujours à la branche supérieure et que ses bras commençaient à lui faire mal, son sauveur ne semblait pas pressé d'intervenir.

Elle s'impatienta :

— Vous comptez rester planté là, à m'observer toute la journée ?

— Pourquoi pas ? Je ne tombe pas tous les jours sur une nymphe des bois à demi nue perchée dans un arbre.

Caitrina sentit le feu lui monter aux joues :

— D'abord, je ne suis pas à moitié nue ; ensuite, si vous vous donniez la peine de lever le nez, vous constateriez que je ne suis pas perchée, mais coincée, et que j'ai besoin d'aide.

Sa réponse acerbe sembla réjouir l'inconnu qui continuait de l'observer d'un air amusé. Le scélérat se moquait d'elle !

Peu habituée à être traitée de la sorte, surtout par un homme, Caitrina lui lança un regard assassin. Certes, la situation était comique, mais il aurait dû avoir la courtoisie de ne pas le montrer. Elle se sentait maintenant ridicule. Mais ce goujat ne perdait rien pour attendre ! Dès qu'elle serait de nouveau sur la terre ferme, elle lui dirait sa façon de penser.

Elle prit sa voix la plus hautaine, celle qu'elle utilisait pour donner des ordres à ses frères.

— Dépêchez-vous de m'aider... tout de suite !

Exiger n'était sans doute pas la meilleure stratégie à adopter car la lueur amusée disparut des yeux de l'inconnu, qui pinça les lèvres et croisa les bras sur son torse. Seigneur ! Comme il était musclé !

— Non, répondit-il d'un ton las. Ça ne me dit rien.

2

Caitrina resta un instant sans voix, plus choquée que furieuse. Puis elle se ressaisit et s'écria d'un air offusqué :

— Mais... enfin... ça ne se fait pas !

Il promena de nouveau son regard sur son corps puis répondit nonchalamment :

— J'aime assez la vue que j'ai d'ici.

Elle manqua de s'étrangler et de lâcher sa prise.

— Comment osez-vous ! Vous n'êtes qu'un malotru !

— À votre place, je prierais pour que ce ne soit pas le cas.

— Mais je vais tomber !

Il jaugea du regard la distance qui la séparait du sol.

— Je vous le déconseille.

Caitrina ne savait plus quoi penser. Elle n'était pas habituée à ce qu'on lui refuse quoi que ce soit, surtout pas un homme. Était-il sérieux ou la provoquait-il ? Son expression demeurait indéchiffrable, ce qui l'exaspérait davantage encore.

Elle s'y était mal prise, mais c'était la faute de cet individu, avec son air goguenard et ses regards indiscrets ! Elle inspira profondément et afficha un charmant sourire, battant des cils pour faire bonne mesure, avant de susurrer :

— Je sais bien qu'un galant chevalier comme vous ne laisserait pas une dame en détresse.

Il arqua un sourcil, ayant clairement compris son jeu, puis il la dévisagea un long moment avant de répondre :

— Nous pouvons peut-être parvenir à un arrangement.

— Quelle sorte d'arrangement ? demanda-t-elle, méfiante.

— Il me semble que, dans ce genre de situation, il est coutumier d'accorder une faveur.

Leurs regards se croisèrent. Le sien était provocateur.

— Un baiser, peut-être ? ajouta-t-il.

Elle écarquilla les yeux. Avait-on jamais vu pareille muflerie ? Elle frémit d'indignation mais se retint d'exploser.

— Et il me semble que, dans ce genre de situation, il est coutumier de porter secours à la dame sans imposer de conditions.

Il se tourna vers son cheval et reprit sa bride.

— Comme vous voudrez…

— Où allez-vous ? Vous n'allez pas me laisser comme ça ! s'écria-t-elle.

La branche sous les pieds de Caitrina craqua une nouvelle fois et s'inclina encore un peu plus. Il lui sembla que l'homme avait tressailli, mais elle n'en était pas sûre. Ses bras, qui soutenaient le plus gros de son poids, étaient endoloris et elle n'était pas certaine de tenir encore bien longtemps.

— D'accord, dit-elle. Descendez-moi de là.

Il se retourna et s'inclina.

— Comme il vous plaira, madame.

Pour un homme aussi grand et bien bâti, il était remarquablement agile. Une minute plus tard, il se tenait quelques branches sous celle qui menaçait de rompre. Il tendit les bras vers elle et lui prit la taille. Elle retint son souffle, surprise par cette sensation inconnue. Ses mains étaient larges et fortes et elle sentit ses pouces juste sous ses seins.

Ils se dévisagèrent quelques instants. De près, il était encore plus beau, avec des yeux bleu-gris perçants et des cheveux châtain foncé aux reflets auburn. Il avait dû tirer sur le roux quand il était enfant. Il avait la bouche large, la mâchoire ferme et carrée. Son visage était dur et viril, mais incroyablement attirant. Elle se sentit rougir, à son grand dam. En dépit de son expression indéchiffrable, elle savait qu'il n'était pas aussi indifférent qu'il le laissait paraître.

Il la souleva de la branche brisée et la descendit à sa hauteur. Soulagée, elle s'effondra contre lui. Elle ne sentait plus ses bras et, l'espace d'un instant, elle se laissa aller contre son torse chaud et solide, qui semblait taillé dans le granit. Alors qu'une telle puissance aurait dû l'intimider, elle se sentit envahie par une étrange et bienfaisante chaleur...

Elle ne s'était jamais tenue aussi près d'un homme. C'était... excitant et troublant à la fois. L'une de ses jambes était prise entre ses cuisses musclées et ses seins étaient pressés contre son torse. Elle percevait le battement régulier de son cœur, qui se mêlait aux palpitations erratiques du sien. Il était chaud et dégageait un parfum envoûtant... une odeur de propre et de savon, mêlée à de vagues effluves d'épices.

Elle dut renverser la tête en arrière pour voir son visage. Il était aussi grand qu'elle l'avait imaginé ; elle lui arrivait au niveau des épaules. Elle déclara d'une voix mal assurée :

— Vous pouvez me lâcher, à présent. Je peux descendre seule.

D'abord, elle crut qu'il allait refuser mais, après un instant d'hésitation, il la libéra.

Heureusement, le sang affluait de nouveau dans ses bras et elle parvint à le suivre sans heurts. Une fois sur la branche la plus basse, il bondit au sol, puis se tourna en tendant une main vers elle. Quand elle sauta, il la rattrapa par la taille et la déposa avec douceur sur le sol, comme si elle ne pesait pas plus que le chaton qu'elle venait de sauver.

En retrouvant la terre ferme, elle voulut pousser un soupir de soulagement mais se rendit compte qu'elle pouvait à peine respirer, la poitrine prise dans l'étau de ce regard magnétique. Le fait que seule une fine couche de lin séparait sa nudité de ce corps mâle lui procurait d'étranges sensations.

Et si ce n'était pas un gentleman ? Elle aurait sans doute dû y penser plus tôt mais ne s'était jamais trouvée dans une telle position de vulnérabilité. En vérité, elle n'avait encore jamais rencontré un homme comme lui.

Elle aurait dû s'écarter, mais son corps refusait de lui obéir. Une force qui ne ressemblait à rien de ce qu'elle avait connu jusqu'alors la clouait sur place.

Toutefois, sa puissance l'effrayait ; suffisamment pour qu'elle se détache enfin de lui.

— Merci, dit-elle d'une voix mal assurée. Je peux me débrouiller seule, maintenant. Vous pouvez partir.

Elle glissa nerveusement une mèche derrière son oreille, geste qu'il observa avec une attention dérangeante. À dire vrai, tout chez lui était troublant.

La masse de muscles ne bougea pas d'un pouce. Si elle ne s'était pas sentie aussi vulnérable, elle aurait sans doute admiré l'impressionnant torse contre lequel elle était plaquée quelques instants plus tôt. Elle se rendit compte avec un temps de retard qu'elle lui avait une nouvelle fois parlé sur un ton tranchant.

— Madame me congédie ? dit-il avec sarcasme. Vous n'oubliez pas quelque chose ?

— Vous ne parlez tout de même pas de votre condition ridicule ? Je n'ai accepté que contrainte et forcée !

— C'est une dette d'honneur. La parole d'une Lamont ne vaut-elle rien ?

— Comment connaissez-vous mon nom ?

Il éclata de rire.

— On raconte que Lamont a une fille très belle.

Il fronça les sourcils et l'examina avec attention.

— Mais je me trompe peut-être. On ne m'a pas parlé d'un nez crochu.

— Quoi ? Je n'ai pas un...

Elle porta machinalement une main à son visage, puis s'arrêta en voyant son sourire moqueur. Ce butor arrogant se moquait à nouveau d'elle ! Et voilà qu'il voulait qu'elle l'embrasse !

Caitrina se mordilla la lèvre, se demandant quoi faire. Elle ne lui devait rien, mais avait tout de même accepté son marché. Il avait touché la corde sensible, l'attaquant là où tous les Highlanders étaient le plus vulnérables : leur fierté.

Ses tergiversations semblaient l'amuser.

— Alors, jeune dame, qu'en dites-vous ? demanda-t-il.

Elle lui adressa un sourire sournois.

— Fort bien, vous l'aurez, votre baiser.

Elle crut déceler un léger mouvement de surprise de sa part. Lorsqu'elle lui présenta sa main, il resta perplexe une fraction de seconde, puis la saisit.

Elle pensa avoir remporté la partie mais, quand elle vit la lueur déterminée dans son regard d'acier, elle se figea, tous ses sens en alerte.

Ses doigts étaient comme engloutis dans la paume large du guerrier. Une paume chaude, calleuse... et forte. Il aurait pu les broyer sans le moindre effort mais, au lieu de cela, il les caressa du bout du pouce, avant de retourner sa main et d'examiner sa peau écorchée.

— Vous êtes blessée ! Pourquoi ne pas l'avoir dit plus tôt ?

Elle tenta de retirer sa main mais il la retint.

— Ce n'est rien, dit-elle.

Tout en la regardant au fond des yeux, il porta lentement sa main à ses lèvres.

Elle ne pouvait détourner le regard. Son pouls battait, frénétique, comme les ailes d'un colibri. Elle sentit la chaleur de son souffle juste avant qu'il ne pose sa bouche sur sa paume blessée. Le contact de ses lèvres

29

sur sa peau lui laissa une sensation brûlante, comme une marque au fer rouge.

Il laissa glisser sa bouche jusqu'à la chair sensible du poignet. Les battements de son cœur s'accélérèrent encore quand elle comprit où il voulait en venir : il ne s'agissait pas d'un simple baisemain, mais d'une entreprise de séduction.

Une entreprise diablement efficace car bientôt, une étrange sensation s'empara de son corps : ses jambes étaient soudain molles et une douce torpeur l'envahissait. Il remonta jusqu'au creux de son coude. La caresse des lèvres douces et du souffle chaud sur sa peau nue faisait courir de légers frissons le long de son bras et le frottement de son menton contre sa chair embrasait tous ses sens. Elle entrouvrit les lèvres, le souffle court...

Quand il leva les yeux vers elle, son expression changea. Fermement, il glissa un bras autour de sa taille et l'attira à lui. Ses traits étaient concentrés, son regard ardent. Il contempla sa bouche.

Elle savait ce qu'il s'apprêtait à faire. Elle aurait pu l'arrêter, mais elle n'en fit rien. Jamais elle n'avait eu envie d'être embrassée par un homme... jusqu'à aujourd'hui.

Il lui saisit délicatement le menton et caressa sa peau du bout des doigts. Il paraissait impossible qu'un homme d'une telle puissance se montre aussi doux. Il pencha son visage vers le sien. Elle retint son souffle, dans l'attente, sentant monter en elle une soudaine chaleur. Ses seins, pressés contre le torse de l'homme, étaient sensibles et son corps tout entier semblait être prêt à s'embraser à la première caresse...

Enfin, alors qu'elle pensait ne pouvoir attendre une seconde de plus, il posa les lèvres sur les siennes.

Elle ressentit une délicieuse langueur... Elle avait l'impression de s'épanouir telle une fleur ouvrant ses pétales au soleil brûlant. Les lèvres de l'inconnu étaient chaudes, veloutées et elle perçut le soupçon d'épices, profond et mystérieux, qu'elle avait détecté plus tôt.

Il glissa une main derrière sa nuque. Ses doigts s'enroulèrent autour de son cou et s'enfoncèrent dans ses cheveux, pressant ses lèvres plus fermement encore contre les siennes.

Son étreinte était autoritaire, possessive – comme lui –, et ne ressemblait en rien au chaste baiser auquel elle s'était attendue.

Elle s'abandonna contre lui, dégustant la saveur de sa bouche, brûlant de la goûter plus encore. Le sang battait à ses tempes. De la langue, il tenta de franchir la barrière de ses lèvres. Elle sentait sous ses doigts ses muscles frémir de retenue et devina qu'il luttait intérieurement contre une force obscure.

Il la libéra avec un léger soupir, la laissant étourdie. Inassouvie… Dès qu'elle en prit conscience, le nuage de brume qui l'enveloppait depuis qu'il avait pris sa main se dissipa. Elle fut mortifiée de l'avoir laissé prendre une telle liberté. Un parfait inconnu ! S'ils l'apprenaient, son père et ses frères le tueraient – et elle avec lui !

Se tournant légèrement pour lui cacher sa gêne, elle déclara d'une voix mal assurée :

— Vous avez pris votre dû. À présent, laissez-moi en paix, je vous prie.

Il lui prit le bras et la força à le regarder. Ses yeux brillaient de colère.

— Je n'ai rien *pris* du tout, ma belle. Ai-je besoin de vous le rappeler ?

Elle fit non de la tête et il la lâcha. En le voyant se diriger vers son cheval, elle songea, déçue, qu'il allait la quitter ainsi sans un mot de plus.

Mais, à sa grande surprise, il sortit une étoffe de la sacoche accrochée à sa selle et la lui tendit.

— Tenez. Vous pourrez vous draper dedans.

Cette attention la stupéfia plus que s'il lui avait subitement poussé des ailes au lieu des cornes et du trident qu'elle lui avait attribués. En effet, elle aurait du mal à remettre sa robe toute seule. Enveloppée dans ce tartan, elle pourrait rentrer au château en évitant les questions embarrassantes.

— Merci…, murmura-t-elle.

Puis, comme il s'éloignait de nouveau, elle demanda :

— Qui êtes-vous ?

Il esquissa un sourire sournois.

— Un simple chevalier, madame.

Là-dessus, il grimpa en selle et partit en direction du château.

Elle l'observa jusqu'à ce qu'il eût disparu entre les arbres, se demandant si elle avait eu affaire à un chevalier servant ou au diable en personne.

Bigre ! Cela ne s'était pas du tout passé comme prévu.

Jamie Campbell n'était pas homme à se laisser surprendre, mais la fille Lamont l'avait pris de court. Dans ses bras, elle s'était transformée en une exquise friandise : douce, sucrée, fondant contre son corps… Il inspira profondément, essayant d'étouffer le feu qui couvait encore en lui, mais le désir que ce baiser avait fait naître était tenace. Il y avait bien longtemps qu'il n'avait pas ressenti une telle soif, une soif qu'un seul baiser ne suffirait pas à étancher.

Ce n'était certes pas la meilleure manière de se présenter à la fille qu'il était venu courtiser.

Il se trouvait dans le bois quand il avait vu le garçon partir en courant. Puis, en levant les yeux, il l'avait aperçue… ou plutôt, il avait aperçu un fessier rebondi, juste au moment où elle était sur le point de tomber et de rompre son joli cou.

Il avait remarqué la belle robe jetée sur un tronc couché mais ce n'est qu'en découvrant son visage qu'il avait compris : ce ne pouvait être que Caitrina Lamont et la ressemblance avec sa mère était frappante. Il n'avait vu Marion Campbell qu'une seule fois quand il était enfant mais ce n'était pas le genre de femme qu'on oublie. Le père de Marion, le laird de Cawdor, n'avait jamais pardonné à sa fille de s'être enfuie avec son ennemi juré, le chef des Lamont, des années plus tôt. La querelle entre les deux familles ne s'était pas apaisée depuis. Cela n'avait rien d'inhabituel entre deux clans voisins, dans un pays où les terres sont rares et donc très convoitées.

Jamie avait souvent entendu vanter la beauté de Caitrina et, pour une fois, la rumeur disait vrai. En général, il préférait les beautés plus sages, plus réservées, mais il était difficile de résister à cette chevelure noire, ce teint clair, ces yeux bleus et ces lèvres rouges. Et ce corps... Elle avait un corps pour lequel n'importe quel homme se serait damné : une silhouette élancée, une croupe voluptueuse, des seins ronds et généreux. Il ressentit un délicieux frisson au souvenir de ces courbes exquises pressées contre lui. Il avait vécu un moment divin... et infernal, car il ne pouvait aller plus loin. Cette petite naïve devait s'estimer heureuse d'être tombée sur un homme comme lui.

Même s'il doutait qu'elle le voie de cet œil.

Naturellement, il avait toujours eu l'intention de la faire descendre de l'arbre, mais le ton de sa voix l'avait provoqué, lui donnant envie de la taquiner un peu. Son expression – un mélange de stupeur et de confusion – quand il lui avait refusé son aide, valait son pesant d'or. De toute évidence, Caitrina Lamont avait l'habitude d'obtenir ce qu'elle voulait.

S'il avait exigé un baiser, c'était pour donner une leçon à cette péronnelle. Il n'avait pas vraiment eu l'intention d'exiger son dû... jusqu'à ce qu'elle tente de le berner en lui tendant sa main. Là encore, il n'avait voulu que lui faire *désirer* un vrai baiser... sans l'embrasser. Mais le goût sucré de sa peau et, plus encore, son frisson de passion innocente quand il avait

33

déposé ses lèvres sur son poignet et dans le creux de son coude l'avaient tenté irrésistiblement.

Jamie sortit de la forêt et, apercevant le château, ralentit la monture. Ascog Castle, la forteresse des Lamont, était un grand donjon rectangulaire de quatre étages, entouré d'une solide enceinte et bâti sur une hauteur, au nord du loch. Avec le lac au sud, la forêt à l'ouest et des collines au nord, l'endroit offrait de nombreuses possibilités de cachettes. Sa mission était de découvrir si quelqu'un les utilisait.

Alasdair Mac Gregor et ses hommes étaient en fuite. Les lettres d'accréditation de Jamie lui conféraient l'autorité de les trouver, puis de les traîner devant la justice pour leurs crimes commis lors de cet épisode funeste connu sous le nom de « Massacre de Glenfruin ». Glenfruin, la « Vallée du Chagrin »…

Ce n'était pas la première fois que les MacGregor se mettaient hors-la-loi. Le clan avait maille à partir avec la justice depuis près de quatre-vingts ans mais, pour le roi Jacques, Glenfruin avait été la goutte qui avait fait déborder le vase : plus de cent quarante membres du clan Colquhoun avaient été tués et toutes les maisons et granges du Luss brûlées. Le Conseil Privé avait proscrit le clan : ses membres n'avaient même plus le droit de se faire appeler MacGregor, sous peine de mort. Ils devaient être arrêtés et jugés. Le comte d'Argyll, le cousin de Jamie, avait été chargé de faire appliquer cette décision.

Au cours du mois qui venait de s'écouler, Jamie avait sillonné tout le comté d'Argyll et ses environs, suivant des pistes balisées par des rumeurs, des vols de bétail et des fermes incendiées. Tous les indices indiquaient que les MacGregor se dirigeaient vers leurs anciennes terres, près des Lomont Hills, mais Jamie était sceptique. Cela paraissait trop simple ; Alasdair MacGregor était plus rusé que ça.

34

En dépit de leur statut de hors-la-loi, les MacGregor avaient encore beaucoup d'amis dans la région susceptibles de les héberger, des amis comme les Lamont. Connaissant l'hospitalité des Highlands – la plus sacrée des coutumes locales – et se fiant à son instinct, Jamie avait pris la direction d'Ascog.

Quand il atteignit le portail, l'une des vigies lui lança sur un ton enjoué :

— Qui êtes-vous, monsieur ?

— James Campbell, capitaine de Castleswene.

Toute cordialité s'envola aussitôt, cédant le pas à une haine à peine dissimulée et mêlée de crainte. Au cours de ces dernières années, Jamie s'était fait à cette réaction. C'était également la raison pour laquelle il n'avait pas dévoilé son identité à la jeune Lamont. Une fois de plus, sa réputation – très surfaite, sans nul doute – l'avait précédé.

La main du garde se crispa sur la poignée de son épée.

— Je vais annoncer à notre chef qu'il a un... un visiteur.

Jamie descendit de sa monture, lança la bride au garde stupéfait et indiqua d'un signe du menton l'homme qui venait de sortir de l'armurerie.

— Je vais lui annoncer moi-même.

— Mais... vous ne pouvez pas..., balbutia l'homme en tentant de lui bloquer la route.

— Bien sûr que je peux ! rétorqua Jamie sur un ton qui ne tolérait pas de réplique.

Il contourna le jeune homme et lança d'une voix qui résonna tout le long du mur d'enceinte :

— Lamont !

Le chef se tourna vers lui, le reconnut et glissa quelques mots aux deux jeunes hommes à ses côtés. Lamont était un guerrier expérimenté qui savait masquer ses réactions mais ce n'était pas le cas du plus jeune de ses compagnons. Jamie les observait attentivement et remarqua la lueur d'inquiétude dans son regard, vite dissimulée. Était-ce parce qu'un Campbell avait pénétré dans leur forteresse, ou cachaient-ils quelque chose ? Il le découvrirait tôt ou tard.

Lamont se dirigea vers lui d'un pas assuré. Il était en pleine forme pour un homme dans la cinquantaine et se déplaçait avec l'assurance et l'agilité d'un grand guerrier.

— Campbell ! lança-t-il, je serais venu vous accueillir en personne si j'avais été prévenu de votre visite.

Jamie sourit. Ils savaient tous les deux pourquoi il ne s'était pas fait annoncer. Avertir les Lamont allait à l'encontre de ses objectifs. Si Lamont cachait MacGregor et ses hommes, comme le soupçonnait Jamie, il aurait eu le temps de les déplacer. Avec Jamie et ses hommes sur les lieux et à l'affût, les fugitifs étaient obligés de rester dans leurs cachettes.

Lamont lança un regard par-dessus l'épaule de Jamie et demanda :

— Vous êtes venu seul ?

À une époque où la puissance d'un homme s'estimait au nombre de ses gardes *luchd-taighe*, il était inhabituel – pour ne pas dire dangereux – de voyager sans escorte. Cependant, Jamie n'avait pas besoin d'une armée pour le protéger. Il préférait travailler seul ou, en l'occurrence, avec une poignée d'hommes triés sur le volet.

— Mes gardes arriveront plus tard, répondit-il.

« Mais pas avant qu'ils aient fini de repérer les environs et d'établir un périmètre. »

Jamie désigna les deux hommes qui encadraient le chef.

— Vos fils, je présume ?

— En effet, voici Malcom, mon *tanaiste*, et son cadet Niall.

36

L'aîné, un blond aux yeux verts, ressemblait à son père. En revanche, en voyant le plus jeune, Jamie n'eut plus aucun doute sur l'identité de la jeune femme qu'il avait trouvée perchée dans un chêne. Bien que le garçon soit plus âgé que Caitrina de quelques années, ils auraient pu être jumeaux.

— Entrez donc trinquer avec nous, l'invita Lamont. Le banquet ne commencera pas avant quelques heures.

Jamie s'engagea derrière eux dans le grand escalier en bois qui menait au donjon. Comme dans la plupart des bâtisses de ce type, on y accédait par le premier étage, au-dessus des grandes salles voûtées du rez-de-chaussée. En cas d'attaque, on pouvait facilement retirer l'escalier ou le brûler.

Il faisait plus froid et sombre à l'intérieur, les épais murs de pierre refoulant efficacement les rayons du soleil. Ils traversèrent un vestibule avant d'entrer dans la grande salle. Le château était bien entretenu et meublé : des tapis de laine colorés couvraient les sols ; des tableaux et des tapisseries ornaient les murs ; plusieurs grands chandeliers en argent étaient disposés çà et là dans la pièce. Lamont n'était pas un homme riche, mais il était loin d'être pauvre. Néanmoins, l'ensemble du mobilier paraissait fatigué. L'effet des années de guerre contre les Campbell se faisait sentir.

Ils prirent place autour de la grande table. Lamont ordonna à une servante de leur apporter des rafraîchissements qui arrivèrent promptement dans des coupes en argent gravées des armoiries et de la devise des Lamont : *Ne Parcas Nec Spernas*. « N'épargne point, ne méprise point. » Lorsque la servante se fut retirée, Lamont se tourna vers Jamie et lui demanda sans détour :

— Que faites-vous ici ? Que me veut le comte d'Argyll ?

Jamie but une longue gorgée de bière sans quitter son interlocuteur des yeux. La franchise était un trait de caractère qu'il admirait. Il reposa sa coupe et prit tout son temps avant de répondre. Les trois autres hommes étaient parfaitement immobiles, le visage impavide.

— Vous accueillez bien les jeux, non ? répondit-il enfin.

Incapable de masquer sa surprise, Niall lâcha :

— Vous ne comptez tout de même pas entrer dans la compétition ?

Jamie lui lança un regard noir, devinant le pourquoi de sa réaction. Les Campbell étaient un clan fier et ancien des Highlands. Cependant, du fait de leurs liens avec le roi, beaucoup les associaient aux Lowlands.

— Je suis un Highlander, rétorqua-t-il pour toute réponse.

Niall parut sur le point de vouloir en débattre mais il se ravisa. Le chef tenta de dissiper la tension.

— Je ne pensais pas qu'Argyll jugerait nos jeux dignes de son plus fidèle exécu... euh... capitaine.

Jamie arqua un sourcil, ayant parfaitement saisi son lapsus. « L'Exécuteur » n'était que l'un des surnoms dont on l'affublait.

— Mon cousin s'intéresse de très près à tout ce qu'il se passe en Argyll et sur l'île de Bute, souligna-t-il.

Il fit courir son index sur le bord de sa coupe avant d'ajouter :

— Mais il y a aussi la question de votre fille.

Les trois hommes se tendirent, prêts à dégainer leur épée. Le chef fut le premier à se ressaisir. Le regard dur et neutre, il demanda :

— En quoi ma fille vous concerne-t-elle ?

— Je suis venu vérifier par moi-même le bien-fondé des rumeurs.

Lamont le dévisagea attentivement. Même si cela ne lui plaisait pas, il était assez malin pour comprendre qu'une proposition d'alliance avec le clan Campbell, surtout avec leur cousin le plus puissant et celui en qui il plaçait toute sa confiance, ne devait pas être prise à la légère.

La main crispée autour du pied de sa coupe, il demanda avec un calme surprenant :

— Ma fille vous intéresse ?

— Peut-être, répondit Jamie évasif.

Intérieurement, il jubilait de voir sa ruse fonctionner. Sa visite avait rendu les Lamont méfiants ; à présent, ils avaient une autre raison d'être inquiets et reporteraient une partie de leur attention sur la fille...

3

Vers midi, Caitrina était de nouveau parée de sa plus belle robe, même si son humeur n'était plus tout à fait la même que lors du premier essayage. Elle s'efforçait de ne plus penser à la scène dans le bois mais le souvenir de ce baiser semblait gravé dans sa mémoire et la troublait encore.

Elle dévala l'escalier en direction de la grande salle où le brouhaha indiquait que le banquet avait déjà commencé. Cela ne manquerait pas d'agacer son père, qui interpréterait sans doute son retard comme une nouvelle tentative d'échapper à son « devoir ».

Ce n'était pas juste ! On l'exhibait devant une bande de vautours affamés alors que ses deux frères aînés étaient libres d'agir à leur guise. Malcom avait cinq ans de plus qu'elle et personne ne l'obligeait à prendre une épouse. Pendant que Niall et lui contaient fleurette à toutes les filles, elle avait passé l'année à endiguer le flot de prétendants qui se pressaient à la porte du château.

Son père pensait sûrement agir pour son bien. Il craignait qu'elle finisse un jour par lui reprocher, ainsi qu'à ses frères, de l'avoir gardée pour eux et de l'avoir trop protégée. Elle n'avait jamais quitté la région de Bute, hormis pour une visite à son oncle, Lamont de Toward. Mais son père se trompait. Elle n'avait aucune envie d'aller à la cour, ni nulle part ailleurs. Tout ce qu'elle désirait se trouvait ici.

Elle aimait sa famille et n'aurait quitté Ascog pour rien au monde, et encore moins pour suivre un de ces rustres pédants invités par son père, qui la lorgnaient sans vergogne par-dessus la table du dîner, ni l'un de ces benêts bégayants qui lui professaient un amour éternel cinq minutes après leur rencontre. Caitrina sourit intérieurement. Elle était heureuse là où elle était et veillerait à ce que rien ne change, même si elle devait éconduire tous les hommes des Highlands.

Pour une fois, si elle était en retard, ce n'était pas pour fuir ses prétendants. Prendre un bain et se faire aider pour enfiler sa robe une seconde fois lui avait pris plus de temps que prévu. En réalité, elle se réjouissait d'assister au banquet. Même si les véritables intentions de son père lui déplaisaient, accueillir l'Assemblée des Highlands était un honneur. C'était excitant. En outre, elle était curieuse de découvrir l'identité de son sauveur.

Elle s'arrêta au pied de l'escalier pour reprendre son souffle et parcourut la salle du regard. L'immense pièce était bondée de Highlanders en tenue d'apparat. Ils célébraient l'ouverture des jeux à grand renfort de la meilleure bière de Lamont. En dépit du soleil qui filtrait par les quatre fenêtres, la douce chaleur du printemps n'était pas encore assez intense pour chasser les derniers frimas d'un hiver particulièrement rigoureux. La fumée de tourbe de l'immense cheminée derrière l'estrade lui piqua le nez.

Elle chercha son père du regard afin de jauger son humeur. Assis à la table d'honneur, il était resplendissant dans son pourpoint de soie. Elle ne pouvait voir le contenu de son assiette mais espérait qu'il suivait les conseils du guérisseur et évitait les riches plats français que sa mère lui avait appris à aimer tant d'années plus tôt. Depuis quelque temps, il ressentait des douleurs dans la poitrine qui inquiétaient Caitrina.

Elle allait entrer dans la pièce quand elle sentit une présence derrière elle.

— Tu as oublié ta couronne…

En se retournant, elle découvrit son frère Niall, goguenard. Habituée à ses taquineries, elle releva fièrement le menton.

— Je ne vois pas de quoi tu parles.

Il la regarda des pieds à la tête.

— Habillée comme tu es, on croirait que tu te rends à la cour de Whitehall pour baguenauder avec ces maudits Anglais. Prends garde, la reine Anne verra peut-être d'un mauvais œil l'arrivée d'une rivale.

— Ça suffit ! dit-elle en lui donnant un coup de coude.

Il éclata de rire, lui enlaça la taille, la souleva de terre et se mit à tournoyer sur place tout en déclarant :

— Ah, ma belle Caitrina, tu fais plaisir à voir !

— Repose-moi, espèce de bon à rien !

— Bon à rien, moi ?

Il la fit tournoyer de plus belle.

Elle riait aux éclats et était hors d'haleine quand ses pieds touchèrent enfin le sol. Elle était aussi complètement étourdie et Niall dut la soutenir jusqu'à ce qu'elle ait retrouvé son équilibre. Soudain, elle lui demanda :

— Niall ? Comment trouves-tu mon nez ?

Il haussa les sourcils tout en examinant son visage.

— Pourquoi cette question ?

— Tu ne trouves pas qu'il est crochu ?

Il sourit.

— C'est vrai, maintenant que tu le dis…

En voyant la lueur moqueuse dans son regard, elle lui donna un nouveau coup de coude.

— Idiot, je me demande pourquoi je te pose encore des questions !

Il lui prit le nez entre ses doigts et l'agita doucement.

— Il est très bien, ton nez…

Puis il se tourna vers la grande salle et demanda :

— Lequel de ces cœurs malheureux va t'être servi sur un plateau, ce soir ?

Il lui indiqua un beau jeune homme assis près de la porte.

— Le jeune MacDonald, là-bas ? Ou peut-être un Graham ?

Il pointait le doigt dans différentes directions.

— À moins que tu n'optes pour un Murray ?

Elle le poussa, incapable de réprimer un sourire.

— Tu sais bien qu'aucun ne m'intéresse.

Niall arqua un sourcil narquois.

— Peut-être mais, avec ce décolleté, eux ne manqueront pas de s'intéresser à toi.

Caitrina s'en souciait comme d'une guigne mais ne put s'empêcher de balayer la pièce du regard, cherchant son mystérieux sauveur. De nouveau, elle vit son père à la table d'honneur. Malcom était assis à sa gauche. À sa droite se trouvait le siège vide qui lui était réservé et, à côté… lui ! Occupant la place d'un invité de marque. Elle ne s'était donc pas trompée en pensant qu'il était de haut rang.

S'efforçant de contrôler l'excitation dans sa voix, elle demanda :

— Dis-moi, Niall, qui est cet homme assis à la table de père ?

Les traits de son frère s'assombrirent aussitôt et il cracha plutôt qu'il ne répondit :

— Ça, c'est James Campbell.

Le sang de Caitrina se glaça. Un Campbell ! Elle porta instinctivement la main à ses lèvres, horrifiée. « Seigneur, j'ai embrassé un Campbell ! »

Elle ignorait ce qui était pire : se rendre compte qu'elle avait embrassé le suppôt de Satan… ou qu'elle y ait pris du plaisir.

La présence de Jamie n'avait pas échappé aux convives mais, en dépit de leur accueil glacial, il prenait du bon temps. Les musiciens de Lamont remplissaient la salle d'airs entraînants ; la nourriture était bonne et abondante ; la bière coulait à flots. Il ne manquait plus que la fille de Lamont...

Il n'aurait pas été surpris que son rusé de père l'ait fait partir en douce pour qu'elle ne tombe pas entre les griffes de l'ennemi. Jamie ne pouvait guère lui en vouloir. Caitrina Lamont était un joyau que tous les hommes convoitaient.

Malgré l'absence de la dame du château, il devait reconnaître que Lamont était un hôte hors pair. Il avait placé son invité de dernière minute à côté de la seule personne dans la salle qui n'objecterait pas à sa présence : Margaret MacLeod. Margaret, ou Meg, était la meilleure amie de la sœur de Jamie.

Trois ans plus tôt, Jamie avait envisagé de la demander en mariage, mais elle lui avait préféré Alex MacLeod, le frère du chef Rory MacLeod. Bien qu'il ait eu du mal à l'accepter sur le coup, avec le recul il savait qu'elle avait fait le bon choix. Il n'avait pas vraiment été amoureux de Meg et avait assez d'estime pour elle pour savoir qu'elle méritait mieux.

— Je suis si heureuse que tu sois ici, Jamie, répéta Meg avec un grand sourire. Tu te fais trop rare.

Jamie indiqua d'un signe son mari, assis plus loin et en grande conversation avec MacLean de Coll, époux de la demi-sœur d'Alex, Flora, qui était également une cousine de Jamie. Flora attendant un heureux événement, son mari était venu seul.

— Je doute que ton mari partage ce sentiment.

Alex et Rory MacLeod l'avaient salué avec courtoisie, mais en gardant leurs distances. Jamie n'en était pas surpris. Trois ans s'étaient écoulés depuis qu'Alex et lui avaient combattu côte à côte à la bataille de Stornoway Castle. Depuis, les intérêts de Jamie et ceux de son ancien ami d'enfance avaient divergé jusqu'à la discorde. Bien qu'attachés au comte d'Argyll par un pacte de *manrent*, ce contrat qui liait des clans comme s'ils étaient du même sang en offrant une protection en échange de devoirs féodaux, Alex et Rory s'accrochaient encore au passé et n'appréciaient guère l'autorité toujours croissante du roi dans les Highlands. Ils étaient favorables aux MacGregor et voyaient d'un mauvais œil le rôle de Jamie dans leur traque. D'un autre côté, les MacLeod, comme les Lamont, n'avaient pas eu à subir leurs massacres et leurs pillages.

Jamie regrettait la franche camaraderie qu'il avait jadis partagée avec les Macleod mais il comprenait que ce genre d'amitié appartenait au passé. S'ils se respectaient toujours, à mesure que le pouvoir et les responsabilités de Jamie augmentaient, leurs relations devenaient plus complexes. Il travaillait seul, c'était plus simple ainsi.

Meg posa une main sur sa cuisse.

— Ne fais pas attention à Alex. Il n'a pas oublié ce que tu as fait pour lui. Moi non plus.

Après la victoire des MacLeod contre les soldats du roi à Stornoway, Jamie avait usé de son influence auprès d'Argyll pour qu'Alex ne soit pas déclaré hors la loi ni accusé de trahison.

Jamie accepta sa reconnaissance d'un signe de tête et lui demanda :

— Es-tu heureuse, Meg ?

Le regard de Meg se porta aussitôt sur Alex et la douceur dans ses yeux fut éloquente. Jamie l'avait toujours trouvée jolie mais quand elle regardait son mari elle devenait plus belle encore. Alex MacLeod était un sacré veinard !

— Oui, je n'ai jamais été aussi heureuse.

— J'en suis ravi pour toi, dit-il avec sincérité.

— Et toi, Jamie ? Es-tu heureux ?

La question le prit de court. Il ne se la posait pas. Il était animé par d'autres considérations. Le bonheur – trop féminin – n'en faisait pas partie. La justice, la loi, l'autorité, la terre, la capacité de subvenir aux besoins de ses hommes… voilà ce qui comptait pour lui.

— Je n'ai pas à me plaindre.

Meg le dévisagea attentivement.

— En tout cas, tu t'es forgé une belle réputation !

— Dois-je comprendre que tu me désapprouves ?

— Je ne crois pas la moitié de ce qu'on raconte sur toi.

— Tu n'as pas peur que je me glisse chez toi la nuit et vole ton enfant ? Tu sais ce que disent les mères à leurs petits quand ils ne sont pas sages : « Attention, le bourreau des Campbell va venir te chercher ! »

— Non, répondit Meg avec un sourire. Mais le comte d'Argyll se repose trop sur toi. Dans ses lettres, Elizabeth me dit qu'elle ne te voit presque plus.

— Lizzie exagère toujours.

La plupart des gens dans cette salle préféraient faire l'autruche et ne rien savoir de ce qu'il se passait autour d'eux. Meg, elle, comprenait le grand bouleversement que les Highlands étaient en train de vivre. L'ère des chefs de clan à l'autorité indiscutée était révolue, ce qui n'était pas plus mal. Depuis la dissolution de la Seigneurie des Îles, ils s'étaient montrés de piètres gouvernants. À l'instar du roi Jacques, Jamie était résolu à débarrasser les Highlands de l'anarchie et de ses violences. Il aurait pensé que Meg serait de son côté mais peut-être que son mariage l'avait changée plus qu'il ne l'avait cru. L'autorité et le pouvoir croissants d'Argyll – et ceux de Jamie par la même occasion – avaient créé beaucoup de rancœur et de méfiance, minant bon nombre de ses amitiés. Il espérait que cela ne s'étendrait pas à Meg.

Cette dernière sembla deviner ses pensées et déclara :

— Elle est inquiète pour toi. Moi aussi.

— Ce n'est pas justifié.

Conscient d'avoir parlé plus sèchement qu'il ne l'avait voulu, il ajouta d'un ton radouci :

— Je verrai Lizzie bientôt à Dunoon. Elle pourra constater par elle-même qu'elle n'a aucun souci à se faire pour moi.

L'arrivée de nouveaux plats interrompit quelque temps la conversation.

Dès que la fille Lamont fit son entrée dans la salle, il le sentit. Le brouhaha s'apaisa soudain et tous les hommes la suivirent du regard tandis qu'elle avançait à pas lents vers la table de son père avec un port de reine. « De princesse », rectifia-t-il. Elle paraissait bien trop fraîche et innocente pour une reine.

Elle était belle à couper le souffle. Ses cheveux noirs et brillants étaient remontés haut sur sa tête et de longues mèches bouclées retombaient le long de son cou de cygne. Ses traits d'une beauté classique étaient encore rehaussés par le contraste saisissant de sa peau blanche, de ses yeux d'un bleu vif et de ses lèvres vermeilles. « Diantre ! pensa-t-il. Encore un peu et je vais me transformer en barde. »

Quand elle s'approcha, il sentit tout son corps se raidir. Par tous les saints, qu'est-ce que c'était que cette tenue ? La colère qui s'empara de lui était aussi intense qu'irrationnelle. Il n'avait aucun droit sur la jeune fille mais tous ses sens s'embrasèrent, attisant une possessivité déplacée. Ses doigts se crispèrent autour du pied de sa coupe tandis qu'il luttait contre l'instinct primitif de la jeter sur son épaule et de la monter dans sa chambre pour qu'elle se change. Si la jupe ample de sa robe ne révélait pas les courbes de sa silhouette avec autant de détails que la chemise quasi transparente qu'elle portait plus tôt, on ne pouvait en dire autant de son corsage. Le peu de tissu dans lequel il était cousu semblait sur le point de craquer et couvrait à peine les aréoles de ses seins. Les rondeurs fraîches et fermes de sa jeune poitrine étaient exposées à la vue de tous.

Il serrait tant la coupe en argent qu'il faillit la tordre. Que cherchait-elle à provoquer, une émeute ?

Il s'efforça de se calmer mais les regards franchement admiratifs de certains des hommes dans la salle n'arrangeaient rien.

Elle ne semblait pas se rendre compte qu'elle était le centre de toutes les attentions. Jamie espéra que

Lamont allait la renvoyer dans sa chambre mais il fut déçu. Au contraire, le visage du chef rayonnait de fierté.

Elle déposa un baiser sur sa joue et lui chuchota quelque chose à l'oreille. À son air penaud, Jamie devina qu'elle s'excusait pour son retard. Son père lui adressa quelques reproches mais ses traits s'adoucirent aussitôt en voyant la mine déconfite de sa fille. Visiblement, il ne supportait pas de la voir triste.

— Elle est très belle, n'est-ce pas ? lança Meg d'un air amusé.

Il allait rétorquer que la fille ne l'intéressait pas, puis se souvint de son plan et se contenta de répondre :

— Certes…

Cette concession surprit son amie qui haussa les sourcils interrogateurs. Il préféra ne pas répondre et se tourna de nouveau vers Caitrina, qui saluait plusieurs hommes autour de la table. Celle-ci était réservée aux invités de marque, des chefs de clan pour la plupart.

Même si toutes les querelles étaient mises de côté pendant la durée des jeux, le placement des invités à table en disait long sur les hostilités en cours. D'un côté de Lamont se trouvaient MacDonald et Mackenzie ; de l'autre, MacLeod, Mackimmon et Maclean de Coll. Jamie reconnut également quelques Murray, McNeil, MacAllister et Graham éparpillés dans la salle. Les proscrits MacGregor, en revanche, brillaient par leur absence.

Jamie savait qu'Alasdair MacGregor ne serait pas idiot au point de vouloir participer aux jeux, surtout après avoir été à deux doigts de se faire prendre lors de la dernière Assemblée deux ans plus tôt.

Caitrina ne l'avait pas encore salué et évitait soigneusement de croiser son regard. Toutefois, une fois son tour de table terminé, il lui fut impossible de l'éviter. Le temps que son père les présente, Jamie avait ravalé sa colère.

— James Campbell, ma fille Caitrina.

À la réaction de la jeune femme, ou plutôt à son absence de réaction, il comprit que son identité lui était déjà connue. S'était-elle renseignée ? Cette idée lui plut plus que de raison. Il lui prit la main et s'inclina devant elle.

— Demoiselle Lamont...

Son sourire aurait pu geler un loch en plein été.

— Laird Campbell...

Son père lança à la jeune femme un regard noir, lui rappelant ses devoirs d'hôtesse.

— Je suis navrée d'avoir été en retard, déclara-t-elle d'un ton contraint.

— Une beauté telle que la vôtre mérite bien qu'on l'attende.

Elle ne releva pas le compliment et lui tourna le dos pour s'adresser à son père. Jamie était intrigué par son comportement. La plupart des jolies femmes considéraient les flatteries comme un dû mais Caitrina lui donnait l'impression d'avoir raté sa cible.

Elle ne lui adressait jamais la parole directement, répondant à son père, à son frère Malcom ou à Meg. La plupart du temps, elle était occupée à refouler le flot d'admirateurs qui s'approchaient pour lui parler sous un prétexte ou un autre.

Si Jamie avait espéré glaner des informations pouvant aider sa mission, il était déçu. Chaque fois que, dans la conversation, quelqu'un se mettait à parler de politique ou de hors-la-loi, sa voisine fronçait du nez avec un air de profonde lassitude. À un moment, il y eut un échange un peu houleux entre le jeune Malcom et l'un des chefs Mackenzie à propos de la recrudescence de raids en Argyll et des mesures prises pour lutter contre ce fléau. Jamie tendit l'oreille avec un grand intérêt tandis que le ton montait.

Caitrina se pencha vers son père et posa une main sur son bras.

— Père, vous savez que ce genre de discussion me donne la migraine !

Lamont parut d'abord très surpris par la réaction de sa fille. Puis, se rendant compte qu'elle lui avait évité de dire quelque chose qu'il était préférable que Jamie n'entende pas, il tapota sa main avec un sourire indulgent.

— Tu as raison, Caiti. Nous sommes réunis pour faire la fête et nos pas pour ressasser nos vieilles querelles.

Elle adressa un sourire charmeur au jeune laird Mackenzie qui parut ébloui par cette attention et lui déclara :

— J'ai parfois l'impression que les hommes se servent de la guerre comme d'un prétexte pour exhiber leurs prouesses à l'épée et montrer leurs gros muscles. Qu'en pensez-vous ?

Flatté, Mackenzie gonfla son torse comme un jeune coq et se lança dans une explication inintelligible tandis que Jamie refrénait une envie inexplicable de casser quelque chose.

Puis, soudain, elle se tourna vers lui.

— D'un autre côté, certains guerroient contre leurs voisins sous n'importe quel prétexte et ne s'estiment satisfaits qu'une fois qu'ils ont fait main basse sur leurs terres.

Il y eut un silence glacial autour de la table et elle prit un air faussement ingénu, plaçant une main devant sa bouche.

— Oh, pardon ! Je parlais en règle générale, bien sûr…

Il leva sa coupe vers elle et répéta sur un ton narquois :

— Bien sûr…

La conversation reprit et elle l'ignora de nouveau. De son côté, il observait son manège avec une admiration croissante. Elle refusait les invitations à danser ou à converser avec adresse et subtilité. Il n'y avait aucune coquetterie ni minauderie dans ses manières, ce qui la rendait encore plus intéressante. Dorlotée et choyée par les hommes du château, elle était impertinente, un peu capricieuse mais dénuée d'artifices… et absolument charmante.

Elle était comme une fleur de serre dans un jardin en friche.

Elle avait beau tout faire pour ne pas lui parler, il la sentait aussi consciente de sa présence qu'il l'était de la sienne. Cela se voyait à la manière dont elle retirait d'un geste vif son bras quand il effleurait le sien. Quand leurs cuisses se touchèrent par inadvertance, sa main trembla et elle renversa un peu de vin sur la table. Elle rosissait chaque fois qu'elle se rendait compte qu'il l'observait.

Mais il ne pouvait s'en empêcher.

Toutefois, chaque fois qu'elle se penchait en avant, il devait lutter contre l'envie d'écraser son poing sur quelque chose, de préférence sur le visage d'un autre homme.

Si elle avait été sienne, il aurait mis cette robe en lambeaux. Non sans avoir d'abord sauvagement abusé d'elle pour la punir de l'avoir rendu fou de désir.

Un détail l'intriguait. Il la vit à plusieurs reprises ôter discrètement des morceaux de bœuf ruisselants de sauce de l'assiette de son père et les remplacer par des navets et des panais quand il regardait ailleurs. Quand son père se tournait à nouveau vers son assiette, il fronçait les sourcils et interrogeait sa fille du regard. Celle-ci souriait d'un air innocent.

Ne pouvant plus contenir sa curiosité, il profita d'un moment où Lamont était de nouveau occupé à discuter avec l'homme à sa gauche pour demander :

— Votre père aurait-il un goût prononcé pour les racines ?

Elle se mordit la lèvre.

— Hélas ! non. J'espérais que personne ne le remarquerait.

— Je suppose que vous avez également une bonne raison de chasser les serveurs chaque fois qu'ils apportent un nouveau plat en sauce ?

Elle acquiesça en rougissant de plus belle. Elle n'en dit pas plus mais Jamie avait compris. Elle veillait à ce que son père ne mange rien de trop gras ni de trop riche. Lamont était tout à fait conscient de son manège mais se laissait faire, ayant visiblement l'habitude de laisser sa fille décider pour lui.

— Pourquoi ne pas m'avoir dit qui vous étiez ? demanda-t-elle à brûle-pourpoint.

— Cela aurait-il changé quelque chose ?

— Naturellement ! lâcha-t-elle avec une lueur dangereuse au fond des yeux.

Il regarda sa bouche, conscient qu'elle faisait allusion à leur baiser. Elle serra les lèvres comme pour conjurer ce souvenir mais il était là, entre eux...

Bigre ! Il la sentait encore sur ses lèvres ! Une chaleur se répandit dans son entrejambe et il se sentit durcir. Ce manque de maîtrise de soi, très inhabituel de sa part, l'agaça.

— Je ne suis pas de cet avis, répondit-il. Vous aviez besoin d'aide et j'étais la seule personne à la ronde à pouvoir vous la fournir. Connaître mon nom n'y aurait rien changé.

— Vous avez une notion très personnelle de l'aide à autrui.

Surpris, il se mit à rire. Plusieurs têtes se tournèrent vers eux, dont celle de son père et de son frère, tous deux paraissant inquiets.

— Le bal ne va pas tarder à commencer, annonça Lamont. Bien sûr, ce ne seront pas les danses de cour auxquelles vous êtes habitué à Inverness ou à Dunoon.

Jamie ne mordit pas à l'appât. Il connaissait les danses des Highlands aussi bien que n'importe qui dans la salle. Cette petite pique ne lui était pas destinée et il vit Caitrina froncer les sourcils.

— Mais... Inverness et Dunoon, ce sont là des bastions d'Argyll, n'est-ce pas ?

Elle savait déjà qu'il était un Campbell mais elle ignorait lequel. Il soutint son regard en expliquant :

— Je suis le cousin du comte.

— James Campbell...

Soudain, elle comprit et écarquilla les yeux.

— Vous êtes l'Exécuteur d'Argyll !

— Caitrina ! s'exclama son père d'un ton sévère.

Jamie l'arrêta d'un geste.

— Laissez. Je suis au courant de ce surnom.

Il se tourna à nouveau vers Caitrina et déclara froidement :

— En effet, je suis le capitaine de la garde du comte d'Argyll. Si par « Exécuteur » vous entendez que je fais appliquer la loi et veille à ce que la justice soit appliquée, alors oui, c'est bien moi.

Il n'utilisait la force qu'en cas d'absolue nécessité – sa méthode de prédilection restait la persuasion. Mais les Highlanders étaient des gens têtus et, parfois, le seul moyen de régler des conflits était la méthode ancestrale.

Caitrina avait blêmi.

— Je vois...

En réalité, elle ne voyait pas du tout. Sa réaction perturba Jamie plus qu'il n'aurait voulu l'admettre. Il était habitué à la haine et à la peur – sa réputation avait aussi ses avantages – mais il n'avait encore jamais eu à ce point envie de se justifier et d'être compris.

Il ignorait pourquoi l'opinion de ce petit bout de femme lui importait. Mais c'était le cas.

4

Comme pour célébrer l'ouverture des jeux, le matin se leva, radieux. Mais Caitrina, elle, était encore plongée dans le brouillard des révélations de la veille.

Jamie Campbell ! L'« Exécuteur des Highlands ». Le « Fléau des Highlands ». Le « Bourreau des Campbell ». Quel que soit son surnom, c'était l'homme le plus craint de la région, plus encore que son cousin. Argyll ne se salissait pas les mains en faisant la guerre, il laissait son bourreau se couvrir de sang à sa place.

L'homme qu'elle avait embrassé.

Son père et ses frères discutaient rarement avec elle des querelles et de la politique des Highlands ; ces questions ne l'intéressaient pas. Néanmoins, pour une fois, elle aurait aimé qu'ils ne changent pas de sujet quand elle entrait dans la pièce. Il lui arrivait parfois d'entendre les domestiques échanger des commentaires et, naturellement, elle avait entendu parler du redoutable cousin d'Argyll. On racontait que Jamie Campbell ne perdait jamais une bataille ; qu'il poursuivait sans pitié tous ceux qui s'opposaient à lui ; que quiconque se mettait en travers de sa route était condamné d'avance ; qu'il avait plus de pouvoir dans les Highlands que le roi en personne parce qu'il avait l'oreille du comte d'Argyll...

Cependant, il ne ressemblait en rien au monstre auquel elle s'était attendue. Il paraissait tellement...

civilisé. Il n'avait rien d'un ogre implacable assoiffé de sang. Il semblait plutôt en imposer, autant sur un champ de bataille qu'à la cour. Son autorité tranquille contredisait sa réputation d'homme sans merci. Même si elle ne doutait pas qu'il soit un redoutable guerrier – son physique en était la preuve – il était beaucoup plus qu'une masse de muscles.

Certes, elle avait d'emblée senti chez lui une certaine ténacité, presque de la froideur. Elle n'avait encore jamais rencontré un homme aussi maître de lui, un être qui ne laissait rien transparaître de ses pensées.

À plusieurs reprises au cours de la soirée, elle avait senti son regard fixé sur elle, glaçant et indéchiffrable. De son côté, ses efforts pour l'ignorer avaient été vains. Elle était consciente du moindre de ses mouvements. Comme s'ils avaient été unis par un lien mystérieux...

Il la troublait. Elle aurait aimé croire que ce n'était que de la peur mais la vérité était plus dérangeante : cette brute l'attirait. Il était d'une beauté à couper le souffle. Avec tous les hommes à sa disposition dans les Highlands, l'ironie du sort avait voulu qu'elle tombe sur un Campbell ! Mais elle était trop perturbée pour s'en amuser. Que faire, hormis l'éviter le plus possible ?

Elle passa la matinée à vaquer à ses occupations d'hôtesse mais après le déjeuner, elle se réfugia dans les écuries pour un instant de répit avant que les jeux ne reprennent. Il y faisait frais et les odeurs âcres étaient étrangement apaisantes. Elle traîna un banc hors d'une stalle pour s'y asseoir et prit sur ses genoux le chaton qui, le veille, lui avait causé tant de tracas.

Elle poussa un soupir satisfait, savourant ce moment de paix et caressant la fourrure chaude tandis que le chaton ronronnait doucement. D'ordinaire, elle allait s'asseoir au bord du loch, mais les jeux avaient attiré tant de monde que les écuries étaient encore le seul endroit où trouver un peu de solitude.

— Ah, vous voilà !

Refoulant sa protestation, elle se tourna vers Torquil MacNeil, l'un de ses prétendants les plus tenaces. Si elle avait dû choisir un homme sur sa mine, le jeune laird aurait été un parti parfait. Il était grand et mince, avec des cheveux blond cendré et des yeux verts pétillants. Il n'était pas beaucoup plus âgé qu'elle et s'était déjà bâti une réputation de bon guerrier. Elle aurait pu trouver pire, *si* elle avait eu envie d'un mari.

Se rappelant ses devoirs d'hôtesse, elle s'efforça de sourire.

— Vous désirez quelque chose, laird ?

Il la détailla de la tête aux pieds. Il n'était en rien menaçant mais cela la mit mal à l'aise. Ce n'était pas de l'admiration qu'elle détectait dans ses yeux, mais de la possessivité.

— Oui, vous parler. Mais il y avait tant de monde et de bruit hier soir que je n'en ai pas eu l'occasion.

Elle reposa le chaton, se leva et secoua ses jupes. Elle n'aimait pas la tournure que prenait cette conversation. Le plus souvent, les hommes qu'elle rejetait ne s'en rendaient même pas compte. Cependant, elle sentait que ce MacNeil ne se laisserait pas éconduire aussi facilement.

— J'ai l'intention de parler à votre père, déclara-t-il comme s'il agitait un os devant la truffe d'un chien.

Caitrina feignit de ne pas comprendre. C'était l'une de ses ruses favorites.

— Vraiment ? Je vais vous conduire à lui.

Il lui prit le bras et la fit pivoter vers lui.

— Vous ne voulez pas savoir de quoi je veux lui parler ? Pourtant, cela vous concerne. Vous êtes belle et pas trop étroite des hanches, ce qui est un bon point. Vous me donnerez de bons garçons robustes. J'ai décidé de faire de vous ma femme !

Il bombait le torse avec l'assurance d'un roi et Caitrina ravala une remarque sarcastique. Il n'y avait rien de romantique à être comparée à une bonne poulinière. Cependant, elle prit son ton le plus doux pour répondre :

— Je suis très honorée que vous ayez pensé à moi. Mais vous vous précipitez un peu, nous nous connaissons à peine…

— Nous aurons tout le temps de faire plus ample connaissance une fois mariés.

— Je ne sais même pas quel genre d'homme vous êtes ! reprit-elle, mal à l'aise. Et puis… vous êtes encore si jeune !

Piqué, il rétorqua :

— Je suis assez vieux pour vous, ma belle. Voulez-vous que je vous le prouve ?

Elle avait gagné ! S'efforçant de ne pas sourire, elle déclara :

— Quelle brillante idée ! Prouvez-moi que vous saurez me protéger comme un vrai mari en remportant l'épreuve de tir à l'arc à la fin de la semaine, puis nous pourrons discuter de ce mariage plus en détail.

Il n'avait aucune chance et elle le savait, car Rory MacLeod était le meilleur archer des Highlands. Le chef MacLeod avait remporté l'épreuve dix ans de suite et n'avait été mis en difficulté qu'une seule fois deux ans plus tôt par Alasdair MacGregor, lorsque le hors-la-loi avait fait une apparition aux jeux.

MacNeil parut un instant dérouté. Puis il comprit que son arrogance venait de se retourner contre lui. Son expression passa de l'outrecuidance à la colère. Elle l'avait piégé et il le savait.

Fulminant, il esquissa une courbette raide.

— Soit, à la fin de la semaine, donc… quand je viendrai chercher mon trophée.

Il lui lança un regard presque menaçant, tourna les talons et sortit à grands pas. Elle l'observa s'éloigner avec un certain malaise. Un malaise qui ne tarda pas à grandir, la laissant désemparée.

— Comment va notre princesse de si bon matin ?

Caitrina sursauta en reconnaissant aussitôt la voix – un timbre grave, chaud et sensuel. Pour ce qui était de l'éviter, c'était raté ! Elle se retourna et vit Jamie Campbell sur le pas de la porte, les rênes de son cheval à la main.

— Ne m'appelez pas princesse, je vous prie...

Cela le fit sourire et elle s'en voulut de s'être énervée. Elle plissa les yeux d'un air suspicieux.

— Vous n'avez rien de mieux à faire qu'à m'espionner ? De vieilles femmes et des enfants à terroriser, par exemple ?

En le voyant conduire sa monture dans une stalle, puis se diriger de nouveau vers elle, elle sentit son ventre se nouer. C'était peut-être un démon mais il avait un visage d'ange. Suffisamment beau pour lui faire espérer qu'il ne soit pas un Campbell. D'intenses yeux bleu-gris, un nez aquilin, des pommettes qui semblaient sculptées dans la pierre et une grande bouche dominant un menton carré. Elle ne pouvait détourner le regard, hypnotisée par cette virilité. Elle résonnait dans chaque parcelle de son corps. Tout chez lui – sa taille, son expression, sa réputation – aurait dû l'effrayer. Mais ce qui lui faisait le plus peur, c'était sa propre réaction à sa présence. Elle recula instinctivement d'un pas.

— Je n'ai pas eu besoin d'espionner.

Il désigna les volets grands ouverts, par où les ballots de foin étaient lancés à l'intérieur de l'écurie. Puis, d'un ton nonchalant :

— Votre faculté d'éconduire tous vos prétendants est remarquable, mais vos procédés manquent de subtilité. Vous devriez ménager la fierté des jeunes hommes. À voir la tête que faisait ce dernier, la sienne a été sérieusement meurtrie et il n'est pas près de l'oublier.

— Je ne me souviens pas de vous avoir demandé votre avis, répliqua-t-elle.

De quoi se mêlait-il, ce butor ?

— Je vous le donne quand même. Il est grand temps que quelqu'un ici dise la vérité.

— Je ne vois pas ce que vous voulez dire.

— Que tous les hommes ne se plieront pas toujours à vos quatre volontés.

— Comme vous, par exemple ? répliqua-t-elle sans cacher son sarcasme.

Il s'approcha. Assez près pour qu'elle sente le soleil et la sueur sur sa peau. Cette odeur primitive était étrangement excitante et mettait tous ses sens en émoi. Il se tenait si près qu'elle voyait l'ombre noire de sa barbe qui soulignait les lignes droites de sa mâchoire. Elle se souvint du frottement de ce chaume contre sa joue douce quand il l'avait embrassée et sentit un picotement dans le bas de son ventre.

Comme s'il lisait dans ses pensées, il répondit :

— Oui, comme moi.

— Je m'en souviendrai, murmura-t-elle en lui tournant le dos pour ne pas lui montrer son trouble.

Puis, comme elle constatait qu'il ne partait pas, elle ajouta :

— Que faisiez-vous à cheval ? Je croyais que vous participiez aux jeux ?

— J'hésitais, justement, mais maintenant que j'ai appris quel était le trophée, je crois que je vais m'inscrire au concours de tir à l'arc.

Il fallut un moment à Caitrina pour comprendre ce qu'il voulait dire. Elle lui lança un regard torve en pensant qu'il se moquait d'elle mais il garda un visage impassible.

— Vous plaisantez !

Il n'avait quand même pas l'intention de lui faire la cour ! Il soutint son regard avec une intensité qui la fit frissonner.

— Et si ce n'était pas le cas ?

Caitrina tenta de refréner les battements de son cœur. En dépit de son attirance pour lui, l'idée d'épouser un

Campbell, *ce* Campbell-là en particulier, était si absurde qu'elle ne savait pas quoi répondre. Le souvenir de sa mère rejetée par son clan ne la quittait jamais. Elle ferait tout pour éviter le même sort.

— Vous perdez votre temps.

Elle tenta de passer mais il lui barra la route. Quand son épaule heurta son poitrail d'acier, elle ressentit de nouveau les étranges sensations de la veille : la chaleur soudaine au creux de son ventre, le frisson qui avait couru sur sa peau...

— Vous croyez ? demanda-t-il. Vous n'en aviez pas l'air convaincue, hier.

Elle rougit. Comment osait-il évoquer ce baiser ! Un baiser qu'elle ne pouvait oublier. Il s'était tenu si près d'elle, son corps puissant irradiant une chaleur qui semblait l'envelopper. Elle n'osa pas lever les yeux vers lui quand elle répondit :

— Vous n'aviez pas le droit de m'embrasser !

Son cœur avait beau battre à tout rompre, elle ne parvenait pas à oublier qui il était.

Enfin, elle leva les yeux vers lui.

— Je préférerais épouser un crapaud plutôt qu'un Campbell !

Jamie aurait aimé lui faire ravaler ses paroles. Il lui aurait suffi de se pencher, de poser ses lèvres sur les siennes et de l'embrasser pour lui prouver qu'elle avait tort. Dieu, que c'était tentant !

Il ne s'était pas rendu à Ascog en quête d'une épouse, mais dompter cette belle effrontée lui faisait terriblement envie. D'ordinaire, quand il rencontrait une femme, il devait l'approcher sur la pointe des pieds pour ne pas l'intimider. Il sourit. Non, Caitrina Lamont n'avait pas l'air impressionnée par lui.

Il rentrait d'un rendez-vous avec ses hommes. Ces derniers avaient inspecté les grottes dans les montagnes environnantes sans trouver personne. En conduisant son cheval à l'écurie, il avait surpris la conversation entre

Caitrina et Torquil MacNeil. Elle était très fine, il devait le reconnaître. D'ailleurs, elle lui avait prouvé à de multiples reprises, la veille au soir, qu'elle avait une technique bien rodée pour éconduire ses prétendants. Néanmoins, son audace était teintée d'une dangereuse naïveté qui, un jour ou l'autre, risquait de se retourner contre elle.

Elle semblait avoir à ses pieds tous les hommes disponibles cent kilomètres à la ronde. Même à présent, avec ses cheveux décoiffés, de la paille sur sa robe de soie trop précieuse pour traîner dans une écurie et son adorable minois froissé, elle était irrésistible. Au-delà de sa beauté classique, flottait autour d'elle une aura sensuelle qui laissait espérer des délices infinies. Une rose attendant d'être cueillie...

Il la désirait avec une force qui défiait la raison. Il la désirait comme jamais encore il n'avait désiré une femme. Or, quand Jamie voulait quelque chose, il l'obtenait.

Pourtant, elle paraissait inconsciente de la tentation qu'elle représentait ; elle ne semblait pas se rendre compte qu'il était à deux doigts de la basculer dans le foin pour la dévorer de baisers. Il sentit son sang s'échauffer à l'idée de caresser sa peau douce, de prendre sa bouche...

Il se ressaisit et refoula cet assaut de lubricité. Il était capable d'une maîtrise prodigieuse quand il s'agissait de refréner ses désirs mais n'avait encore jamais rencontré une femme qui éveillât en lui des pulsions aussi primaires. Ni, d'ailleurs, une femme capable de le provoquer aussi facilement en dénigrant son clan sans le connaître.

Il recula d'un pas et croisa les bras sur son torse.

— C'est donc mon nom qui vous gêne tant ?

— Cela ne suffit pas ? Nos clans sont ennemis depuis des décennies.

— Quel meilleur moyen de mettre fin à ces vieilles querelles ? En outre, votre mère était une Campbell.

Elle frémit de rage.

— En effet. Son père, le laird de Cawdor, l'a reniée. Je n'ai donc aucune affection filiale pour les Campbell et votre cousin est le fruit le plus pourri de cette branche dégénérée.

— Pour quelqu'un qui ne s'intéresse pas à la politique, vous avez des idées bien arrêtées.

— Tout le monde sait qu'Argyll est un despote qui s'accapare les terres des autres, puis, quand les hommes du clan n'ont plus aucun endroit où aller, il les traque comme des bêtes.

— Je suppose que vous parlez des MacGregor ?

Jamie affectait un ton nonchalant, malgré sa fureur. Que savait-elle sur les MacGregor ? Sur le massacre des Colquhouns lors de la bataille de Glenfruin ? Sur tous les Campbell victimes de leurs pillages et de leurs tueries ? Il lui prit le menton, caressa du pouce le pouls qui battait frénétiquement dans son cou et lui expliqua d'un ton calme :

— Les MacGregor sont des brigands et des hors-la-loi qui trancheraient votre jolie gorge sans sourciller. Souvenez-vous-en quand vous condamnez mon cousin.

Elle écarquilla les yeux.

— Vous ne cherchez qu'à me faire peur. Vous oubliez que les MacGregor sont des alliés des Lamont.

Il était bien placé pour le savoir, puisque c'était la raison de sa présence sur ces terres.

— Vous devriez mieux choisir vos amis.

— S'ils sont hors la loi, c'est parce qu'on ne leur a pas laissé le choix, rétorqua-t-elle sur un ton de défi. Les Campbell leur ont pris leurs terres. Vous noircissez délibérément leur réputation. C'est ce qu'Argyll veut faire croire à tous pour justifier ses actes.

Jamie s'efforça de rester calme, sachant qu'elle parlait sans connaître le fond des choses. Elle ne comprenait rien aux complexités des défis auxquels étaient confrontés les Highlands ni à la haine ancestrale entre les MacGregor et les Campbell. Cette dernière était née d'un problème territorial. Les MacGregor prétendaient à des terres sur lesquelles ils n'avaient aucun droit légal. Néanmoins, il se sentit obligé de lui expliquer :

— Mon cousin veut mettre un terme à l'anarchie qui règne dans les Highlands et protéger les innocents. Or, croyez-moi, les MacGregor sont loin d'être des anges. Ne vous bercez pas d'illusions ; ce ne sont ni des Robin des Bois ni des victimes. Ils sont responsables de ce qui leur arrive.

— C'est pour ça qu'ils méritent d'être traqués et massacrés ?

— Ils méritent d'être jugés pour leurs crimes et ces derniers sont considérables.

Elle s'esclaffa.

— Et vos crimes, à vous ? Les Campbell n'ont-ils pas été accusés d'injustices similaires ? Votre cousin n'a-t-il pas chassé des gens de leurs terres et brûlé leurs maisons ?

— Contrairement aux MacGregor, nous n'avons pas enfreint la loi.

— Forcément ! Puisque la loi c'est vous !

— Ma mission, c'est de faire en sorte que l'on puisse circuler dans le pays sans craindre d'être attaqué, dévalisé et trucidé.

— En recourant à la terreur, à la force et à l'intimidation.

Il s'approcha d'un pas, résistant à l'envie de la prendre dans ses bras et de faire taire ces accusations ridicules. Sa patience avait été mise à mal par cette impudente aux yeux ardents de colère et aux lèvres rouges qui ne demandaient qu'à être embrassées ; une gamine qui osait lui dire des choses qu'on ne lui avait jamais dites. Jamais.

— En employant tous les moyens que la loi met à notre disposition, précisa-t-il.

— Comme de couper des têtes en guise de butin ?

Elle faisait allusion à une récente promulgation du Conseil Privé accordant, outre une récompense, les biens d'un MacGregor à celui qui rapportait sa tête.

— J'ai assisté à bien des atrocités, dans un camp comme dans l'autre, de quoi vous donner des cauchemars durant des années. Vous êtes une femme. Les hommes sont d'une nature moins sensible. C'est la manière de faire, dans les Highlands.

— Et cela la rend-il juste ?

— Le gouvernement a trouvé la mesure efficace.

— Vous voulez dire que votre cousin l'a trouvée efficace puisque le gouvernement, c'est lui ! Du moins est-ce ce qu'il croit.

— Mon cousin cherche à unifier les Highlands. Il a le soutien de la plupart des chefs de clan qui ont signé avec lui des accords de vassalité. Sans une autorité commune, nous sombrerons à nouveau dans les guerres de clans. C'est votre souhait ?

Elle pointa vers lui son adorable menton et soutint son regard.

— Ce n'est pas le bien-être des Highlands qui motive « Sa Majesté Campbell », mais la cupidité.

Jamie serra les dents. Pourquoi supportait-il d'être malmené par cette enfant gâtée qui ne connaissait rien aux dures réalités de la vie ?

— Vous rabâchez des rumeurs et des fables comme s'il s'agissait de faits avérés. Mais que savez-vous au juste, Caitrina ? Vous êtes une enfant surprotégée vivant dans une cage dorée et je doute que votre père vous fasse des confidences. Le monde réel se trouve au-delà des portes de votre donjon. Il n'est ni tout noir ni tout blanc, contrairement à ce que vous semblez croire. La réalité est bien plus complexe. Avant de juger, assurez-vous de connaître la vérité.

Elle se détourna, l'air buté.

— Je sais tout ce que j'ai besoin de savoir.

Ce rejet sans réserve n'aurait pas dû le désarçonner. Il était habitué à ces accusations sans fondement ; pourtant, venant de cette femme, elles lui étaient intolérables. Lui prenant le bras, il la fit pivoter vers lui et la plaqua contre son torse. Elle tenta de se libérer mais il tint bon. Qu'elle le veuille ou non, elle l'entendrait !

— Et vous, Caitrina, que voulez-vous ? Toujours plus d'hommes à vos pieds ? Toujours plus de robes et de bijoux ?

— Vous ne me connaissez pas ! répliqua-t-elle, suffoquée.

— Je sais que votre père ne peut rien vous refuser. Vous paradez vêtue comme une reine, même dans les écuries. Mais ces guerres constantes entre clans coûtent cher à votre famille.

Son regard passa de la soie de sa robe aux outils rouillés posés contre les murs au blanc de chaux passé. Au regard de Caitrina, il sut qu'il venait de toucher un nerf sensible.

— Je sais que vous rejetez tous les prétendants qui se présentent à vous afin de ne pas quitter le confort et la sécurité de votre petit royaume. Je sais aussi que votre père, bien que veuf depuis de longues années, ne s'est jamais remarié. Pourquoi, à votre avis ? Serait-ce parce qu'il craint de vous contrarier car vous perdriez votre mainmise sur la maisonnée ?

Elle tressaillit, piquée au vif.

— Vous vous trompez ! s'écria-t-elle.

Il la relâcha, sachant qu'il en avait assez dit, et recula d'un pas pour tenter de se calmer. Il n'avait pas voulu lui parler aussi durement mais la manière dont elle avait rejeté ses avances – des avances qu'il n'avait pas eu l'intention de pousser plus loin – l'avait blessé. Ses préjugés contre les Campbell étaient très répandus dans les Highlands mais, avec sa langue acerbe, elle avait fissuré son armure.

Il se dirigea vers la porte et se tourna une dernière fois pour la regarder. Elle était immobile, le teint pâle et les poings serrés contre ses flancs. Forte et fière, mais étonnamment fragile. En constatant que ses paroles avaient fait mouche, il eut des remords, hésita un instant à s'excuser, puis chassa dans l'instant cette idée. Il n'avait dit que la vérité ; il était temps que Caitrina Lamont l'entende. Son père ne lui rendait pas service en la tenant à l'écart des problèmes du pays. Si ses soupçons au sujet d'Alasdair MacGregor étaient fondés, le monde réel ne tarderait pas à lui tomber sur la tête.

5

Très éprouvé par cette confrontation avec Caitrina, Jamie décida de rentrer au donjon plutôt que de rejoindre les autres au bord du loch pour les compétitions. Il était sorti tôt le matin et, mis à part quelques biscuits à l'avoine et un morceau de viande de bœuf séchée, il n'avait rien avalé. En traversant la cour, il aperçut avec surprise Lamont se dirigeant vers lui.

— Lamont ! Je vous croyais aux jeux.

— J'avais quelques affaires urgentes à traiter, répondit le chef de clan.

Ce dernier remarqua ses vêtements poussiéreux et ses cheveux ébouriffés.

— J'ai appris que vous étiez parti de très bonne heure, ce matin.

— En effet, je suis allé chasser avec mes hommes.

— Et vous avez trouvé du gibier ?

Sa question, en apparence anodine, était lourde de sous-entendus. Lamont se méfiait de lui. L'intérêt que Jamie avait exprimé pour sa fille avait légèrement atténué ses soupçons, mais pas totalement.

— Pas cette fois-ci, répondit-il.

« Pas encore », aurait-il pu répondre. Jamie savait que les MacGregor étaient dans les parages. Il le sentait. Il espérait pour le bien de Lamont qu'il se trompait.

Argyll avait voulu envoyer des troupes, mais Jamie l'avait convaincu d'attendre et de ne pas respecter le devoir d'hospitalité des Highlanders, même si ce dernier expliquait sans doute pourquoi les Lamont risqueraient autant en hébergeant ces renégats de MacGregor. Rien dans les Highlands n'était plus sacré que cette coutume ancestrale. Lorsqu'elle était invoquée, un clan était obligé d'ouvrir ses portes même à son pire ennemi. La légendaire hospitalité de MacGregor en était l'illustration la plus éclatante :

Des années plus tôt, un chef Lamont partit chasser avec le fils unique du chef des MacGregor. Une dispute éclata et, dans un accès de rage, Lamont blessa mortellement son compagnon d'un coup de poignard. Poursuivi, il fut contraint de se réfugier à Glenstrae, la forteresse du père de sa victime. Ignorant qu'il avait affaire à l'assassin de son fils, MacGregor accepta de le protéger contre ses poursuivants.

Lorsque les hommes du clan rentrèrent à la forteresse et racontèrent au vieux chef ce qu'il s'était passé, ce dernier, en dépit de son chagrin et de sa fureur, refusa de leur livrer Lamont en vertu de l'hospitalité des Highlanders. Craignant que ses hommes ivres de rage ne le lynchent, il escorta même personnellement le meurtrier de son fils jusqu'à Cowal.

Le lien entre les deux clans ne s'était plus jamais brisé depuis et Jamie soupçonnait que le temps était venu pour les Lamont de rendre la pareille aux MacGregor.

Cependant, un soupçon ne suffisait pas. Il lui fallait des preuves.

Jamie avait observé les Lamont attentivement et, jusqu'à présent, n'avait rien constaté d'anormal. Ses hommes contrôlaient les alentours et personne ne pouvait entrer ou sortir d'Ascog sans qu'ils le sachent.

Le chef Lamont semblait avoir une autre idée derrière la tête. Il jaugea Jamie du regard un moment, puis demanda :

— Où en êtes-vous avec l'objet de votre visite, Campbell ?

Jamie n'essaya pas de faire mine de ne pas comprendre.

— Votre fille est très belle.

— Vous êtes donc sérieux ? demanda Lamont d'un air soupçonneux.

— Oui.

Cela aurait dû être un mensonge mais Jamie se surprit lui-même par la véhémence de sa réponse et l'émotion qu'il avait ressentie en la formulant. C'était une réaction viscérale, une décision soudaine de la part d'un homme qui projetait tout minutieusement à l'avance. Il s'était pris à son propre piège...

Lamont sembla le croire.

— Pourquoi le cousin d'Argyll voudrait-il une alliance avec les Lamont ? Ma fille est belle, certes, mais sa dot modeste. J'aurais cru que votre famille se chercherait des liens plus avantageux.

— Mon cousin veut la fin des guerres de clan. Je suppose que vous le souhaitez aussi ?

— En effet, concéda Lamont.

L'inimitié entre les deux familles était profonde. Jamie admira la maîtrise de soi du vieux chef qui restait impassible alors qu'il devait bouillir intérieurement à l'idée de voir sa fille chérie mariée à un Campbell. Néanmoins, en dépit de tout son amour pour Caitrina, l'avenir du clan passerait en premier. Une alliance avec Jamie serait profitable pour les Lamont, ils le savaient tous les deux.

— Êtes-vous certain de ne pas avoir d'autres motivations ? s'enquit Lamont.

— Je la veux.

Lamont scruta son visage, au point que Jamie se demanda s'il ne s'était pas trop dévoilé.

— Caitrina a le don de pénétrer même les cœurs les plus endurcis, déclara son père, mais je ne supporterai pas qu'elle souffre de quelque manière que ce soit.

Jamie se raidit.

— Je ne ferais jamais aucun mal à une femme, en dépit de ce que prétendent mes ennemis. Bien que nous ayons été dans des camps ennemis durant toutes ces années, vous ai-je jamais donné l'occasion d'en douter ? Avec moi, votre fille ne manquera jamais de rien et je la protégerai au péril de ma vie.

Le chef hocha lentement la tête tout en se caressant le menton.

— Je vais y réfléchir.

— Mon cousin exigera sans doute certaines garanties.

— Quelles garanties ?

— Votre loyauté, d'une part.

Jamie soutint son regard, guettant attentivement sa réaction, puis il ajouta :

— Des bruits courent, vous savez…

— Quel genre de bruits ?

— Du genre qui pourrait coûter la vie à un homme.

Cacher des proscrits était passible de la peine de mort, devoir d'hospitalité ou pas. Jamie comprenait le dilemme du vieil homme tiraillé entre son honneur et la loi, mais il tenait à ce qu'il sache exactement à quoi il s'exposait.

Le chef resta impassible et demanda :

— J'espère que vous ne prêtez pas foi aux rumeurs ?

— Pas toujours.

Jamie le salua d'un signe de tête, puis se dirigea vers l'escalier du donjon, sachant qu'il avait été à deux doigts de se trahir. Quelque chose l'avait incité à mettre Lamont en garde. Faiblissait-il ? En réalité, il devait reconnaître que le vieux Lamont lui plaisait… et sa fille encore plus.

— Campbell ?

Il se retourna.

— Je ne l'obligerai pas à se marier. Si vous la voulez, il vous faudra la convaincre.

Caitrina resta dans l'écurie longtemps après le départ de Campbell, incapable de recouvrer son calme. On ne lui avait jamais parlé de la sorte. Les accusations de Jamie Campbell résonnaient encore dans ses oreilles. À cause de lui, elle se sentait sotte et frivole. Qu'avait-elle, sa robe ? Elle était très bien ! Elle baissa les yeux sur la soie rose. C'était l'une de ses préférées et elle avait voulu se montrer sous son meilleur jour. Pour lui ? Oui, décidément elle était idiote. Elle regarda autour d'elle : les outils rouillés et le blanc de chaux écaillé lui apparaissaient soudain comme autant de reproches.

Non, Campbell se trompait. Comment pouvait-il proférer de telles horreurs sur elle alors qu'il ne la connaissait pas ?

Se rendant compte qu'elle s'était comportée de la même manière avec lui, elle s'interrompit.

En sortant des écuries, Caitrina se mit en quête de son père. Ce n'était pas une mince affaire, compte tenu de la foule qui avait envahi Ascog pour les jeux. Elle franchit le portail et prit la direction du loch. Une centaine de personnes étaient entassées sur la mince berge boueuse ainsi que sur un terrain un peu plus large, près de la lande. Elle mit sa main en visière pour se protéger du soleil. Les épreuves de nage allaient bientôt commencer. Les concurrents étaient alignés sur la ligne de départ, y compris ses frères Malcom et Niall, mais son père n'était nulle part en vue.

Quand Brian passa près d'elle en courant avec une meute de jeunes garçons, elle le retint par le bras.

— Tu as vu père ?

— Pas depuis ce matin, pourquoi ?

— J'ai besoin de lui parler.

— Il n'est pas dans le donjon ?

— Non, il devrait être ici pour les jeux.

— Je suis sûr que ça peut attendre, s'impatienta Brian. Je peux y aller, maintenant ?

Cela ne ressemblait pas à son père de disparaître alors qu'il avait des obligations. Que se passait-il ?

Caitrina lâcha son frère, fit demi-tour sur le sentier et franchit de nouveau le portail. Elle se figea en apercevant Jamie Campbell et son père en train de discuter dans la cour. À en juger par l'expression tendue des deux hommes, ce n'était pas une conversation amicale.

Lorsque Jamie eut disparu à l'intérieur du donjon, elle vit son père s'affaisser légèrement. Il semblait épuisé.

Elle courut vers lui et se jeta dans ses bras, comme une enfant. Combien de fois s'était-elle réfugiée ainsi contre lui après une égratignure ou des taquineries trop poussées de ses frères ? Son père avait toujours été là pour essuyer ses larmes et apaiser ses chagrins.

Une autre des accusations de Jamie lui revint soudain en mémoire. Là encore, il se trompait. Elle n'avait jamais empêché son père de se remarier. Il avait été tellement amoureux de leur mère... Il était encore bel homme et elle savait que de nombreuses femmes auraient été ravies de prendre la place de sa mère. *Sa* place, aussi.

Le cœur serré, elle posa la joue contre l'étoffe chaude et rêche de son père.

Elle détestait Jamie pour l'avoir mise dans un tel état. Et pour lui avoir fait croire qu'elle était la plus égoïste des filles.

— Je suis désolée, père.

— Que se passe-t-il, ma fille ? Qu'est-ce qui te tourmente ainsi ?

— Je t'ai vu parler avec ce monstre.

Son père l'écarta pour mieux la dévisager. Elle l'avait rarement vu avec une expression aussi féroce.

— Campbell t'a-t-il offensée d'une manière ou d'une autre ?

— Non, non, rien de la sorte.

Elle chassa de son esprit l'image de leur baiser avant de rependre :

— En fait, tout chez lui m'offense. C'est un Campbell et le cousin sanguinaire d'Argyll, par-dessus le marché.

Son père poussa un soupir las.

— Tu écoutes trop les commérages, Caiti Rose.

Surprise, elle leva le menton vers lui.

— C'est le seul moyen pour moi d'apprendre ce qu'il se passe puisque ni toi ni mes frères ne me dites jamais rien.

— Tu n'as à t'inquiéter de rien.

Il lui tapota le sommet du crâne comme à son habitude mais, cette fois, elle en fut plus inquiète que rassurée.

— Je sais tout ce que j'ai besoin de savoir sur ce Jamie Campbell. C'est le bourreau d'Argyll ; il ne vaut pas mieux qu'un mercenaire.

Tout en prononçant cette accusation, elle sentait qu'elle sonnait faux.

— Chut, mon enfant, la gronda Lamont. Fais attention à ce que tu dis. Jamie Campbell n'est pas un simple homme de main d'Argyll. Il est bien plus dangereux : c'est un homme doté d'une grande force physique et d'un profond sens politique. Il ne doit sa puissance et son influence qu'à lui-même. Et il ne fait pas bon le contrarier.

Il marqua une petite pause avant d'ajouter :

— Il m'a parlé de toi, tu sais.

— Il perd son temps. Je le lui ai déjà dit il n'y a pas plus d'une demi-heure.

— Dans ce cas, tu n'es pas parvenue à le dissuader.

— Mais toi, si !

En voyant qu'il ne répondait pas, elle prit peur.

— Tu ne crois tout de même pas que je vais prendre sa demande en considération !

— Si, tu le devrais. Je ne te dis pas de l'épouser, seulement d'y réfléchir.

— Mais c'est un Campbell !

— En effet, et les Campbell ne sont pas nos amis. Néanmoins, je ne peux ignorer les bénéfices d'une alliance avec un homme aussi puissant. Ce serait la fin de nos querelles.

Elle perçut la note d'angoisse dans sa voix. Une fois de plus, elle entendit les paroles de Jamie : « Ces querelles de clans coûtent cher à votre famille. » Comment avait-elle pu se montrer aussi aveugle à ce qu'il se passait autour d'elle ?

— Notre situation est si grave que ça, père ?

Il l'attira de nouveau à lui et lui caressa les cheveux.

— Ne t'inquiète pas, ma fille. Je ne t'obligerai jamais à épouser un Campbell mais je tiens à ce que tu réfléchisses à sa proposition. Fais-toi ta propre opinion sur cet homme.

— Mais…

— C'est tout ce que je te demande. Jamie Campbell est un grand guerrier et un homme redoutable mais il n'est pas cruel. Contrairement à ce que tu as pu entendre, ce n'est pas un monstre. Même si ses actes nous déplaisent, il agit dans le cadre de la loi. Je ne peux pas me résoudre à l'aimer, mais il a toujours été juste envers nous. Certes, ce n'est pas l'homme dont j'ai rêvé pour toi mais ce serait plutôt une bonne chose pour notre clan. En tant que son épouse, personne ne pourrait toucher à un seul de tes cheveux. Et puis…

Il hésita et poussa le soupir chargé du lourd fardeau des responsabilités.

— … Il se peut qu'un jour son amitié nous soit très utile.

Le devoir… Cet ordre tacite sonnait comme une trahison. Pourquoi son père lui faisait-il ça ? Il haïssait les Campbell autant qu'elle. D'où lui venait l'impression qu'il lui cachait quelque chose d'important ?

— Il est temps pour toi de te marier, Caitrina. Si tu ne veux pas de Campbell, choisis-en un autre.

Caitrina sentit monter en elle une vague de panique. Bientôt, elle serait arrachée à tout ce qu'elle connaissait et aimait. Elle se souvint de ce vide atroce, après la mort de sa mère. Au moins, son père et ses frères avaient été présents à ses côtés pour combler ce vide. Sans eux...

— Je sais que tu es sincère, père, mais je ne suis pas prête. Je ne supporte pas l'idée de vous quitter, vous et les garçons.

Elle n'avait jamais connu autre chose que la vie à Ascog, entourée des siens. Se séparer d'eux serait une déchirure atroce.

Il la serra dans ses bras et, l'espace d'un instant, elle crut qu'il se laisserait fléchir. Hélas ! apparemment, elle avait épuisé tous ses arguments.

— Cela me fend le cœur de savoir que tu vas nous quitter, ma fille. Mais il le faut.

Caitrina acquiesça, en larmes. Si seulement Jamie Campbell n'avait jamais existé ! Tout cela était sa faute.

6

Caitrina eut beau faire, son père ne se laissa pas émouvoir. Son mariage tout proche était pour elle comme une épée de Damoclès suspendue au-dessus de sa tête et cela lui gâcha le plaisir des festivités. Mais elle comprit aussi que, comparée aux avances serviles de la plupart de ses prétendants, l'assurance tranquille de Jamie Campbell était plaisante. *Lui-même* était plaisant et se détachait du lot, pas seulement par sa beauté physique et sa carrure, mais aussi par l'aura de puissance et d'autorité qu'il dégageait.

Elle s'efforçait de l'ignorer, voulait le détester, mais quelque chose chez lui l'attirait irrémédiablement. Tout au long de la semaine, elle se surprit à l'observer et à étudier ses rapports avec les autres Highlanders. La plupart du temps, il se tenait à l'écart, seul ou avec quelques-uns des hommes de sa garde. Parfois, elle le voyait discuter avec différents chefs de clan. Cela n'avait rien d'étonnant : en tant que bras droit d'Argyll, il devait traiter avec l'élite des Highlands. Les Murray et les Lamont, deux alliés des MacGregor, le considéraient avec un mélange de crainte et de haine.

Contrairement à ce qu'affirmait Jamie, tous les MacGregor n'étaient pas des pillards et des brigands. Bon nombre d'entre eux, y compris Alasdair MacGregor et ses proches, avaient souvent dîné au château avant d'être proscrits. Son père réprouvait leur conduite brutale, mais compatissait à leurs déboires – souvent imputés à Jamie et à son cousin.

À de nombreuses reprises, elle vit Jamie se tenir avec Rory et Alex MacLeod. Les trois hommes offraient un tableau singulier : grands, larges d'épaules, athlétiques et terriblement séduisants. Jamie avait la même taille que Rory mais était plus élancé, un peu comme Alex qui mesurait quelques centimètres de moins que les deux autres. Ces trois-là devaient avoir un passé commun. Au fil des jours, elle constata un certain réchauffement entre eux ; elle surprit même Jamie en train de rire, ce qui provoqua sur elle un effet dévastateur, lui faisant entrevoir un aspect très différent de sa personnalité. Un aspect plus humain, qui l'intriguait malgré elle.

La personne avec laquelle Jamie paraissait le plus à son aise était Margaret MacLeod, la femme d'Alex. En les regardant bavarder tranquillement et plaisanter, elle ressentit un désagréable pincement au cœur – et le fait de savoir que Margaret aimait son mari à la folie n'y changeait rien. Pour une raison quelconque, leur amitié la dérangeait. C'était ridicule, d'autant que rien au monde ne pourrait la convaincre d'épouser Jamie Campbell, en dépit du souhait de son père.

Sa haine du clan Campbell était nourrie depuis l'enfance et ne pouvait être facilement étouffée. Cela faisait partie de son identité : les Lamont haïssaient les Campbell. Trop de sang avait coulé entre les deux familles. De plus, elle avait vu ce que les Campbell avaient fait à sa mère et à quel point celle-ci avait été blessée quand son père l'avait reniée, rompant pour toujours les liens qui l'unissaient à son clan. Elle refusait de subir le même sort et son père ne pouvait pas exiger d'elle qu'elle considère Jamie Campbell autrement que comme un ennemi.

Il n'y avait pas que la famille de Jamie qui posât problème. Jamie lui-même, et les émotions qu'il faisait naître en elle, la troublaient infiniment. Quand il posait sur elle ses yeux bleu acier qui semblaient lui transpercer l'âme, elle se sentait menacée, écrasée par son regard possessif et trop sensuel. Parce qu'il l'avait embrassée une fois, il s'imaginait avoir des droits sur elle. Elle se sentait prisonnière des sentiments qui la dépassaient et de désirs auxquels elle aurait voulu échapper.

Pourtant, elle ne pouvait nier l'étrange alchimie qui existait entre eux. À table, quand leurs genoux ou leurs bras se touchaient inopinément, elle sursautait comme si on l'avait piquée avec une aiguille. Perfide, Jamie semblait prendre un malin plaisir à la tourmenter, comme s'il savait l'effet qu'il produisait sur elle. En revanche, rien de ce qu'elle pouvait faire ou dire ne semblait l'atteindre et ses tentatives pour le traiter avec dédain étaient accueillies avec ironie.

Ils n'avaient plus reparlé de la scène dans l'écurie mais elle était là, en suspens entre eux, tout comme le souvenir de leur baiser. Elle aurait voulu l'oublier mais, plus elle le repoussait, plus il revenait la hanter. Elle tenta de s'imaginer d'autres hommes l'embrassant, mais c'était toujours son visage qui lui revenait en tête.

Sa seule consolation était que ses tourments prendraient bientôt fin. D'ailleurs, les jeux se termineraient le lendemain. Jamie Campbell quitterait Ascog avec tous les autres invités et elle pourrait reprendre le cours normal de sa vie.

Pour combien de temps ? Son père s'était montré très clair au sujet du mariage. De nouveau, elle refoula une bouffée d'angoisse, refusant d'y réfléchir pour le moment. Une fois le calme revenu, elle trouverait un moyen de dissuader son père.

Caitrina s'assit sur une pierre, à l'ombre d'un vieux bouleau, en lisière du bois. Plus loin, sur la lande, le concours de tir à l'arc allait bientôt commencer.

Soudain, elle se raidit, sentant sa présence avant même que les premiers mots moqueurs ne sortent de sa bouche.

— Je vous ai manqué, Princesse ?

Elle ne supportait pas qu'il l'appelle ainsi mais elle ne releva pas, soucieuse de ne pas lui montrer à quel point cela l'agaçait.

— Comme la peste.

Elle remarqua l'arc qu'il portait en bandoulière et ressentit une pointe d'appréhension.

— Vous n'avez participé à aucune des épreuves jusqu'ici. Vu votre goût immodéré pour la chasse, j'aurais pensé que vous préféreriez aller traquer une autre pauvre bête sans défense.

— Ah ! Je vois que vous m'observez ! J'en suis flatté. Cela dit, le trophée de cette épreuve-ci est trop tentant.

Elle sentit le feu lui monter aux joues.

— Vous savez très bien que cette proposition ne vous était pas destinée. Quand bien même vous parviendriez à battre Rory MacLeod, ce qui est impossible, cela n'y changerait rien. Mon offre ne s'étend pas à vous. En outre, je vous l'ai déjà dit : je ne suis pas intéressée.

— Je sais ce que vous m'avez dit, mais vos yeux le démentent.

Troublée, elle se détourna d'un geste vif.

— Prenez garde, ma belle, reprit-il sur un ton railleur. À secouer ainsi votre chevelure, vous allez vous faire mal au cou !

Il enroula négligemment une longue boucle de ses cheveux autour d'un doigt, puis la lâcha avant de s'incliner devant elle.

— Je serai bientôt de retour pour récupérer mon prix.

Elle avait beau être hors d'elle, elle ne put s'empêcher de le suivre du regard tandis qu'il rejoignait les autres, fascinée par sa démarche féline. Il se trompait. Il ne représentait rien pour elle. Cependant, en lui donnant son premier baiser, il avait osé ce qu'aucun autre n'avait osé auparavant...

Peut-être avait-elle rejeté Torquil MacNeil trop rapidement ? Après tout, il était jeune et suffisant, mais c'était un beau parti. En outre, il était beaucoup plus séduisant que certains de ses autres prétendants.

Elle contempla la vingtaine de candidats à l'épreuve de tir à l'arc. Des sacs remplis de paille avaient été placés à une cinquantaine de pas, chacun portant une cible qui, après chaque tir, était éloignée de dix pas supplémentaires.

Quittant sa retraite, Caitrina rejoignit un groupe de femmes qui assistaient au concours. À chaque nouvelle volée, les battements de son cœur s'accéléraient. Les concurrents étaient éliminés les uns après les autres, mais Jamie Campbell était toujours en lice. Tout comme, étrangement, MacNeil.

— C'est un excellent archer.

Absorbée par la compétition, Caitrina remarqua soudain que Margaret MacLeod venait de lui parler. Elle rougit.

— Je vous demande pardon ?

Margaret sourit et répéta :

— De qui parlez-vous ? demanda innocemment Caitrina.

— De Jamie Campbell. Je vous ai vue l'observer.

Se sentant prise en flagrant délit, Caitrina rougit de plus belle. L'autre femme la dévisageait avec attention et ne manqua pas de remarquer sa réaction.

— Peut-être, concéda Caitrina. Mais pas assez pour vaincre le chef MacLeod.

— Je n'en suis pas si sûre. J'ai vu Jamie battre mon beau-frère d'innombrables fois par le passé.

— Vraiment ? demanda Caitrina d'une voix étranglée.

Meg hocha la tête.

— Il s'agit d'une vieille rivalité, entre eux. Rory et Alex ont été élevés par le vieux comte et Jamie a passé sa jeunesse à Inveraray.

Caitrina regarda Jamie bander son arc et décocher sa flèche. Elle se ficha en plein centre de la cible.

— Je l'ignorais, murmura-t-elle en interrogeant Meg du regard, impatiente d'en savoir plus.

— Après la mort de leur père, Jamie et sa sœur Elizabeth sont allés vivre chez le comte.

Incapable de maîtriser sa curiosité, elle demanda :

— Il n'avait aucun autre parent ?

— Si, deux frères aînés. Le plus âgé, Colin, n'était qu'un gamin lui-même à la mort de leur père. Il est devenu Campbell d'Auchinbreck. Leur mère les avait quittés un an plus tôt. Argyll tenait leur père dans la plus haute estime. Comme Jamie, c'était un capitaine loyal. Il est mort à la bataille de Glenlivet, se sacrifiant pour sauver la vie du comte. Argyll ne l'a jamais oublié. Jamie est comme un frère pour lui et il respecte son opinion plus que celle de quiconque.

Les liens entre Jamie et son cousin étaient donc plus profonds que ce qu'avait imaginé Caitrina.

— D'après ce que j'ai entendu, Argyll ne demande l'avis de personne, affirma-t-elle.

Meg sourit.

— Peut-être, mais il vaut tout de même mieux que ses deux alternatives : Mackenzie et Huntly.

Consciente qu'elle savait fort peu de choses sur la politique des Highlands, Caitrina préféra changer de sujet.

— Vous avez dit qu'il avait deux frères. Qui est le second ?

Les traits de Meg s'assombrirent.

— Jamie l'évoque rarement, mais vous en avez peut-être déjà entendu parler.

Elle dévisagea Caitrina d'un air dubitatif, se demandant s'il était judicieux d'en dire plus, puis lança un regard à la ronde pour s'assurer que personne ne les entendait. Il ne restait plus que quatre concurrents : Rory MacLeod, Jamie Campbell, Torquil MacNeil et Robbie Graham. Trop nerveuse pour les regarder tirer, Caitrina se tourna vers Meg qui poursuivit à voix basse :

— Son autre frère, Duncan, est un enfant illégitime. C'était le préféré de son père et, malgré sa condition de bâtard, il fut nommé capitaine. Il a été destitué des années plus tard après la bataille de Glenlivet, où il a été accusé de trahison. On a dit qu'il était responsable de la défaite d'Argyll. Il a été contraint de fuir l'Écosse. On l'appelle Duncan Dubh.

Le fameux « Duncan le Noir »... Caitrina écarquilla les yeux et Meg esquissa un sourire ironique.

— En effet, il s'est forgé depuis une réputation sur le continent. Quoi qu'il en soit, le scandale a profondément affecté Jamie. D'après ce que je sais, ils étaient très proches. Par chance, personne ne peut confondre Jamie avec son frère.

— Que voulez-vous dire ?

— Que l'on soit d'accord avec lui ou pas, on ne peut l'accuser de ne pas respecter la loi.

— Et sa sœur ? demanda Caitrina. Elle est mariée ?

— Pas encore. Il lui faudra trouver un homme irréprochable pour satisfaire à la fois ses frères et son cousin. Jamie m'a dit qu'elle le rejoindrait bientôt à Dunoon, chez le comte.

Argyll était le gardien du château royal de Dunoon. Il possédait plusieurs châteaux, dont sa forteresse dans les Lowlands, Castle Campbell, et celle des Highlands, Inveraray Castle.

Gênée de s'être un peu trop dévoilée par ses questions, Caitrina se tut et concentra de nouveau son attention sur la compétition... juste à temps pour voir la flèche de MacNeil voler loin de la cible. De là où elle se tenait, elle lut la colère et la déception sur ses traits. Déterminé à l'emporter, il s'en était pourtant sorti honorablement jusque-là. Caitrina sentit une pointe de remords en se rendant compte qu'elle s'était montrée injuste envers lui, en traitant sa proposition avec légèreté. Plus tard, elle irait le trouver pour s'excuser.

Ce fut au tour de Robbie Graham de tirer. Sa flèche se planta en bas à droite de la cible. À cette distance, c'était un superbe tir car les ballots de paille se trouvaient désormais à une bonne centaine de pas. Ensuite, Rory MacLeod s'avança. Il était le favori de la foule qui l'acclama. Chacun retint son souffle quand il banda son arc.

Soudain, un grand « hourra » parcourut la foule. La flèche avait atteint le cercle central, tout près du mille. Pour le battre, il faudrait un tir parfait.

Caitrina sentit la tension monter en elle tandis que Jamie levait son arc et visait. Il affichait une assurance inébranlable. Quand la flèche partit, elle n'eut pas le courage de la suivre des yeux, gardant le regard rivé sur l'archer…

Le cri de surprise de la foule fut suffisamment éloquent. À peine son coup décoché, il se tourna vers elle avec un regard de triomphe. Un regard intense et pénétrant qui semblait venir du plus profond de son âme…

Lorsque ses hommes et les MacLeod se rassemblèrent autour de lui pour le féliciter, Caitrina lança enfin un coup d'œil vers la cible : il avait mis en plein dans le mille.

Elle profita de ce qu'il soit occupé avec ses hommes pour prendre la fuite. C'était peut-être lâche, mais ses nerfs étaient trop à vif pour supporter une nouvelle confrontation avec Jamie Campbell.

Ne tenant pas à retourner au château et désireuse d'éviter la foule, elle sortit du sentier et coupa à travers bois en direction du loch. Sur le côté est de ce dernier, il y avait une petite crique où ses frères aimaient pêcher. Elle pourrait s'y réfugier un moment, le temps de remettre un peu d'ordre dans le tourbillon d'émotions contradictoires qui lui nouaient le ventre.

Dans son trouble, elle ne remarqua pas tout de suite qu'on la suivait. Puis elle entendit un craquement de branches et fit volte-face. Personne. Elle frissonna.

— Qui est là ? demanda-t-elle d'une voix mal assurée.

Pas de réponse… Elle ne voyait personne et pourtant, elle sentait une présence. Avec ce vacarme, qui l'entendrait si elle appelait à l'aide ? Elle se souvint de la mise en garde de Jamie concernant les hors-la-loi.

Elle allait ouvrir la bouche pour crier quand un homme surgit soudain de derrière un arbre à deux mètres d'elle. En reconnaissant Torquil MacNeil, elle poussa un soupir de soulagement,.

— Laird MacNeil, vous m'avez fait peur !

Il se tenait à contre-jour et elle ne pouvait distinguer son visage mais il semblait de fort méchante humeur.

— J'imagine que la compétition vous a bien amusée ? demanda-t-il sur un ton sifflant.

Elle hésita, ne sachant que répondre. Il s'approcha d'un pas et, cette fois, elle vit clairement ses beaux traits déformés par la fureur. Elle avait blessé son orgueil ; à présent, il lui fallait trouver un moyen de le panser.

— Je voulais m'excuser.

— Vous m'avez piégé !

— Je n'aurais pas dû, je le regrette.

Il lui lança un regard surpris.

— Vraiment ?

Elle acquiesça et lui sourit.

— Vous être un excellent archer.

Sensible à sa flatterie, il bomba légèrement le torse, puis son visage se rembrunit et il fronça les sourcils.

— Oui, mais j'ai perdu. C'est ce bâtard de Campbell qui a gagné.

Sans un mot, Caitrina étudia le visage de MacNeil. Il était certes très séduisant mais, hélas ! ne produisait aucun effet sur elle… ce qui acheva de la contrarier. Mais elle décida que Jamie Campbell n'était qu'un homme comme les autres et qu'elle en aurait bientôt la preuve.

Avec une audace qu'elle ignorait posséder, elle posa les mains sur les épaules de Torquil, se hissa sur la pointe des pieds et déposa un baiser sur ses lèvres. Elle ne ressentit absolument rien – pas le moindre frisson, pas une once d'excitation. Il avait les lèvres douces et sentait plutôt bon mais il ne mettait pas ses sens en émoi, n'embrasait pas sa peau...

Furieuse, elle se pressa contre lui, essayant d'allumer l'étincelle. Surpris, il poussa un gémissement étouffé, glissa un bras autour de sa taille et la serra contre lui, lui faisant sentir la puissance de ses muscles saillants et durs... Mais leurs deux corps ne se fondirent pas l'un dans l'autre. Au contraire, elle fut embarrassée de se retrouver ainsi pressée contre lui. Cela n'avait rien à voir avec ce qu'elle avait ressenti dans les bras de Jamie. Qu'il aille au diable, celui-ci !

MacNeil la serra encore plus fort et sa bouche se fit avide et exigeante. Il tenta, avec sa langue, de forcer la barrière de ses lèvres. Elle commença à s'alarmer, sentant qu'elle perdait le contrôle de la situation.

— Lâchez-moi, maintenant. S'il vous plaît.

Le regard de MacNeil était brûlant de désir.

— Pas si vite, ma belle. Je ne suis pas du genre à me laisser désarçonner par tes caprices.

Trop tard, elle comprit son erreur et la mise en garde de Jamie lui revint en mémoire. Peut-être était-ce ce que MacNeil avait voulu depuis le début ? Comme une sotte, elle lui avait simplifié la tâche.

Elle tenta de se libérer mais il était trop fort pour elle. De nouveau, il tendit les lèvres vers elle et, cette fois, son baiser fut brutal. Elle sentit le dégoût et la panique s'emparer d'elle et commença de se débattre.

Tout à coup, comme par magie, elle se retrouva libre, nez à nez avec Jamie Campbell, fou de rage...

Jamie était hors de lui. Voir Caitrina dans les bras d'un autre avait libéré en lui une force primitive ; de la voir se débattre avait fait naître pire encore, un instinct meurtrier.

C'était par un pur hasard qu'il avait aperçu MacNeil tandis qu'il s'éloignait du terrain de tir. Le regard prédateur du jeune homme avait aussitôt éveillé ses soupçons et il l'avait suivi. Comme il fallait s'y attendre, il l'avait mené à Caitrina. Il était sur le point d'intervenir quand il avait vu la jeune femme glisser ses bras autour de la taille de MacNeil et l'embrasser.

Il était resté cloué sur place, avec l'impression d'avoir reçu un coup de bélier en pleine poitrine.

À quel jeu jouait-elle donc, à se blottir dans les bras d'un autre alors qu'elle lui appartenait ? Puis, soudain, il la vit tenter de se libérer et reconnut la lueur de détermination dans le regard du jeune homme. En deux enjambées, il les rejoignit, arracha la jeune femme des bras de MacNeil et asséna à celui-ci un coup de poing dans la mâchoire avec toute la force d'un marteau de forgeron.

— Qu'est-ce qui vous prend ? hurla MacNeil en se tenant la joue.

— Ordure ! Tu as bien vu qu'elle ne voulait pas !

MacNeil cracha du sang, puis s'essuya la bouche du revers de la main.

— Ah oui ? rétorqua-t-il. Il me semble à moi qu'elle en redemandait. C'est elle qui m'a embrassé, figurez-vous.

Il lança un regard mauvais à Caitrina avant d'ajouter :

— Je n'ai fait que lui donner ce qu'elle réclamait…

Jamie bondit mais MacNeil s'y attendait et l'esquiva. Il sortit son coutelas de sous sa ceinture et visa le ventre de Jamie qui pivota juste à temps, lui attrapa le poignet et le tordit violemment jusqu'à lui faire lâcher prise dans un craquement d'os. Jamie repoussa du pied l'arme tombée à terre, puis envoya son poing dans l'estomac de MacNeil qui, cette fois, s'effondra à genoux.

Jamie se redressa et avança vers lui, avec l'intention manifeste de l'achever. Caitrina s'interposa.

— Non ! Vous allez le tuer !

— Il n'aura que ce qu'il mérite, rétorqua Jamie entre ses dents.

Les larmes aux yeux, elle s'approcha de lui et l'implora :

— Je vous en prie. Pas pour moi...

Jamie resta immobile, les muscles bandés, son instinct réclamant qu'il achève ce qu'il avait commencé. Mais il baissa les yeux vers elle et ses traits suppliants l'apaisèrent comme par magie.

Il recula et se passa la main dans les cheveux. Quelle mouche l'avait piqué ? Il n'avait encore jamais rien ressenti de pareil. Il était toujours maître de lui. Toujours.

Il se tourna vers MacNeil qui était parvenu à se relever.

— Déguerpis ! Si je te revois près d'elle, je te tue.

Se rendant compte à quoi il venait d'échapper, le jeune homme rassembla le peu de dignité qui lui restait et disparut sans demander son reste.

Caitrina se laissa aller contre Jamie, qui sentit son cœur battre avec une telle force qu'il le crut sur le point d'imploser. L'espace d'un instant, il savoura la gratitude de la jeune femme, son besoin de lui. Elle leva vers lui ses yeux baignés de larmes.

— Merci. J'ai eu si peur.

Soudain, il fut pris d'une envie de l'embrasser sauvagement pour la punir de lui avoir fait une telle frayeur. Lorsqu'il songeait à ce qu'il aurait pu se passer... Il en était révulsé.

— Il méritait bien pire pour ce qu'il a osé faire. Et si je n'étais pas arrivé à temps ?

Il la prit par les épaules et la regarda dans les yeux.

— Mais à quoi pensiez-vous, en l'aguichant comme ça ?

— Je ne voulais pas...

— Que vouliez-vous, au juste ? Pour l'amour de Dieu, Caitrina, je vous ai vue l'embrasser !

— Tout est votre faute !

— Ma faute ?

— Vous n'auriez pas dû m'embrasser.

Soudain, il comprit. Comment pouvait-elle être aussi naïve ?

— Alors, tout ceci n'était qu'une expérience ? Avez-vous conscience de ce qu'il aurait pu vous arriver ?

Il pencha la tête, ses lèvres à quelques centimètres des siennes. Il sentit son souffle saccadé contre son visage et le frisson d'anticipation qui la parcourait.

Elle le désirait autant que lui. Elle entrouvrit la bouche...

Toutefois, il ne baisa pas ses lèvres mais sa joue, goûtant le miel de sa peau. Il enfouit la tête dans le creux doux et chaud de son cou, inhalant le parfum capiteux de sa chevelure. Il dévora sa peau, l'embrassa, la lécha. Elle tremblait contre lui.

Le désir tendait le cuir de son pantalon.

Il ne réclamerait pas son trophée. Pas avant qu'elle avoue son propre désir. Doucement, il lui souleva le menton pour la forcer à le regarder entre ses paupières mi-closes.

— Est-ce ça que vous voulez, Caitrina ? Dites-le-moi.

— Oui, murmura-t-elle. Je le veux.

Enfin, il lui donna ce qu'elle attendait, ce qu'ils désiraient tous deux et posa ses lèvres sur les siennes.

C'était donc cela, le désir ! Ce besoin dévorant. Cette fièvre. L'impression que, s'il ne l'embrassait pas tout de suite, elle en mourrait. Rien n'avait préparé Caitrina à ce bouleversement des sens. Elle était en feu, sa peau réagissant au moindre contact.

Lorsque leurs lèvres se rencontrèrent enfin, elle soupira contre sa bouche. C'était comme la première fois, mais en plus puissant, plus intense. Comment un geste aussi nouveau pouvait-il paraître aussi naturel ? Il lui semblait avoir attendu ce moment toute sa vie.

Il avait les lèvres fermes et douces, implorantes mais non exigeantes. D'une main, il tenait son menton et ses doigts la caressaient avec une telle tendresse qu'elle se sentit fondre. Il paraissait impossible qu'un homme connu pour être impitoyable puisse se montrer si doux. Tout dans son baiser était délicat et tendre, mais ce n'était pas assez. Pas assez pour apaiser ce feu qui naissait au plus profond d'elle-même...

Comme s'il percevait son besoin, il approfondit son baiser. Au premier contact de sa langue, elle tressaillit. Mais le choc fut vite oublié sous le déferlement des émotions et, très vite, elle s'abandonna à cette délicieuse sensation, folle de désir.

Elle enroula les bras autour de son cou, se lovant contre lui. Il était si chaud et dur qu'elle aurait voulu se fondre en lui. Excitée par la puissance de ce corps d'acier, elle fit glisser ses mains sur les muscles noués de ses épaules, appréciant la force qui vibrait sous ses doigts. Pressée contre ce torse solide, elle sentit la pointe de ses seins durcir.

Il était magnifique et il la désirait. Néanmoins, il maîtrisait son ardeur et elle comprit qu'il voulait la ménager après ce qu'elle venait de vivre. Mais Jamie ne ressemblait en rien à Torquil MacNeil. D'instinct, elle savait qu'il ne lui ferait aucun mal. Son contrôle était admirable mais la mettait toutefois à cran. Elle voulait le sentir s'alanguir tout comme elle.

S'enhardissant, elle darda la langue pour rencontrer la sienne. Il enserra sa taille encore plus fort, moulant son corps plus fermement contre le sien. Plus intimement aussi, car elle sentit la dureté de son désir contre son bas-ventre et une onde de chaleur se répandit entre ses cuisses.

Elle s'abandonna à leur baiser, répondant à chaque exploration de sa langue. Sa peau était tendue et sensible, avide de caresses. C'était pure folie mais elle en voulait toujours plus. Leur baiser se fit frénétique, plus profond. Elle sentit sa main caresser sa hanche, puis remonter jusqu'à son sein.

Elle tremblait, n'ayant jamais imaginé qu'il fût possible d'avoir autant soif des caresses d'un homme. Elle crut mourir de plaisir quand il détacha ses lèvres des siennes et les posa dans son cou, sur son épaule, dans son décolleté… Le chaume de son menton traçait un sillon de feu sur sa peau et la chaleur de son souffle était exquise. Cependant, rien ne l'avait préparée aux sensations qui l'envahirent lorsqu'il glissa la langue sous le bord de son corsage. Elle tressaillit, d'abord de surprise, puis de plaisir quand la moiteur de sa bouche se posa sur son mamelon. Il avait détaché les lacets de son corset, libérant ses seins…

Il caressa avec douceur la pointe de ses seins durcis en murmurant d'une voix rauque :

— Dieu, que vous êtes belle !

L'espace d'un instant, la réalité reprit le dessus. Gênée, elle se sentit rougir mais oublia sa pudeur dès qu'elle sentit sa bouche se refermer sur son aréole et pincer légèrement son mamelon du bout des dents. Elle ferma les yeux, savourant la délicieuse onde de chaleur qui envahissait tout son corps.

Jamie savait qu'il jouait avec le feu – si sa partenaire se montrait aussi ardente, il ne pourrait pas se retenir très longtemps.

Il avait agi avec la plus grande délicatesse, par égard pour l'innocence de la jeune femme, mais il sentait qu'avec elle, il éprouverait vite les limites de sa propre retenue. Il n'avait jamais été possédé à ce point par le désir – et indifférent à son propre plaisir.

Il voulait que l'expérience soit parfaite pour elle.

Il prit ses seins ronds dans ses mains et admira la douce peau ivoire et les délicates aréoles roses. Il voulait enfouir son visage entre ces deux masses de douceur et se noyer dans leur doux parfum de fleurs mais, d'abord, il devait la goûter. Ses lèvres se refermèrent sur l'un des mamelons qu'il titilla du bout de la langue, puis suça avec délectation.

En l'entendant gémir de plaisir, il sentit sa verge devenir dure comme un roc. Elle était si réceptive à ses caresses qu'il ne pouvait plus se contenir. Sa saveur de miel était un alcool plus grisant que l'ambroisie. Elle frémissait des pieds à la tête et il sentait son cœur battre follement sous sa main.

Seigneur, il avait le pouvoir de la faire jouir de plaisir !

Dès lors, il fut incapable de penser à autre chose. Il voulait être le premier à lui montrer ce qu'était le plaisir. L'unir à lui, la faire sienne.

Tout en se délectant de son sein, il glissa une main le long de sa hanche et de ses fesses, résista à l'envie de la presser encore plus fort contre lui, puis descendit jusqu'à sa cuisse et saisit l'étoffe de sa jupe qu'il retroussa lentement.

Au premier contact de la peau nue de sa jambe, il la sentit se raidir.

— N'aie pas peur. Je veux juste te donner du plaisir. J'arrêterai dès que tu me le demanderas.

Sa main remonta la courbe délicate de sa jambe ; sa peau était douce comme du velours. Il sentit le désir marteler ses tempes mais il s'efforça de se calmer, se concentrant sur la femme splendide qui soupirait dans ses bras. Ses doigts caressèrent la peau tendre entre ses cuisses.

En l'entendant gémir, il se détacha légèrement d'elle pour mieux la regarder tandis qu'il la touchait. Son regard était voilé par la passion mais il y vit aussi une lueur de crainte. Quand il glissa un doigt au cœur de sa féminité, il la vit écarquiller les yeux et refoula un cri de plaisir en sentant sa moiteur. Rien ne l'avait jamais excité autant que cette preuve tangible de son désir. *Pour lui.*

Il poursuivit son exquise torture. Elle tremblait contre lui, se faisant plus pesante dans ses bras à mesure que ses jambes faiblissaient. Il la caressa encore et encore, jusqu'à ce qu'elle cambre les reins et que ses hanches se mettent à onduler, invitant sa main. Quand il ne put plus en supporter davantage, il prit de nouveau son sein dans sa bouche tout en glissant son doigt en elle. Le cri qu'elle émit manqua de lui faire perdre tout contrôle. Ivre de désir, il n'aspirait plus à rien d'autre qu'à la pénétrer et à la sentir se refermer sur lui comme un étau.

Mais, d'abord, il devait songer à elle. Il continua de la caresser de plus belle, sa bouche et sa main œuvrant à l'unisson, implacable dans son envie de lui procurer un plaisir sans pareil.

La force de la vague qui déferla en elle était inouïe. Caitrina sentit le plaisir enfler en elle, encore et encore jusqu'à prendre possession de tout son être.

— Oh, mon Dieu ! gémit-elle.

— Laisse-toi aller, ma beauté. Ne lutte pas.

Elle n'aurait pu même si elle l'avait voulu. Soudain, elle se sentit partir, vers un paradis qu'elle n'aurait jamais pensé qu'il pût exister ici-bas. Son corps tout entier se tendit dans un cri. L'espace d'un instant, elle crut que son cœur s'était arrêté, jusqu'à ce que de longs spasmes la parcourent tout entière.

Lorsque ce fut fini, elle s'abandonna contre lui, vidée de ses forces par la puissance de ce qu'elle venait de vivre. Ouvrant les yeux, elle vit Jamie qui la regardait, les mâchoires crispées, les yeux brillants. Elle sentit son corps pressé contre le sien et les pulsations de son membre dur contre sa hanche...

Seigneur, qu'avait-elle fait ? Elle avait laissé Jamie Campbell la toucher là où seul un mari était autorisé à le faire !

Elle le repoussa et s'écarta en chancelant, le visage cramoisi d'humiliation.

Il tenta de lui prendre le bras pour l'aider à retrouver son équilibre mais elle se déroba.

— Il n'y a rien de honteux dans ce que nous venons de faire, Caitrina.

Il avait parlé d'une voix douce, mais elle n'était pas prête à l'entendre.

— Comment pouvez-vous dire cela ? lança-t-elle d'une voix étranglée.

Elle baissa les yeux vers ses seins nus par-dessus le corset et ses mamelons encore humides de ses baisers. Mortifiée, elle se tourna et se couvrit d'un geste vif, remettant un semblant d'ordre dans ses jupes.

Lorsqu'elle se tourna de nouveau vers lui, elle évita son regard mais pas avant d'avoir remarqué que ses traits étaient redevenus indéchiffrables. Comment pouvait-il rester aussi stoïque alors que son monde à elle venait de voler en éclats ? Cet homme était-il seulement capable de ressentir quoi que ce soit ?

Il tenta de lui prendre la main mais elle l'esquiva. Rien de ce qu'il pouvait dire ou faire ne pourrait la consoler.

— Je parlerai à votre père...

— Non ! Vous n'en ferez rien !

— Bien sûr que si. J'ai l'intention de lui demander votre main.

— Ne vous donnez pas cette peine.

Cette fois, il lui attrapa le bras et ne le lâcha pas.

— Je le veux. Je *vous* veux.

— Ce n'est pas moi que vous voulez. Je ne suis qu'une bataille de plus à remporter. Un bel ornement à exhiber. Vous ne me connaissez même pas !

Elle le vit serrer les dents.

— Je sais tout ce que j'ai besoin de savoir, répliqua-t-il. Vous êtes intelligente, belle sans artifices, forte et vous veillez scrupuleusement sur ceux que vous aimez. Je vous ai vue avec votre père et vos frères.

— C'est parce que je les aime. Vous n'imaginez pas que je ressentirai la même chose pour...

— Non, l'interrompit-il d'un ton sec. Je ne m'y attends pas mais après ce qu'il vient de se passer, vous ne pouvez nier que je ne vous suis pas indifférent.

Doux Jésus, il disait vrai ! Comment avait-elle pu succomber aussi facilement ? Quelle naïveté ! Elle scruta son visage. S'était-il servi de son innocence pour abuser d'elle ?

Elle se sentait si sotte !

— Ce que veut l'Exécuteur des Highlands, il le prend, c'est bien ça ? Vous saviez que je ne voulais pas de vous, alors vous m'avez piégée. Vous êtes aussi cruel qu'on le dit. Rien ne vous arrête pour arriver à vos fins.

Elle vit les plis à la commissure de ses lèvres se creuser, premier signe qu'elle était enfin parvenue à craqueler son armure.

— Prenez garde, Princesse. Je vous ai dit que je n'étais pas comme ces idiots qui tournent autour de vous et que vous menez par le bout du nez. Vous vous trompez sur mes intentions. Je n'ai rien pris qui ne m'ait été donné de plein gré. Repoussez-moi si vous voulez, mais ne vous mentez pas à vous-même !

Elle savait qu'il avait raison mais refusait de l'admettre. D'une voix tremblante qui frôlait l'hystérie, elle rétorqua :

— Non seulement je ne veux pas me marier, mais pour rien au monde je n'épouserais un homme comme vous. Je vous hais pour ce que vous m'avez fait.

La lueur dans le regard de Jamie était si intense qu'elle détourna les yeux.

— Si me haïr vous aide à vous sentir mieux, à votre guise, mais il n'empêche que vous me désirez. Ce qu'il y a entre nous... n'a rien de commun.

Elle serra les poings, essayant de se contrôler.

— Cela ne change rien. Vous êtes toujours un Campbell et toujours le bras droit d'Argyll. Le bras armé d'un despote.

— Je ne suis l'homme de personne. Je prends mes propres décisions. Si vous vous donniez la peine de regarder au-delà des portes dorées de votre château, la vérité vous sauterait aux yeux. Je combats les renégats et les hommes qui entravent l'ordre et la justice.

— Vous êtes un voyou et une brute ! Sans parler d'un idiot qui s'imagine que j'épouserais de mon plein gré un homme qui est craint et honni comme le diable !

Il y eut un silence assourdissant. Il conserva un visage de marbre mais elle crut lire une colère froide dans le fond de ses yeux. Elle était sans doute allée trop loin mais il était trop tard pour revenir sur ses paroles, quand bien même elle l'aurait voulu.

Quand il avança d'un pas vers elle, l'air menaçant, elle ne bougea pas.

— Vous prétendez me connaître et pourtant, vous n'avez pas peur de moi ?

En effet, à le voir ainsi, elle aurait dû être terrifiée. Avec son air mauvais, sa taille, ses muscles, ses poings qui auraient pu la broyer d'un geste... Elle l'avait vu exercer sa rage destructrice sur MacNeil mais avec elle, il s'était montré d'une tendresse infinie.

Le menton fièrement relevé, elle demanda :

— Pourquoi, je devrais ?

— Peut-être.

Oui, elle avait peur, comprit-elle soudain. Non pas de lui, mais d'elle-même.

Les larmes qu'elle refoulait depuis un certain temps jaillirent soudain.

— Laissez-moi. Partez !

— Fort bien, je vous laisse, répliqua-t-il d'un ton glacial. Mais vous me méprisez à tort. Vous regretterez d'avoir refusé mon offre. Un jour, Caitrina, la triste réalité de notre monde frappera à votre porte et je vous garantis qu'elle ne sera pas aussi rose que vos rubans de soie !

7

Il n'avait pas dit son dernier mot, loin s'en fallait !

Jamie tourna les talons et s'éloigna sans un regard en arrière. Caitrina Lamont était à lui. Elle n'en était peut-être pas encore consciente, mais l'apprendrait tôt ou tard.

Toutefois, pour le moment, il était tellement ivre de rage qu'il ne pouvait rester à Ascog une minute de plus. De retour au château, il rassembla ses hommes et, après avoir pris congé de Lamont, quitta les lieux en laissant derrière lui cette femme exaspérante.

Après ce qu'ils avaient partagé, son rejet était d'autant plus humiliant. Il avait cru qu'elle s'était adoucie à son égard, qu'elle avait ressenti, elle aussi, ce lien passionné entre eux. Peut-être avait-il eu tort de la forcer à affronter son propre désir mais... cela avait été si parfait ! Il n'était pas près d'oublier l'instant où elle s'était liquéfiée dans ses bras.

Il n'avait jamais connu un tel plaisir avec une autre. La force de son émotion et la puissance de sa réaction l'avaient surpris lui-même. Jamais il n'avait été si près de perdre le contrôle de lui-même. Le besoin de la prendre, de se glisser dans cette chaleur exquise... cela avait été à la limite du soutenable. Puis, lorsqu'elle avait atteint l'orgasme, il avait ressenti entre ses jambes une vague de chaleur si intense qu'il avait dû lutter de toutes ses forces pour ne pas lâcher prise.

Il se ressaisit, se remémorant les accusations de Caitrina. Elle croyait qu'il l'avait piégée, alors que c'était tout le contraire. Il voulait faire d'elle sa femme mais ne la contraindrait pas.

Il avait espéré un moment qu'elle viendrait à lui d'elle-même. Hélas ! les préjugés qu'elle nourrissait à son égard étaient trop bien ancrés en elle. La tête pleine de fables, elle ne voyait en lui qu'un ogre. Il en avait assez de se justifier. Il ne ramperait devant aucune femme et encore moins devant une enfant gâtée inconsciente des dangers qui l'entouraient !

Il se concentra sur sa mission, ce qu'il n'aurait jamais dû cesser de faire. Bien qu'ayant passé la semaine à inspecter les environs et à se tenir à l'affût de conversations compromettantes, il n'avait trouvé aucune preuve étayant ses soupçons. Cela ne signifiait pas qu'il se soit trompé. Il restait convaincu que les MacGregor abusaient du devoir d'hospitalité qui les liait aux Lamont.

Jamie comprenait le dilemme du chef Lamont. Il était tenu par un devoir sacré dans les Highlands. Si les MacGregor avaient invoqué ce lien ancien, son honneur lui dictait de les héberger. Mais l'honneur ne changeait rien au fait qu'il abritait des hors-la-loi, s'exposant ainsi directement à la colère du souverain. Le roi Jacques voulait éradiquer les MacGregor et ne montrerait aucune clémence à l'égard de ceux qui les aidaient. Lamont en paierait le prix, même si Jamie ferait de son mieux pour l'aider.

En quittant Ascog, Jamie et ses hommes prirent la direction du nord et du port de Rothesay. Si Lamont cachait des traîtres, il s'assurerait que les Campbell soient loin avant de les laisser sortir de leur cachette. Jamie avait ordonné à tous ses gardes de se retirer des environs. Il leur serait facile de revenir plus tard.

Ils traversèrent le détroit de Kyle, accostant à Cowal, à l'est de Toward Point. Il apercevait au loin la forteresse des parents de Caitrina, les Lamont de Toward.

De là, il remonta seul la péninsule de Cowal en direction de Dunoon, ordonnant à ses hommes d'attendre la tombée de la nuit, puis de retourner à Rothesay Castle, sur l'île de Bute. Rothesay avait été pris par le comte de Lennox cinquante ans plus tôt mais, à la mort de ce dernier, était revenu à la Couronne. De là, ses hommes pourraient surveiller la région. Il les rejoindrait dès qu'il aurait fait son rapport à son cousin.

Le soir tombait et la brume s'élevant du Firth of Clyde commençait à s'épaissir quand il grimpa la colline menant aux portes du château. Dunoon, ou *Dun-nain*, la « colline verte », était bâti stratégiquement sur un promontoire rocheux sur la berge ouest du Clyde, ce qui en faisait un excellent poste d'observation pour prévenir les invasions, sauf par des nuits brumeuses comme celle-ci où l'on ne voyait pas à un mètre. Néanmoins, l'arrivée de Jamie ne passa pas inaperçue.

Il aurait pensé qu'Argyll, curieux d'apprendre ce qu'il avait découvert, se serait précipité à sa rencontre. Au lieu de son cousin, c'est son frère qui l'accueillit. Si Argyll était le gardien du château royal de Dunoon, Colin, chef des Campbell d'Auchinbreck et frère de Jamie, en était le capitaine. Jamie sortait des écuries quand son frère l'intercepta au milieu de la cour.

L'apparition soudaine de Colin le surprit. À son grand regret, ils n'avaient jamais été proches. Avant la mort de leur père, alors que Jamie était encore un enfant, c'est Duncan qui avait été son mentor. *Duncan*. Jamie se crispa. Même après toutes ces années, la blessure de la trahison de son frère était vive. Quand Duncan avait fui l'Écosse, c'était Argyll – que Jamie surnommait Archie –, qui avait pris sa place. Jamie était aussi proche de lui qu'on pouvait l'être d'un homme de son rang. Hélas ! le pouvoir et l'autorité l'isolaient du reste du monde, une réalité que Jamie avait apprise à son tour.

À mesure que son rôle de second auprès d'Argyll prenait de l'importance, une barrière s'était levée entre lui et ses amis d'enfance. Il aurait aimé pouvoir compter sur un frère, mais Colin et lui n'étaient jamais d'accord sur rien. Jamie suspectait que c'était en partie parce que Colin était jaloux de nature et que pour cette raison, il n'était proche de personne.

— Je t'ai entendu arriver, déclara ce dernier. Il semblerait que cette fois, ton instinct t'ait trompé, petit frère.

Bien qu'il y ait une certaine ressemblance entre eux, Jamie se garda de lui faire remarquer qu'il le dépassait de dix bons centimètres et possédait près de dix kilos de muscles de plus que lui, si bien que ce surnom de « petit frère » semblait plutôt dérisoire. Soupe au lait, Colin n'aurait sans doute pas apprécié.

Ayant remarqué la note de satisfaction dans sa voix, Jamie préféra aller droit au but :

— Je ne suis pas d'humeur à jouer aux devinettes, Colin. Si tu as quelque chose à dire, dis-le. Sinon, laisse-moi passer, je dois voir le comte…

— Il n'est pas là. Il a été retardé à Inveraray, mais il devrait bientôt nous rejoindre.

— Il s'est passé quelque chose ? s'inquiéta aussitôt Jamie.

L'épouse d'Argyll était morte en couches l'année précédente en mettant au monde leur premier fils. Le comte en avait été profondément affecté et les conflits avec les MacGregor n'avaient guère arrangé les choses. Le roi le tenait pour responsable de la désobéissance tenace du clan.

— La nourrice chargée de veiller sur le petit Archie s'est envolée, expliqua Colin. Argyll est resté le temps de lui trouver une remplaçante.

Jamie s'arrêta au sommet du premier escalier menant à la tour et se tourna vers son frère.

— Alors, qu'as-tu à me dire d'aussi urgent ?

Colin sourit.

— Je m'étonne que tu ne l'aies pas encore appris. Il semblerait qu'Alasdair MacGregor ne soit pas sur l'île de Bute. On l'a aperçu près du loch Lomond.

— Tu es sûr qu'il s'agit bien de lui ?

— Le chef des MacLaren a écrit à Argyll pour lui demander son aide. Ses terres et ses gens sont sans cesse attaqués et il jure que le responsable n'est autre qu'Alasdair MacGregor. On a rapporté de nombreux incidents sur la route près de Stirling et le bruit court que MacGregor est de retour dans les Braes de Balquihidder.

Cela était plausible. Ce n'était pas la première fois que MacGregor tentait de s'établir sur les terres des MacLaren. Jamie n'y avait d'abord pas cru, convaincu que MacGregor s'était réfugié sur l'île de Bute. Étrangement, il se sentit soulagé pour Caitrina et sa famille.

Colin, quant à lui, semblait ravi de prendre son frère en défaut. Il avait toujours envié la place de Jamie aux côtés d'Argyll, place qu'il estimait lui revenir de droit. Il ajouta :

— Il semble donc que ton séjour à Ascog ait été une perte de temps.

Il oubliait qu'il avait lui-même enjoint Argyll d'envoyer des troupes à Ascog sans preuves de la complicité de Lamont.

Ayant franchi la barbacane, les deux frères gravirent les marches du donjon. Colin demanda sur un ton dégagé :

— Au fait, comment as-tu trouvé la fille de Lamont ? Est-elle aussi belle qu'on le dit ?

Jamie se raidit, sachant que son frère serait aux anges s'il apprenait la vérité : il avait demandé sa main et été éconduit sans ménagement.

— Elle est assez belle, en effet.

Puis il changea de sujet :

— Je partirai dès demain matin.

— Sans attendre le retour de notre cousin ?

— Non, je préfère suivre cette piste pendant qu'elle est fraîche. Je lui laisserai un message.

Ils entrèrent dans la tour et traversèrent la grande salle. En regardant autour de lui, Jamie fut frappé par l'ambiance morose qui y régnait. Depuis la mort de la femme de Colin, deux ans plus tôt, le donjon ressemblait à un tombeau. Bien qu'une odeur de tourbe flotte dans l'air, il y faisait froid et humide. Seuls quelques chandeliers avaient été allumés. Compte tenu de l'arrivée de Lizzie, il aurait pensé trouver les lieux égayés par quelques touches féminines. D'ailleurs, il était étrange que Lizzie ne se soit pas encore manifestée. D'ordinaire, elle était la première à l'accueillir.

— Où est Lizzie ? demanda-t-il.

Colin fronça les sourcils avant de répondre :

— À Castle Campbell.

Jamie sentit monter en lui une pointe d'angoisse.

— Elle m'a écrit quelques jours avant mon départ pour m'annoncer qu'elle viendrait ici. Elle devrait déjà être arrivée.

Les traits de Colin se durcirent.

— Il n'oserait tout de même pas ?

— L'enlever ? Alasdair MacGegor n'a plus rien à perdre…

Il fit brusquement demi-tour. Jurant entre ses dents, Colin lui emboîta le pas.

— Je viens avec toi ! déclara-t-il.

— Non. Il faut que tu sois ici quand Argyll arrivera. Je pars sur-le-champ mais il me faut des hommes. À l'heure qu'il est, les miens sont sur la route de Bute.

Colin fit mine de vouloir discuter, puis se ravisa. Le comte aurait besoin qu'on lui explique la situation et il savait que rien ne pourrait faire changer d'avis à Jamie une fois sa décision prise.

— Prends autant d'hommes que tu voudras, répondit-il. Je vais demander à Dougal de vous préparer des provisions. Et rapporte-moi sa maudite tête sur une pique !

Colin avait toujours été le plus sanguinaire des deux mais, pour une fois, Jamie était d'accord avec lui.

— Si MacGregor a touché un seul cheveu de Lizzie, tu peux compter sur moi.

Ébranlée par sa dispute avec Jamie, Caitrina prit tout son temps pour rentrer au château. En entrant dans la grande salle, elle trouva son père occupé à discuter avec quelques autres chefs de clan. Il lui lança un regard interrogateur et elle comprit de suite que son souhait avait été exhaussé : Jamie Campbell était parti.

Comme un voleur ! Comme s'il ne s'était rien passé entre eux.

Sentant monter en elle une vague de fureur, elle lutta pour étouffer ses émotions. C'était ce qu'elle avait voulu mais elle ne s'était pas attendue à ce qu'il disparaisse si vite, juste après cette scène terrible, laissant derrière lui un vide béant.

Caitrina avait redouté de devoir s'expliquer devant son père mais ce dernier accepta sans discuter sa décision de rejeter l'offre de mariage. Il la serra dans ses bras et déposa un baiser sur son front, lui répétant qu'il ne voulait que son bonheur et que le choix n'appartenait qu'à elle.

Elle n'était pas heureuse. Les invités venus à Ascog pour les jeux étaient partis, mais, au lieu d'éprouver un sentiment de soulagement devant sa paix retrouvée, elle était sur les nerfs. Quant à son père, il paraissait distrait, presque inquiet, sans qu'elle sache pourquoi. Il en allait de même avec ses frères. Ils lui cachaient quelque chose et d'être tenue à l'écart l'irritait au plus haut point.

Mais le plus agaçant, depuis le départ de Jamie, c'était qu'elle ne pouvait le chasser de son esprit, pas plus que leur moment de passion. Dans ses bras, elle s'était sentie protégée. Quand il l'avait embrassée, elle avait ressenti une plénitude qui ne ressemblait à rien de ce qu'elle avait connu jusqu'alors.

Elle avait conscience de s'être montrée injuste envers lui. Il était venu à sa rescousse non pas une fois, mais deux. Sans lui, qui sait jusqu'où aurait été MacNeil ?

Mais pour l'amour de Dieu, c'était le bourreau des Campbell ! Le cousin préféré du pire ennemi de son clan. Qu'il soit beau et fort, plein d'autorité et intelligent, qu'il ne ressemble en rien au monstre qu'on lui avait dépeint n'y changeait rien. Toutes les rumeurs ne pouvaient être fausses. Il prétendait vouloir la justice et rétablir l'ordre dans les Highlands, mais n'était-ce pas un prétexte pour justifier ses actes ?

Elle ne pouvait concevoir d'épouser un Campbell, même si elle ne pouvait nier avoir désiré ce baiser et plus encore. Elle avait eu tort d'accuser Jamie de l'avoir séduite tout en sachant pertinemment qu'il n'en était rien…

Mais, malgré ce qu'il lui en coûtait, elle avait eu bien raison de décliner son offre. Un homme comme lui ne pouvait lui causer que des ennuis.

Trois jours après son départ, Caitrina trouva Mor dans la mansarde au sommet de la tour, sanglotant au chevet d'une jeune servante.

Elle réprima un cri au vu des traits tuméfiés de la jeune fille. La malheureuse était méconnaissable avec son visage enflé et couvert d'entailles. Sa peau claire était parsemée d'ecchymoses. Elle avait perdu son fichu et ses longs cheveux roux étaient pleins de boue et d'herbes. La manche de la chemise qu'elle portait sous son *arisaidh* était presque arrachée.

— Par tous les saints, que lui est-il arrivé ?

— Elle a été agressée dans les bois, répondit Mor d'une voix tremblante, alors qu'elle se rendait au village de Rothesay pour y acheter du tissu.

— Mais qui a fait une chose pareille ? s'indigna Caitrina.

— Elle ne les a pas reconnus mais, à sa description, c'étaient sans doute des proscrits.

— Sur l'île de Bute ? s'étonna Caitrina.

La vieille nourrice lui adressa un regard résigné.

— Il y a des hors-la-loi partout, mon enfant. Jusqu'à présent, nous avons eu de la chance mais nul n'est à l'abri.

Mor tenta d'essuyer le front de la servante avec un linge humide mais le moindre contact la faisait grimacer de douleur. En l'entendant gémir, Caitrina eut les larmes aux yeux.

Le monde brutal contre lequel Jamie l'avait mise en garde venait de montrer son visage hideux. Son objectif de débarrasser les Highlands des hors-la-loi prenait soudain un nouveau sens. Seigneur, sur combien d'autres points avait-elle eu tort ?

8

Avec la violente agression de Mary, la jeune servante, Caitrina prit conscience de l'anarchie galopante qui gagnait le pays. Son sanctuaire d'Ascog avait été violé et elle ne s'y sentirait plus jamais en sécurité. En quelques heures, son univers avait basculé. Les hors-la-loi n'étaient plus un problème lointain, mais une menace réelle.

Caitrina n'avait jamais vu son père dans une telle fureur. Il prenait l'agression d'un membre de son clan comme un affront personnel et avait aussitôt envoyé un groupe de guerriers traquer les responsables. Ils rentrèrent bredouilles le lendemain. Pour la première fois, il interdit à sa fille se sortir du château sans escorte.

L'avertissement de Jamie obsédait Caitrina. Le fait que sa prédiction se soit réalisée si rapidement laissait entendre qu'il en savait plus qu'il ne l'avait dit. Peu à peu, elle commença à remettre en question son jugement. Jamie se considérait comme le représentant de l'ordre et s'efforçait de débarrasser le pays des hors-la-loi. Pour la première fois, elle se dit qu'une telle autorité était peut-être nécessaire.

Certes, Argyll était le diable et le clan Campbell son suppôt, mais si la vérité était plus complexe ? Avait-elle jugé Jamie Campbell avec trop de hâte ? L'avait-elle accusé à tort de brutalité, alors qu'elle n'avait jamais détecté chez lui le moindre signe de cruauté ni d'injustice ? Elle n'avait vu en lui qu'un Campbell, préférant écouter les commérages...

Quelle importance ? Après ce qu'elle lui avait lancé au visage, elle ne le reverrait sans doute plus jamais...

Finalement, deux jours après l'agression, elle se décida à agir. Son père l'avait poussée à accepter la demande de Jamie Campbell et elle tenait à savoir pourquoi, même s'il était trop tard.

Elle venait d'entrer dans la grande salle, à la recherche de son père, quand elle entendit un garde demander qu'on abaisse la herse. Son sang se glaça. Fermer les portes au beau milieu de la journée ne pouvait signifier qu'une chose : des ennuis.

Le cœur battant, elle courut à la fenêtre juste à temps pour voir le garde basculer par-dessus le mur-rideau, une flèche dans le dos. Elle n'eut pas besoin d'en voir plus pour comprendre que les assaillants étaient déjà à l'intérieur. Un autre garde se précipita pour achever de fermer la herse et reçu un tir d'arquebuse en pleine poitrine.

Le chaos envahit le château, tandis que les hommes du clan Lamont tentaient de repousser cette attaque surprise. Horrifiée et impuissante, Caitrina vit près d'une centaine d'hommes se ruer par le portail et envahir la barbacane. Le métal de leurs heaumes et de leurs cottes de mailles lançait des éclats aveuglants. Ils brandissaient leurs épées, menaçants. Ce n'était pas une bande de maraudeurs dépenaillés, mais des guerriers bien équipés, ce qui expliquait sans doute qu'ils aient pu entrer aussi facilement. Ils ne portaient pas les insignes de la garde royale, ce qui ne laissait qu'une possibilité : Argyll.

Le ventre noué, elle scruta la foule des hommes armés près de l'entrée, essayant de repérer une silhouette particulière. Elle parvint à identifier leur chef à la manière dont il lançait des ordres et poussa un soupir de soulagement. Il n'était pas assez grand ni assez large d'épaules pour être Jamie.

La bataille fut terminée avant même d'avoir commencé et sitôt le portail franchi, les soldats furent pour ainsi dire maître des lieux. À son grand soulagement, Caitrina se rendit compte que les assaillants n'étaient pas venus pour piller. Ils semblaient chercher quelque chose.

Que voulaient-ils ? Et où étaient son père et ses frères ?

À l'autre bout de la cour, elle les vit surgir de l'armurerie, accompagnés de quelques gardes. Ils n'avaient pas eu le temps de se préparer convenablement pour la bataille et portaient les pantalons en cuir et les tartans qu'ils revêtaient pour l'entraînement plutôt que leurs hauberts de combat. Au moins, ils avaient coiffé leurs casques en acier et semblaient porter leurs armes.

Elle entendit la voix furieuse de son père interpeller le chef des Campbell. Les deux hommes s'invectivèrent mais elle ne distinguait pas ce qu'ils disaient. Puis, à un moment, elle entendit Campbell déclarer :

— Nous savons qu'il est ici. Dites-nous où, ou vous en subirez les conséquences.

Campbell pointa l'index vers la tour et tourna son visage vers elle. C'était étrange, elle ne le reconnaissait pas mais ses traits lui disaient quelque chose. Ce qu'il déclara fit enrager son père. Derrière lui, ses hommes serraient le manche de leurs claymores d'un air menaçant.

Caitrina sentait son cœur battre à tout rompre. La situation s'aggravait. Le vacarme avait alerté les serviteurs du château et la grande salle commença à se remplir. Fort heureusement, Mor, la voix de la raison, parvint à endiguer la montée de panique.

Tel un vieux général, la nourrice lançait des ordres :

— Hâtez-vous ! cria-t-elle à un groupe de filles de cuisine. Filez à la dépense et remontez tout le bois des fours ainsi que l'huile de lampes. Toi, apporte-moi tous les draps que tu trouveras !

Caitrina se figea quand elle comprit les intentions de Mor. Son père le lui avait répété d'innombrables fois : en cas d'attaque et si l'ennemi perçait leurs défenses, elles devaient brûler l'escalier.

— Non ! cria-t-elle en courant vers Mor. On ne peut pas faire ça. Ils n'auront aucun endroit où se retrancher...

La nourrice la prit par les épaules et la secoua.

— Ton père et tes frères savent se défendre. Si nécessaire, ils peuvent fuir dans les montagnes et se cacher dans des grottes. Mais ils ne partiront pas si tu n'es pas en sécurité.

— Mais...

— Sois raisonnable, Caitrina. Ils connaissent leur devoir. À toi de faire le tien.

Elle abaissa la voix pour ajouter :

— Pense au petit.

Brian !

Caitrina tressaillit et chercha frénétiquement autour d'elle. Elle l'aperçut émergeant de l'escalier de la tour, traînant une énorme épée que leur père gardait dans ses appartements privés. La scène aurait été comique si elle n'avait pas été aussi terrifiante. Il courut vers la porte du donjon. Devinant ce qu'il allait faire, Caitrina l'intercepta et lui attrapa le bras.

— Arrête, Brian. Tu ne dois pas sortir.

L'adolescent tenta de se libérer.

— Lâche-moi, Caiti.

Il paraissait soudain bien plus âgé que ses douze ans. Devant son air buté, elle réfléchit à toute allure, cherchant un moyen de préserver sa fierté.

— Nous avons besoin de toi ici, Brian. Si tu sors, il n'y aura plus personne pour nous protéger.

Il regarda la salle derrière elle où s'agitaient une douzaine de femmes et d'enfants apeurés. À cette heure de la journée, la plupart des hommes étaient au-dehors, s'entraînant au combat. Ceux qui n'étaient pas des guerriers pêchaient dans le loch, s'occupaient des bêtes ou découpaient de la tourbe.

— Je t'en prie...

Il acquiesça et Caitrina le serra dans ses bras, à la fois soulagée et reconnaissante. Les filles de cuisine étaient revenues avec du bois, de la toile et de l'huile. Pendant les quelques minutes qui suivirent, elles enveloppèrent des bûches de tissus imbibés d'huile pour en faire des torches.

Brian s'était posté près de la porte, surveillant ce qu'il se passait à l'extérieur tout en tentant d'arracher les planches clouées qui maintenaient l'escalier en place. Pour ce faire, la porte devait rester ouverte mais, dès que l'escalier serait détaché, ils y mettraient le feu et se barricaderaient à l'intérieur. La tâche était difficile, les clous rouillés résistaient et les nœuds du bois étaient trop serrés.

Elle s'approcha dans l'intention d'aider son frère quand ce dernier cria :

— Non !

Un coup de feu retentit, suivi de cris et d'exclamations. Brian se pencha au-dehors et Caitrina bondit pour le rattraper par le bras avant qu'il ne dévale les marches.

— Brian...

Elle n'acheva pas sa phrase, ayant aperçu la scène à l'extérieur. Elle poussa un cri étranglé et vit avec horreur son père se tenir la poitrine, du sang jaillissant entre ses doigts. Il chancela, puis s'effondra dans les bras de Malcom.

Elle ne pouvait plus respirer, plus penser. Une vive douleur lui serra le cœur et des larmes jaillirent de ses yeux. Cela ne pouvait être vrai. Pourtant, les visages des hommes de leur clan lui confirmèrent qu'elle ne rêvait pas : son père était bel et bien mort. Dehors, la stupeur se mua en fureur. Conduits par Malcom et Niall, les Lamont se déchaînèrent, se jetant dans le combat avec une férocité redoublée.

Seul l'instinct de protéger Brian la tira de sa transe. Très vite, Mor vint à sa rescousse et, à elles deux, elles parvinrent à maîtriser l'adolescent et à le tirer à l'intérieur.

— Laissez-moi ! criait-il. Je dois le secourir.

Caitrina prit son visage entre ses mains et le força à la regarder.

— On ne peut plus rien faire pour lui, Brian. Nous avons besoin de toi ici. Nous devons incendier l'escalier.

L'adolescent roulait des yeux affolés. Il se débattit encore un peu, puis finit par hocher lentement la tête.

Une fois les torches en place et allumées, tous se tinrent près de la porte, surveillant l'escalier et priant pour qu'il s'enflamme. Les torches brûlaient mais le bois se contentait de fumer sans s'embraser.

Derrière Caitrina, Mor grommela :

— C'est à cause de la pluie de ces derniers jours. Le bois n'est pas encore assez sec.

Caitrina entendait des cris en contrebas. Leurs efforts n'étaient pas passés inaperçus. Elle non plus. Elle sentit le regard menaçant du chef Campbell sur elle. Quelques assaillants entreprirent de gravir les marches, les hommes de son père s'efforçant de les refouler. D'un geste vif, elle referma la porte.

Autour d'elle, les visages exprimaient exactement ce qu'elle ressentait elle-même : l'incrédulité et la terreur.

Mor la saisit par les épaules.

— Emmène ton frère là-haut et cachez-vous. Quoi que vous entendiez, ne vous montrez pas !

— Mais toi et les autres ?

— Nous devons nous séparer. Ce ne sont pas des serviteurs qu'ils cherchent.

— Mais qui cherchent-ils ?

Mor déposa un baiser sur son front.

— Je ne sais pas, mon enfant. File.

Elle ajouta à l'intention de Brian :

— Protège ta sœur.

Il acquiesça, l'air grave et déterminé. À le voir soudain si mûr, Caitrina songea avec un pincement au cœur qu'il ne serait plus jamais le même. Elle non plus.

Elle hésita avant de se jeter dans les bras de sa vieille nourrice pour un dernier adieu. Mor la serra brièvement contre elle et lui fit signe qu'il n'y avait plus de temps à perdre. Caitrina prit la main de son frère et ils coururent vers l'escalier qui menait aux étages. Elle dut se forcer pour ne pas lancer un regard par la fenêtre. Désormais, ils n'avaient plus qu'à prier pour que les hommes de son père remportent la bataille et que leur courage ait raison des Campbell, bien supérieurs en nombre.

Lorsqu'ils atteignirent sa chambre, Caitrina se précipita vers son armoire et l'ouvrit. Elle gémit et Brian soupira :

— Nous ne tiendrons jamais tous les deux là-dedans !

Le meuble était rempli de robes. S'ils tentaient de les jeter dans un coin, leur cachette serait immédiatement dévoilée. D'un autre côté, on finirait bien par les découvrir tôt ou tard. Caitrina réprima un accès de panique, incapable de réfléchir. Que faire ? Ascog Castle n'était pas grand et il y avait peu d'endroits où se cacher.

Elle fut gagnée par l'effroi quand elle entendit plus bas le fracas d'une hache contre la porte de la grande salle.

Brian la poussa dans l'armoire.

— Cache-toi là-dedans. Moi, je me mets sous le lit.

Il faisait noir et chaud dans l'armoire encombrée de robes en velours et en laine épaisse. Tous ses sens étaient à l'affût, concentrés sur les bruits dans les étages inférieurs. Le moindre craquement la faisait tressaillir. Les battements de son cœur étaient assourdissants.

L'attente fut interminable. Soudain, elle entendit des hommes dans l'escalier.

— Trouvez-moi la fille ! cria l'un d'eux.

La porte de la chambre s'ouvrit avec fracas et elle retint son souffle, consciente de son impuissance et de sa futile cachette. Combien de temps avant qu'ils ne la découvrent...

— Lâchez-moi !

Son sang se figea. Ils avaient déjà trouvé Brian.

— Qu'est-ce que c'est que ce morveux ? demanda une voix gouailleuse.

— Le petit dernier ? Ou ce qu'il reste des Lamont, en tout cas.

Caitrina retint un cri et enfonça ses ongles dans ses paumes. Non, ce ne pouvait pas être vrai !

— La fille doit être dans les parages, déclara un autre homme.

Incapable de supporter les cris de Brian qui tentait de détourner leur attention, elle repoussa les vêtements étouffants et bondit hors de l'armoire. Dans un premier temps, elle ne vit que les larges dos de deux guerriers en cotte de mailles, l'un d'eux tenant Brian par la peau du cou.

— Laissez-le ! hurla-t-elle en se ruant sur ce dernier.

Elle lui assena un coup sur la tempe, assez fort pour le faire crier de douleur et lâcher l'adolescent.

Elle tenta de passer un bras autour de son cou mais fut arrachée et maîtrisée par un soldat corpulent. Dans sa hâte de secourir Brian, elle n'avait pas remarqué le troisième homme dans la pièce.

Il avait les traits rouges, bouffis, et transpirait abondamment sous son casque. Il se tourna vers la porte.

— Je la tiens !

Elle tenta de se libérer mais il resserra son étreinte et lui tordit le bras en la lorgnant d'un air lubrique. C'était le regard d'un homme déterminé à jouir de son butin de guerre...

— Je vais m'occuper de toi plus tard, ma jolie, l'assura-t-il.

— Ôte tes sales pattes de ma sœur !

Brian était parvenu à récupérer la claymore sous le lit et se précipita vers celui qui la tenait. L'arme était trop lourde pour lui et il ne parvint à franchir que quelques mètres avant que l'un des autres hommes l'attrape par-derrière. Le temps parut s'arrêter. Elle vit l'éclat argenté de la lame qui s'abattait sur le crâne de Brian. Elle bondit mais ne put s'arracher à l'étreinte du soldat. Étourdi par la puissance du coup, l'adolescent ouvrit de grands yeux ronds, puis s'effondra sur le sol. Elle poussa un cri et se débattit comme une furie, parvenant à dégager un bras et griffant le visage de son agresseur qui la gifla avec une telle force qu'elle tomba à terre. Sa mâchoire était en feu.

— Que se passe-t-il ici ?

Leur chef se tenait sur le seuil.

— Nous avons trouvé la fille de Lamont, expliqua l'un des soldats.

Caitrina se releva tant bien que mal. Les larmes coulaient sur ses joues mais son regard reflétait sa haine envers l'homme qui avait apporté la mort dans sa maison.

— Quel genre d'individu ferait la guerre à des femmes et à des enfants ? cracha-t-elle. Il n'y a qu'un Campbell pour avoir si peu d'honneur !

— Belle et fière, à ce que je vois ! Tu as du courage, ma fille, mais uses-en prudemment. Dis-nous où il est et nous ne ferons plus aucun mal à personne.

— Mais qui ? s'écria-t-elle. Qui cherchez-vous donc ?

— Alasdair MacGregor.

Elle se figea.

— Vous vous trompez d'endroit. Alasdair MacGregor ne se trouve pas à Ascog.

L'expression du chef se durcit.

— C'est toi qui te trompes. MacGregor a été vu dans les alentours en compagnie de ton père pas plus tard qu'hier et il se cache ici, probablement depuis des semaines.

C'était impossible. Son père n'aurait pas eu la folie de défier le roi. Héberger les MacGregor était passible de... mort. Puis elle se souvint du lien entre les deux clans.

— Vous mentez !

Il pinça les lèvres.

— Et toi, tu commences à me fatiguer. Dis-moi où il est et je te laisserai peut-être partir.

Il la toisa de haut en bas avant d'ajouter :

— Avant ou après que j'aurai laissé mes hommes s'amuser un peu avec toi. À toi de choisir.

Elle refusait de lui montrer sa peur.

— Je ne peux pas vous dire ce que j'ignore.

Il la dévisagea un long moment, puis haussa les épaules.

— Dans ce cas, tu ne m'es d'aucune utilité.

Il se tourna vers l'un de ses hommes.

— Débarrassez-vous du gamin.

— Brian !

Retenue fermement par l'un des hommes, elle contempla, impuissante, son petit frère que l'on traînait hors de la pièce.

Le regard du chef s'attarda sur le coffre au pied du lit sur lequel elle avait soigneusement plié le tartan que Jamie lui avait prêté le jour où il l'avait aidée à descendre du chêne. Il lui lança un regard entendu et parut sur le point de faire un commentaire, puis se ravisa et une lueur étrange apparut dans ses yeux. Il ordonna au soldat qui la tenait :

— Découvrez ce qu'elle sait mais ne traînez pas ! Il y a le feu en bas. Si MacGregor est dans le château, nous l'enfumerons jusqu'à ce qu'il soit obligé de quitter son trou.

114

Son père, ses frères, sa maison… Cet homme lui avait tout pris. Pour rien. À bout de nerfs, elle serra le poing et le lui envoya dans la figure avec toute la haine et la colère accumulées en elle. Elle n'avait jamais frappé quiconque mais l'atteignit en plein dans le nez. La tête de Campbell se renversa en arrière sous la force du coup. Quand il se redressa, sa bouche était couverte de sang.

Il y eut un moment de silence stupéfait, puis elle sentit une douleur fulgurante à la tempe et sombra dans l'inconscience.

Caitrina ne pouvait plus respirer, prisonnière d'un affreux cauchemar. Un homme était couché sur elle, sa lourde cotte de mailles lui écrasant la poitrine. Une odeur de transpiration et de sang emplit ses narines, tandis qu'elle gémissait et se débattait. Des mains râpeuses se refermèrent sur ses cuisses, tentant de les écarter.

Ce n'était pas un rêve, hélas ! Elle ouvrit péniblement les paupières. Un homme était couché sur elle, un bras en travers de sa poitrine pour la plaquer au sol. De sa main libre, il retroussait ses jupes. Elle ouvrit la bouche pour hurler, mais aucun son n'en sortit. La douleur sur sa joue était cuisante. Elle referma les paupières.

L'obscurité l'appelait comme le doux chant d'une sirène. Elle voulait rester endormie et se réfugier dans l'inconscience, mais quelque chose l'en empêchait. Elle devait se réveiller. Il ne fallait pas se laisser faire. Il fallait lutter !

Soudain, le poids qui l'opprimait disparut. Elle prit une grande inspiration pour emplir ses poumons mais n'inhala que de la fumée et se mit à tousser et à cracher.

Elle crut entendre quelqu'un jurer, puis fut soulevée du lit et serrée contre un torse chaud et dur. Elle tenta de se débattre mais l'homme la tenait d'une main ferme, murmurant des paroles de réconfort à son oreille. La voix lui était vaguement familière...

Jamie !

Elle se détendit, envahie par un immense soulagement, jusqu'à ce que les souvenirs lui reviennent en mémoire : les Campbell avaient attaqué Ascog. Or, Jamie était un Campbell... Non ! Elle refusait de le croire, mais pour quelle autre raison serait-il ici ?

« Vous regretterez d'avoir refusé mon offre »...

— Vous...

Elle s'étrangla, la gorge à vif.

— C'est vous qui avez fait ça ! murmura-t-elle, avant de sombrer dans l'inconscience.

9

Toward Castle, péninsule de Cowal. Trois mois plus tard.

Un vent glacé balayait la lande, faisant voler les cheveux de Caitrina tandis qu'elle descendait le sentier
escarpé qui allait du château à la petite plage. Même la
robuste bruyère qui tapissait le paysage de ses fleurs
mauves n'y résistait pas et ployait à chaque rafale. Retenant ses mèches folles d'une main, elle rajusta le châle
en laine sur sa tête pour mieux se protéger du vent et du
froid. L'automne s'était définitivement installé. La
Saint-Michel était derrière eux et les jours, comme
la bruyère, s'obscurciraient bientôt, se faisant plus
courts et plus froids.

Elle soupira. Le changement de saison faisait naître
en elle une étrange mélancolie. Qu'elle le veuille ou
non, le temps passait. Une part d'elle-même voulait se
raccrocher au passé, craignant de rompre le lien avec
tout ce qu'elle avait perdu. Une autre part, marquée par
le deuil de sa mère, savait que peu à peu la douleur se
ferait moins vive, sans jamais la quitter.

Elle avait cru que rien n'était pire que de perdre sa
mère. Comme elle se trompait ! Son cœur se serra douloureusement. Père, Malcom, Niall et même son cher
petit Brian... tous étaient partis, désormais. Plus de
trois mois s'étaient écoulés depuis ce jour funeste où les

Campbell avaient fait irruption à Ascog pour semer l'horreur et la mort.

En l'espace de quelques heures, son clan avait été décimé. D'abord dans la bataille, puis dans l'incendie qui avait suivi. Plus de quarante guerriers Lamont avaient perdu la vie en défendant le château. Les survivants avaient fui dans les montagnes pour échapper aux sanguinaires Campbell. De sa demeure, il ne restait qu'une carcasse calcinée. Les moments de bonheur qu'elle y avait connus n'étaient plus que des souvenirs...

Tout cela, parce que son père avait été soupçonné d'héberger les MacGregor !

C'était d'une injustice inouïe. Elle avait effacé de sa mémoire la plupart des événements de cette journée mais, parfois, des bribes de souvenirs ressurgissaient. Le meurtre de son père... Le visage du soldat au-dessus d'elle. Les flammes...

On lui avait annoncé que ses frères avaient péri dans l'incendie. Tout ce qui lui restait de sa famille était l'insigne de chef de clan de son père et un fragment d'étoffe qu'elle portait enroulé autour de son poignet.

Quant au reste... Elle ne pensait pas que le soldat l'avait violée mais n'en était pas certaine. Face à tout ce qu'il s'était passé, cette question paraissait dérisoire.

En revanche, il y avait une personne, dont elle se souvenait clairement. Elle sentit un frisson la parcourir, comme chaque fois qu'elle pensait à Jamie Campbell.

Lorsqu'elle avait compris que les Campbell attaquaient le château, elle s'était demandé si Jamie était impliqué. En ne le voyant nulle part, elle avait été soulagée. Elle refusait de croire qu'il pouvait se montrer cruel à ce point.

Pourtant, elle s'était trompée. Il était à Ascog. Pourquoi ? Était-il réellement responsable de la destruction de son clan ? Le fait qu'elle l'ait éconduit avec tant de mépris avait-il un rapport avec l'attaque ? Si elle avait écouté son père, accompli son devoir et accepté d'épouser Jamie Campbell, sa famille serait-elle toujours vivante ? Toutes ces questions la hantaient.

Même si elle ne pouvait être sûre du rôle de Jamie dans le massacre des siens, il était clair que son clan était responsable. Si elle haïssait déjà les Campbell auparavant, ce n'était rien par rapport à ce qu'elle ressentait à présent. Elle s'était juré de leur faire payer leur crime et de venger sa famille. Seule cette détermination féroce à se faire justice lui avait permis de vaincre son chagrin.

Même si elle devait y laisser sa vie, les siens reprendraient Ascog. Les membres survivants de son clan étaient les seuls parents qui lui restaient et elle était prête à tout pour que les Campbell ne tirent pas profit du sang versé par sa famille.

Elle arriva sur la plage et marcha le long de la berge rocailleuse, sentant les galets sous ses fines semelles en cuir. Indifférente au froid, elle se tint au bord de l'eau et inhala l'air marin. Elle tendit son visage aux embruns glacés. La mer l'attirait, comme si elle pouvait trouver l'oubli dans son immensité et son écume bleutée. Elle aimait se tenir dans ce coin désert à la pointe de Cowal et contempler la rive lointaine de l'autre côté de l'étendue d'eau : l'île de Bute, sa terre…

En entendant un bruit derrière elle, elle sursauta. Depuis l'attaque, elle était en permanence en alerte. Mais ce n'était que Bessie, une lavandière qui faisait partie de la poignée de domestiques qui l'avaient suivie depuis Ascog. Caitrina se précipita vers elle et lui prit son panier de linge.

— Laisse-moi t'aider, Bessie. C'est beaucoup trop lourd pour toi.

La vieille femme lui adressa un large sourire édenté.

— Que Dieu vous bénisse, maîtresse. Mais Mor m'étranglera si elle vous voit m'aider à nouveau.

Mor ne comprenait pas pourquoi Caitrina passait ses journées à l'extérieur avec les domestiques plutôt qu'avec sa tante et ses cousins dans la forteresse. En réalité, Caitrina était mal à l'aise avec ses parents de Toward. Elle préférait rester avec les membres de son clan d'Ascog, qui constituaient son unique lien avec le passé.

Elle adressa un clin d'œil à la lavandière :

— Dans ce cas, cela restera notre petit secret.

La vieille femme se mit à rire.

— Ah, ça fait plaisir de voir un sourire sur votre joli visage, maîtresse.

Agenouillée auprès de Bessie pendant deux heures, elle frotta et rinça le linge, jusqu'à avoir la peau à vif. Elle ne le remarqua même pas, trouvant cette besogne réconfortante. L'idée même de travail lui était totalement étrangère, quelques mois plus tôt ; à présent, elle représentait son salut.

Lorsque les deux femmes eurent terminé la lessive, elles plièrent le linge trempé dans le panier et le remontèrent ensemble jusqu'au donjon.

Mor devait la guetter car, dès que Caitrina entra dans la cour, elle accourut avec plusieurs servantes pour les soulager de leur fardeau et étendre le linge. Depuis l'attaque, Caitrina ne pouvait faire un pas sans que sa nourrice le sache. Autrefois, elle aurait trouvé cette surveillance étouffante mais, à présent, elle la réconfortait.

Elle lui devait tant !

C'était Mor qui, avec l'aide d'une poignée de domestiques, avait caché Caitrina dans une grotte pendant que les soldats Campbell fouillaient les montagnes environnantes à la recherche des derniers hommes du clan Lamont et des MacGregor. Outre la fumée qui avait rempli ses poumons, les coups qu'elle avait pris à la tête l'avaient blessée. Elle était restée inconsciente durant des jours. Lorsqu'elle avait été suffisamment rétablie pour pouvoir voyager sur une courte distance et traverser le détroit de Clyde, ils s'étaient réfugiés à Toward

Castle, chez son oncle sir John Lamont de Inveryne, qui les avait accueillis sans poser de questions.

Mor attendit que les autres se soient éloignées, puis prit les mains de Caitrina et les retourna, examinant ses paumes rougies et gonflées.

— Regarde ce que tu as fait à tes belles mains ! Tu dois arrêter ça, Caiti Rose.

Caitrina se raidit. « Caiti Rose »... c'était le surnom que lui donnait son père.

Sans se rendre compte de la douleur qu'elle lui avait infligée malgré elle, Mor poursuivit :

— Tu ne peux pas travailler toute la journée avec les domestiques. Ce n'est pas convenable. Je ne te reconnais plus. Regarde-toi ! Même si tu ne veux pas porter une des robes que ta tante a mises à ta disposition, tu es toujours la fille d'un chef. Que dirait ton père s'il te voyait ainsi ? Il y a encore un an, tu n'aurais pas voulu de cette robe, même pour en faire un chiffon !

Caitrina ne releva pas l'allusion à son père et poussa un long soupir. Ce n'était pas la première fois qu'elles avaient cette conversation. Elle baissa les yeux vers le châle élimé qu'elle portait sur une robe sans forme et une simple chemise. Mor avait raison ; elle n'avait plus rien à voir avec la jeune fille choyée qui adorait les belles toilettes et les souliers brodés. S'il lui arrivait de regarder avec envie les robes en velours et brocarts offertes par sa tante, elle ne pouvait se résoudre à les porter. Ces parures n'étaient qu'un rappel douloureux de l'existence dorée qu'elle avait menée autrefois.

— Il y a un an, tout était différent.

Mor la regarda tristement.

— Je sais, ma fille. Je donnerais tout pour pouvoir apaiser ta souffrance. Cela t'aiderait peut-être si tu en parlais.

— Il n'y a rien à dire, répondit-elle d'un ton ferme. Rien ne les fera revenir. Je veux juste ne pas être une charge pour mon oncle et ma tante.

— Ce n'est pas du tout ainsi qu'ils te voient, la rassura Mor.

— C'est encore pire. Je ne veux pas abuser de leur gentillesse. Ils ont déjà fait tant pour nous.

— Tu ne pourras pas rester cachée ici éternellement, Caiti. Tôt ou tard, ils apprendront que tu as survécu.

En effet, son oncle ne pourrait pas la cacher longtemps. Il lui avait demandé plusieurs fois pourquoi il était si important que personne ne sache où elle était. Comment lui expliquer qu'elle craignait que l'homme responsable de la destruction de son clan n'en ait pas terminé avec les Lamont d'Ascog ? Elle avait appris qu'après le raid, Jamie Campbell s'était comporté comme un possédé, la cherchant partout.

Elle contempla Castle Toward, ses épais murs de pierre et son donjon rectangulaire qui ressemblait tant à Ascog et sentit la panique s'emparer d'elle. Elle ne pouvait plus respirer. Tournant les talons, elle reprit le chemin de la mer.

— Où vas-tu ? s'inquiéta Mor.

— Je serai de retour pour le déjeuner, lança-t-elle par-dessus son épaule. J'ai quelque chose à faire.

Il avait suffisamment attendu.

Jamie Campbell arriva en vue de Castle Toward, certain que ses mois d'efforts et de retenue allaient enfin porter leurs fruits. Il ne se faisait aucune illusion quant à la réaction de Caitrina : il avait vu l'horreur sur son visage quand il l'avait portée hors de la fournaise. Il savait ce qu'elle pensait. Il n'avait rien à voir avec l'attaque qu'avait subie sa famille, même s'il ne pouvait en dire autant de son clan. Hélas ! Elle avait disparu avant qu'il n'ait pu le lui expliquer.

Finalement, son intuition avait été la bonne. Deux jours après son départ pour Castle Campbell à la recherche de Lizzie, un de ses gardes restés sur l'île de Bute était rentré à Dunoon avec la preuve qu'ils attendaient tous : Alasdair MacGregor et ses hommes avaient été aperçus dans la forêt, près d'Ascog. Les hommes de Jamie les avaient suivis mais avaient perdu leur trace dans les montagnes.

Voyant là une chance de s'attirer les bonnes grâces de leur cousin, Colin avait décidé de ne pas prévenir Jamie et de mener lui-même l'expédition. Si seulement Jamie avait pu trouver les MacGregor plus tôt, rien de tout ceci ne serait arrivé.

Par chance, un fidèle garde de Jamie l'avait rejoint près de Stirling pour l'informer de la situation : Lizzie avait effectivement été attaquée en chemin pour Dunoon et recueillie par des Murray. Devinant aussitôt ce qu'il risquait d'arriver avec sa tête brûlée de frère qui tenait tant à impressionner Argyll, Jamie avait filé au grand galop à Ascog. Hélas ! quand il était arrivé, la bataille avait commencé depuis longtemps...

Il avait mis Caitrina à l'abri avant de retourner sauver ce qui pouvait encore l'être de cette journée maudite, s'efforçant d'arrêter les combats et d'étouffer l'incendie. Lorsqu'il était revenu la chercher, elle avait disparu, emmenée par ceux de son clan.

Il l'avait longtemps cherchée. Il avait sillonné les montagnes autour d'Ascog durant des semaines. En vain. Elle semblait s'être volatilisée. Pourtant, il savait qu'elle avait survécu et refusait de baisser les bras.

Naturellement, il avait pensé qu'elle se réfugierait chez son oncle mais ce dernier avait affirmé qu'il ignorait où elle se trouvait... jusqu'à ce que les espions de Jamie lui apportent des preuves de sa présence à Toward Castle. Le chef Lamont avait alors été contraint d'avouer. Les négociations avaient traîné en longueur et la patience de Jamie avait été mise à rude épreuve.

La chevauchée d'une quinzaine de kilomètres de Dunoon à Toward lui parut interminable.

Il parvint au sommet de Buachailean, la colline au nord du château. Là, il arrêta sa monture pour contempler Toward Castle et ses environs avant d'entamer sa descente. Il était attendu, mais mieux valait être prudent.

Tout lui parut normal. Un groupe de pêcheurs rentrait au port, des moutons paissaient sur les versants, de jeunes filles jouaient au croquet sur la lande, les villageois entraient et sortaient tranquillement du portail de la forteresse. Soudain, il vit une servante solitaire qui marchait sur la grève, ramassant des coquillages.

Attiré par ses longues mèches brunes qui volaient au vent, il l'observa avec attention… et sentit les battements de son cœur s'accélérer. Même s'il ne parvenait pas à distinguer ses traits, il était sûr de l'avoir reconnue.

Ce n'était pas une servante. Il avait retrouvé Caitrina Lamont.

Caitrina souleva deux coins de son châle, et y déposa plusieurs coquillages. Peut-être pourrait-elle confectionner un collier pour Una ? La fillette adorait se déguiser en *Maighdean na Tuinne*. Caitrina ne croyait plus aux sirènes depuis longtemps, mais observer Una lui mettait du baume au cœur. Elle admirait sa capacité à rire et à jouer même si, comme tous les membres de son clan réfugiés à Toward, son ancienne demeure lui manquait cruellement.

Caitrina savait que Mor avait raison : elle ne pourrait pas se cacher très longtemps. Il lui fallait trouver un moyen de retourner à Ascog avec les siens. Ce n'était pas en restant calfeutrée à Toward qu'elle y parviendrait.

Pour une jeune femme sans ressources, il n'y avait qu'une solution : trouver un mari puissant qui l'aiderait à récupérer ses terres.

Elle esquissa un sourire mélancolique. Elle ne pouvait plus penser au mariage sans une pointe d'émotion alors que quelques mois plutôt, elle ne tolérait pas la moindre allusion à ce sujet délicat. À l'époque, elle ne pouvait concevoir de quitter ses proches. Elle n'imaginait pas, alors, que ce serait eux qui la quitteraient...

Elle s'agenouilla sur le sable en serrant les coquillages contre elle et se mit à creuser. Quand elle eut réalisé un trou d'une trentaine de centimètres de profondeur, elle dénoua le fragment d'étoffe à son poignet. Les tons bruns et orange étaient fanés et les bords effilochés mais on reconnaissait le *breacan feile* de son père. Elle caressa la laine du bout des doigts et la serra un moment contre sa joue.

Quelques jours après l'attaque, alors que Caitrina était encore inconsciente, plusieurs domestiques étaient retournés au château pour voir ce qu'il en restait et enterrer les morts. Le feu s'était chargé de faire disparaître les corps. Dans les cendres, ils n'avaient trouvé que quelques objets qui avaient échappé aux Campbell, dont l'insigne et le lambeau de tartan.

Elle replia ce dernier en un petit carré qu'elle déposa au fond du trou avant de le recouvrir de sable. C'était la sépulture dont son père avait été privé. Pour la première fois depuis qu'elle s'était rétablie et avait appris la mort des siens, elle donna libre cours à ses émotions, s'abandonnant à la vague de chagrin qui la submergeait.

Quand elle eut pleuré tout son saoul, elle sécha ses yeux et se redressa. Elle se sentait plus forte, désormais. Sa vie d'avant était partie à jamais ; il était temps de regarder vers l'avenir, un avenir qu'elle reconstruirait pour son clan, dont elle avait la responsabilité. D'une manière ou d'une autre, justice serait faite !

Elle entendit le son étouffé de sabots dans le sable et se retourna. Un cavalier approchait. Elle crut d'abord qu'il s'agissait d'un des gardes de son oncle et agita la main en guise de salut.

Puis son sang se glaça et tous les coquillages minutieusement ramassés s'éparpillèrent à ses pieds.

C'était bien lui. Ces épaules larges, cette chevelure sombre striée de reflets auburn, ces traits réguliers, ces yeux bleus qui la fixaient avec une telle intensité, cette large bouche qu'elle avait embrassée avec une telle gourmandise. Et toujours, cette assurance sans pareille... cette autorité et ce pouvoir absolus.

Jamie Campbell l'avait retrouvée !

La douleur dans sa poitrine était intolérable, les souvenirs de l'attaque se mêlant à ceux du plaisir qu'ils avaient partagé. Et du prix qu'elle avait payé pour l'avoir éconduit... Comment avait-elle pu croire qu'il était autre chose qu'un exécuteur sans foi ni loi ?

Quand leurs regards se croisèrent, des images fragmentaires lui revinrent en mémoire. Son visage. Les flammes... Elle recula inconsciemment d'un pas et lança d'une voix tremblante :

— Ne m'approchez pas !

L'expression sur le visage de Caitrina le toucha profondément. Lui qui avait été si impatient de la voir ne lisait que de la peur sur son visage. Après des mois de recherches, la déception était cruelle. Il avait espéré qu'elle se souviendrait qu'il l'avait sauvée et avait fait cesser les combats.

Il descendit de sa monture et s'approcha prudemment.

— Je ne vous veux aucun mal.

Il s'arrêta mais était déjà assez proche pour distinguer ses larmes. La tragédie l'avait beaucoup changée. Elle était pâle et semblait avoir beaucoup maigri. Ses yeux éclairaient encore son visage mais il y avait une dureté dans son regard qu'il n'avait pas vue auparavant. L'effrontée qui l'avait défié quelques mois plus tôt avait cédé la place à une jeune femme triste et fragile.

Il aurait tant voulu la prendre dans ses bras et effacer cette douleur ! Il sentait en lui un besoin de la protéger et de veiller à ce qu'il ne lui arrive plus aucun mal.

— Je voudrais juste vous parler, dit-il doucement. Rien de plus.

— Je n'ai rien à vous dire et je ne veux pas vous voir.

— Je ne suis pour rien dans ce qu'il est arrivé à votre famille, Caitrina. C'est pour cela que je suis ici, pour vous expliquer.

— Vous y étiez ! Je vous ai vu, vous prétendez le contraire ?

— Non, je suis venu dès que j'ai pu, espérant empêcher le combat. Mais je suis arrivé trop tard.

— Et vous imaginez que je vais vous croire, après ce que vous m'avez dit en partant ? poursuivit-elle. Quand vous avez déclaré que je regretterais d'avoir refusé votre offre en mariage, ce n'était pas une menace, peut-être ? Vous m'avez dit que je ne connaissais rien au monde réel et qu'un jour, il parviendrait jusqu'à moi. Eh bien, vous aviez raison, je sais désormais que le monde est cruel. Votre brutalité me l'a amplement démontré. À présent, laissez-moi en paix !

Il y avait une part de vérité dans ses accusations. Il avait souhaité lui ouvrir les yeux, mais pas de cette manière.

— J'étais en colère, tenta-t-il d'expliquer.

Il avança d'un pas. Il sentait son parfum, cette odeur fleurie qui lui donnait envie d'enfouir sa tête dans sa nuque et sa chevelure. Son besoin de la toucher était irrésistible mais, d'abord, il devait la raisonner.

— Je suis sincèrement désolé de tout ce qui est arrivé, Caitrina. Croyez-moi, je n'ai rien à voir avec l'attaque de votre clan.

Il leva la main avec lenteur et toucha sa joue, se préparant à être repoussé. Comme elle demeurait immobile, il s'enhardit et essuya les traces de larmes avec son pouce. Les lèvres des Caitrina tremblaient. Il releva son menton du bout de ses doigts, la forçant à le regarder dans les yeux.

— Jamais je ne vous ferais le moindre mal.

L'espace d'un instant, elle parut le croire, puis son regard se durcit et elle détourna le visage.

— Vous prétendez que votre arrivée à Ascog en plein raid n'était qu'une pure coïncidence ? Vous ignoriez que mon père était soupçonné de cacher les MacGregor ?

Il hésita avant de répondre :

— Je n'ai pas ordonné l'attaque de votre clan.

— Mais vous saviez qu'Argyll était convaincu que mon père aidait les MacGregor ? insista-t-elle. Vous n'y êtes pour rien non plus ?

Il soutint son regard, ne voulant pas mentir.

— Vous saviez ! lança-t-elle. Vous n'êtes pas venu à Ascog pour les jeux ni pour me faire la cour mais pour espionner mon père.

Elle marqua un temps d'arrêt, le dévisageant d'un air accusateur et douloureux.

— Vous vous êtes servi de moi !

— Non !

Il croisa les bras. Autour d'eux, les vagues rugissaient et le vent redoublait de force mais il ne voyait qu'elle. Il reprit patiemment :

— Ma mission était de prouver que des proscrits se cachaient à Ascog, mais ce qu'il s'est passé entre nous n'avait rien à voir les MacGregor.

— Comment puis-je croire un seul mot de ce que vous dites ?

— Parce que c'est la vérité.

Il étudia son visage, se demandant si elle se souvenait de tout ce qu'il s'était passé. Il n'oublierait jamais ce qu'il avait ressenti en la voyant inconsciente, un filet de sang sur sa tempe, pendant qu'un des hommes de son frère tentait de la violer. S'il était arrivé quelques minutes plus tard…

La rage avait explosé en lui avec une force primale. Il avait passé les bras autour du cou de cette ordure et lui avait brisé la nuque d'un coup sec. Il ne regrettait pas de l'avoir tué, mais il aurait aimé que ce salaud souffre davantage.

— Vous étiez inconsciente la plupart du temps. Vous ne vous souvenez de rien ?

— Si, un peu.

— Je vous ai trouvée dans la tour et vous ai portée à l'extérieur, poursuivit-il. Il y avait de la fumée partout.

Elle tressaillit… oui, elle se souvenait.

— Je n'étais pas venu pour vous nuire, Caitrina.

Leurs regards se rencontrèrent et un courant passa entre eux, un courant puissant et profondément émouvant.

— Même si ce que vous dites est vrai, c'était votre clan qui a attaqué mon château et tué ma famille.

Jamie n'osait pas lui dire que c'était encore pire : l'attaque avait été menée par son propre frère. Il redoutait cette conversation, mais elle était inévitable.

— Nous avons demandé maintes fois à votre père de nous livrer MacGregor. Il a toujours refusé.

— Comment aurait-il pu le livrer alors qu'il ignorait où il se trouvait ?

Jamie poussa un long soupir.

— Il savait, Caitrina.

— Vous mentez ! Les soldats nous ont raconté les mêmes sornettes. Vous répandez des calomnies sur mon père pour justifier les méfaits des vôtres !

Jamie serra les dents. Il n'allait pas défendre son cousin devant elle, surtout quand il était clair qu'elle ne l'écouterait pas. Certes, Argyll n'était pas un ange et quand il avait un projet en tête, il pouvait se montrer intraitable. Néanmoins, il restait encore le meilleur espoir de paix pour les Highlanders face à un roi qui ne demandait qu'à marginaliser ses sujets considérés comme des « barbares ».

Le roi voulait éradiquer l'anarchie en Écosse et Argyll était l'un des rares Highlanders à avoir ce pouvoir. S'il ne s'en chargeait pas, les Lowlanders le feraient à sa place. L'ancien système reposant uniquement sur l'autorité des chefs de clan avait fait son temps. Les clans comme les

MacGregor donnaient des Highlanders une image désastreuse qui incitait le roi à prendre des mesures toujours plus draconiennes. Jamie espérait qu'un jour, il parviendrait à en convaincre Caitrina.

— Nous avons trouvé des preuves que votre père protégeait les hors-la-loi en leur donnant des vivres et des abris.

— Non, mon père ne ferait jamais une chose pareille. Je l'aurais su.

— Vous en êtes sûre ? Vous n'avez rien remarqué d'inhabituel dans les semaines qui ont précédé les jeux ?

Elle aurait voulu fermer les yeux et se boucher les oreilles pour ne plus entendre les mensonges de Campbell. En ce moment précis, elle le haïssait. Cependant, au plus profond d'elle-même, elle doutait. Elle se remémora la semaine avant l'Assemblée, le comportement étrange de son père. Elle connaissait ce dernier ; son sens de l'honneur était plus fort que tout. Il n'aurait pu refuser l'hospitalité aux MacGregor. Mais à quel prix ?

— La mort de mon père, de mes frères, des hommes de mon clan, c'est cela que vous appelez la justice ? reprit-elle. Ils n'étaient qu'un incident de parcours, dans la traque d'Alasdair MacGregor ?

— Ils ont fait un noble sacrifice que j'espérais éviter. Je comprends le dilemme de votre père mais il a violé la loi, Caitrina. Il savait fort bien ce qu'il encourait s'il se faisait prendre. Je l'avais moi-même prévenu.

— Cela ne veut pas dire que ce soit juste. Vous trouvez que la mort d'une quarantaine d'hommes est un châtiment équitable pour avoir hébergé quelques hors-la-loi ?

— Les hors-la-loi les plus recherchés du pays, précisa-t-il.

— Les MacGregor sont nos alliés. Ce ne sont pas tous des voleurs et des assassins comme vous le prétendez.

130

— Bon nombre des hommes de mon clan et de celui des Colquhouns ne seraient sans doute pas de cet avis.

Elle ne connaissait que vaguement le déroulement de la bataille de Glenfruin. Néanmoins, elle savait que, même s'ils niaient les faits, les MacGregor étaient accusés d'avoir commis un massacre en égorgeant quarante prisonniers. Elle savait aussi que si son père avait jugé les MacGregor dignes d'être protégés, il avait certainement de bonnes raisons.

— Vous aussi, vous êtes un Highlander, au cas où vous l'auriez oublié.

— Que voulez-vous dire par là ?

— Un Highlander comprendrait l'obligation sacrée d'hospitalité. Si ce que vous dites est vrai, mon père était contraint d'abriter les MacGregor.

— Je comprends l'obligation, certes, mais cela ne justifie pas de violer la loi, Caitrina.

— Vous n'avez donc aucune compassion ? À moins que la « loi » de votre cousin vous interdise d'en avoir ?

Le visage de Jamie resta de marbre et elle explosa :

— Mon Dieu, ressentez-vous seulement la moindre émotion ?

Il avança d'un pas vers elle et elle constata l'effort surhumain qu'il faisait pour se maîtriser.

— Hélas ! je ne suis qu'un homme ! Croyez-moi, en des moments comme celui-ci, je préférerais être autre chose.

Prise de court par son aveu, elle détourna la tête pour cacher son trouble. Ressentait-il quelque chose pour elle ?

— Partez ! ordonna-t-elle soudain. Si c'est l'absolution que vous êtes venu chercher, ce n'est pas auprès de moi que vous la trouverez.

Il lui agrippa le bras et la tourna vers lui.

Elle savait qu'il ne supportait pas d'être traité ainsi mais ne pouvait s'empêcher de le provoquer, dans une vaine tentative pour lutter contre cette force invisible qui la poussait vers lui.

— Je ne suis pas venu chercher l'absolution, déclara-t-il entre ses dents.

— Que faites-vous ici, alors ? Et comment pouvez-vous imaginer que j'aurais la moindre envie de vous revoir ?

Le regard de Jamie se durcit mais elle n'y prit pas garde, poursuivant :

— Je vous *méprise*. Quand je vous vois, je ne vois qu'un Campbell et il en sera toujours ainsi. Le clan qui a décimé ma famille. Rien de ce que vous pourriez dire n'y changera rien.

Les traits de Jamie étaient tirés. Il posa une main sur la gorge de Caitrina, le pouce sur son pouls qui battait avec frénésie. Elle se figea.

— Vous voulez me haïr, mais vous n'y parvenez pas, Caitrina.

Il se pencha vers elle et son souffle chaud et épicé caressa sa peau. Son cœur battait si fort qu'elle pouvait à peine respirer.

— Même en ce moment, vous avez envie de moi, chuchota-t-il. Le feu qui court dans vos veines est pour moi. Rien que pour moi. Personne d'autre ne vous fera jamais ressentir cela. N'essayez pas de nier ce qu'il y a entre nous.

Elle tremblait, douloureusement consciente de la moindre parcelle de ce corps robuste tout près d'elle. Elle faisait un tel effort pour se maîtriser qu'elle n'osait pas parler.

— Dites-moi que vous ne voulez pas que je vous embrasse.

Il approcha ses lèvres des siennes jusqu'à les frôler. Elle était clouée sur place, tétanisée. Le vent balayait son visage mais elle ne pensait qu'à la soie de ses lèvres et au goût qu'elles auraient sur sa bouche.

Elle parvint à articuler d'une voix chevrotante :

— Je ne veux pas que vous m'embrassiez.

— Menteuse, murmura-t-il avant de poser ses lèvres sur les siennes.

Toutes les émotions qu'elle avait contenues jusqu'ici explosèrent en elle. Son baiser était exactement comme dans son souvenir. Chaud, humide, exigeant, possessif. Son goût était celui d'un vin sombre et riche, se déversant dans son âme jusqu'à la rendre ivre de plaisir.

Le doigt de Jamie caressa sa mâchoire en une douce supplique et elle ouvrit les lèvres, le prenant au plus profond de sa bouche, savourant la sensation érotique de leurs langues mêlées.

Elle répondit à son baiser, se fondant dans sa chaleur, tandis que le désir s'emparait de son corps, les souvenirs de leurs ébats passés la faisant frémir par anticipation. Elle se pressa contre lui, l'invitant à lui faire sentir sa puissante érection contre son ventre.

L'espace d'un instant, elle se raidit. Le souvenir du soldat couché sur elle lui revint en mémoire mais elle le repoussa. Jamie ne lui ferait jamais le moindre mal, elle en était certaine. Jamais il ne se laisserait dominer par le désir.

Mais le désir pouvait-il la dominer, elle ?

Ce fut comme une douche froide. Elle était en train d'embrasser un homme en plein jour. Pas n'importe quel homme... son ennemi.

Posant les mains sur son torse, elle le repoussa violemment, se libérant de son étreinte. Puis, sans réfléchir, elle le gifla à toute volée.

Le coup résonna comme un tir de mousquet. Il avait à peine sourcillé mais sa joue était cramoisie.

— Vous êtes satisfait ? déclara-t-elle d'une voix haletante. Vous avez prouvé ce que vous vouliez. Je vous déteste mais mon corps vous désire. Si vous cherchiez à m'humilier, vous avez réussi.

Il resta impassible. À le regarder, on ne pouvait imaginer la moindre passion sous ce masque de pierre, mais quelques instants plus tôt, elle avait senti la fougue qui l'animait, pareille à la sienne...

Il répondit d'une voix monocorde :

— Je vous assure que je n'ai jamais eu la moindre intention de vous humilier.

À son regard possessif, elle devina sa véritable intention. Il la voulait ; le pire, c'était qu'elle le voulait aussi.

Elle sentit ses défenses se morceler et l'implora du regard.

— Je vous en prie, laissez-moi. Laissez-moi retrouver un peu de paix.

— Nous savons tous les deux que c'est impossible.

Sachant qu'il avait raison, mais refusant de l'accepter, elle tourna les talons et s'enfuit.

10

Elle courut comme si elle avait le diable à ses trousses et Jamie la laissa partir.

Il n'aurait pas dû l'embrasser. C'était trop tôt. Cela faisait des mois qu'elle le tenait pour responsable de la mort de sa famille. Il aurait dû lui donner le temps d'assimiler ce qu'il venait de lui expliquer.

Il la regarda s'éloigner, incapable de détacher son regard de sa silhouette rapetissant au loin. Bien qu'elle ait changé, sa beauté était toujours aussi magnétique. Elle grimpait le petit sentier menant au château avec grâce et une agilité naturelle, ses cheveux volant derrière elle tel un voile de soie noire.

Le vieux châle qu'elle portait s'était dénoué et elle le tenait roulé en boule dans ses bras. Cette sobre tenue contrastait avec les belles robes dans lesquelles il l'avait vue auparavant. Dire qu'il l'appelait « princesse », avant. Avec le recul, cela paraissait cruel.

Elle avait changé, mais pas uniquement dans son allure. Sa naïveté et son innocence d'autrefois avaient cédé la place à la défiance et au chagrin, mais il y avait aussi dans son regard une lueur froide, qu'il n'y avait jamais vue auparavant.

En revanche, une chose n'avait pas changé. Elle possédait toujours cette faculté de lui faire perdre le contrôle de lui-même. Plus elle essayait de le repousser, plus il ressentait le besoin de lui faire admettre ce qu'il y avait entre eux...

Il siffla sa monture qui s'approcha au petit trot. Il sauta en selle et se mit en route vers le château, inquiet des changements qu'il avait constatés chez Caitrina.

Il n'avait jamais voulu la voir tomber si bas, uniquement lui faire comprendre que le monde était plus complexe qu'elle ne le croyait. Il n'avait jamais voulu qu'elle souffre ainsi ni qu'elle soit confrontée à une telle brutalité.

S'il n'avait pas été aussi humilié par son rejet, il aurait peut-être pu la protéger. Blessé dans son orgueil, il n'avait pas dévoilé ses intentions. S'il avait parlé à son cousin ou à son frère de son projet d'épouser Caitrina, sa famille aurait peut-être été épargnée. Elle aurait été protégée.

Jamais il ne pourrait lui redonner ce qu'elle avait perdu mais il ferait son possible pour qu'elle obtienne réparation.

Tout en approchant du donjon, il se souvint de ses dernières paroles. Un homme moins déterminé aurait capitulé mais Jamie ne pouvait simplement baisser les bras et l'abandonner comme elle le lui avait demandé. Pour la première fois de sa vie, il avait une femme dans la peau. Elle avait traversé l'enfer et était toujours aussi fougueuse et fière. Ce qu'il avait pris pour une nature capricieuse reflétait une force de caractère beaucoup plus profonde. Elle ne ressemblait à aucune autre. Elle lui appartenait et il ne pouvait pas la laisser lui échapper.

Le cœur de Caitrina battait encore à tout rompre quand elle gravit le vieil escalier en pierre du donjon pour se réfugier dans la petite chambre aménagée pour elle sous les combles.

Ce n'était qu'une chambre de domestique, mais elle lui convenait parfaitement. Le plafond bas et mansardé lui procurait un sentiment de sécurité. En outre, depuis sa fenêtre, elle pouvait contempler le Clyde. Son oncle lui avait proposé de partager une chambre beaucoup plus grande avec ses deux jeunes cousines mais Caitrina préférait la solitude et le calme. Ses cousines étaient charmantes mais, âgées de douze et quatorze ans, elles étaient de vrais moulins à paroles. Comme Brian...

Elle traversa le petit couloir en deux enjambées, entra dans sa chambre et ferma avec précaution la porte derrière elle comme si elle craignait d'être suivie. Toutefois, une petite voix intérieure lui rappela que si Jamie Campbell la voulait, ce ne serait pas une simple planche de bois qui l'arrêterait...

Elle s'adossa au battant, ferma les yeux et s'efforça de se calmer, se concentrant sur sa respiration.

Elle avait cru avoir laissé derrière elle son attirance irrationnelle pour Jamie. Son implication – ou celle de son clan – dans le massacre de sa famille avait érigé entre eux un mur infranchissable. Du moins, cela aurait dû être le cas, jusqu'à ce qu'il vienne faire voler en éclats toutes ses certitudes.

Elle le désirait toujours. Elle avait beau tenter de se convaincre du contraire, sa réaction à son baiser était indéniable. Elle avait honte de sa propre faiblesse. Il aurait dû être le dernier homme sur terre susceptible de l'attirer. Si seulement il s'agissait d'une simple attirance physique ! Mais elle craignait qu'il ne s'agisse d'une force plus complexe car quand il était dans les parages, elle ne pouvait plus réfléchir.

Ses paroles l'avaient bouleversée, mais deux faits dans ce qu'il avait rapporté semblaient vrais : il l'avait portée hors du bâtiment en flammes – elle se souvenait du sentiment de sécurité qu'elle avait ressenti dans ses bras –, et son père avait effectivement protégé les MacGregor.

Que son père ait éprouvé de la commisération pour le sort des MacGregor, elle n'en doutait pas ; c'était le cas de beaucoup de Highlanders, mais elle ne pouvait croire qu'il ait couru le risque de les abriter. Mais sa fierté de chef et son sens de l'honneur l'avaient sans doute convaincu qu'il était de son devoir de les aider au mépris du danger... Ce qui lui faisait le plus mal, c'était qu'elle n'en ait rien su. On l'avait délibérément laissée dans l'ignorance et elle s'était retrouvée démunie face à la tragédie annoncée.

Avec le recul, elle devait reconnaître qu'il y avait eu des signes avant-coureurs, notamment en ce qui concernait Jamie Campbell. Elle comprenait à présent que, si son père avait insisté pour qu'elle accepte de l'épouser, c'était parce qu'il savait qu'elle aurait besoin de protection.

Elle ne savait plus quoi penser, mais une chose était certaine : elle devait consolider ses défenses contre Jamie afin de pouvoir résister à ses prochains assauts. Elle était peut-être parvenue à se débarrasser de lui cette fois, mais il reviendrait à la charge.

Elle devait se mettre définitivement hors de sa portée, ce qui impliquait de chercher en hâte un mari. Dès aujourd'hui, après le déjeuner, elle en parlerait à son oncle.

Elle sursauta. Le déjeuner !

Elle était en retard. Elle se changea en quelques minutes, se débarbouilla rapidement et dévala à nouveau l'escalier en colimaçon. Puis elle sortit du donjon et traversa la cour en direction du bâtiment qui abritait la nouvelle grande salle de banquet et les cuisines. Avec sa cheminée monumentale, il avait été construit à la hâte quarante ans plus tôt, à l'occasion de la visite de Marie Stuart à Toward Castle. Depuis, le portail voûté entre la chapelle et le corps de garde était surnommé « la porte de la reine Marie ».

S'efforçant de sourire, elle prit une profonde inspiration et entra dans la salle. L'espace d'un instant, les bruits de réjouissance, le son de la cornemuse, l'odeur du feu de tourbe et la panoplie de couleurs des tartans lui rappelèrent tant l'atmosphère d'Ascog qu'elle dut s'arrêter pour se ressaisir.

Elle balaya du regard la salle remplie de visages inconnus, sauf sur l'estrade où son oncle et sa tante étaient assis avec ses cousins et...

Elle tressaillit.

Seul Jamie Campbell pouvait avoir l'audace de pénétrer dans le repaire de l'ennemi, après ce qu'il s'était passé à Ascog. Elle aurait dû s'y attendre. Il n'avait pas perdu de temps.

En revanche, elle ne comprenait pas pourquoi son oncle acceptait de le recevoir. Les Lamont de Toward haïssaient les Campbell autant que ceux d'Ascog, voire plus. Le fait que son oncle s'assoie à la même table que l'Exécuteur d'Argyll ne manqua pas de l'alarmer.

Ce n'était pas bon signe.

Jamie remarqua sa stupeur quand elle l'aperçut assis aux côtés de sa tante.

Il la vit hésiter, sur le point de faire demi-tour. Avait-elle changé encore plus qu'il ne le pensait ?

Puis elle redressa la tête et traversa la salle d'un pas assuré sans lui accorder le moindre regard. Toutefois, quand elle s'approcha, il eut un pincement au cœur en voyant de la méfiance dans ses yeux.

Il but une longue gorgée de *cuirm* tout en se disant qu'elle avait raison de rester sur ses gardes. Il y avait une place vide sur le banc à ses côtés mais il ne fut pas surpris de la voir s'asseoir à l'autre bout de la longue table, le plus loin possible de lui.

Il s'efforça donc d'entretenir une conversation avec la tante de Caitrina, Margaret, sur sa droite, et son cousin John, le dauphin de Lamont, sur sa gauche. Tous deux connaissaient l'objet de sa visite à Toward. Margaret Lamont s'acquittait parfaitement de son devoir d'hôtesse, mais sa désapprobation était perceptible.

John, un guerrier massif et balafré d'une trentaine d'années, ne cachait pas lui non plus son hostilité, en ne s'exprimant que par monosyllabes. Il était évident que rien ne lui aurait fait plus plaisir que d'enfoncer son coutelas entre les omoplates de Jamie.

Ce n'était pas la première fois que Jamie devait mener une conversation laborieuse, mais celle-ci lui parut d'autant plus interminable qu'il était inquiet de ce qui allait suivre.

Enfin, le Lamont de Toward se leva et se tourna vers Caitrina. Le moment était venu.

— Ma nièce, veux-tu bien me suivre dans le bureau du laird ?

Résignée, Caitrina se leva et suivit son oncle avec un sourire forcé.

Jamie, Margaret Lamont et John leur emboîtèrent le pas et entrèrent dans une petite pièce attenante à la salle de banquet. En temps normal, les *luch-taighe* de Lamont auraient assisté à la réunion, mais Jamie avait spécifiquement demandé que celle-ci soit limitée aux proches afin que Caitrina ne se sente pas acculée.

Le bureau était sombre et juste assez grand pour accueillir une table et des bancs. Un tapis était jeté sur le parquet. Les murs aveugles n'étaient décorés que de quelques torches et d'une grande bannière en soie brodée aux armes des Lamont. La simplicité de la pièce contrastait avec l'opulence de la grande salle voisine, mais convenait à la personnalité du maître des lieux.

Grand et sec, avec un teint rougeaud et une masse de cheveux roux grisonnants toujours ébouriffés, Lamont de Toward était un homme discret et laconique. Jamie avait toujours trouvé qu'il tenait plus de l'homme d'Église que du guerrier, contrairement à son fils John, un dangereux va-t-en-guerre.

Jamie prit le siège que lui présentait le chef à ses côtés et remarqua que John et Margaret s'étaient assis chacun d'un côté de Caitrina, comme pour la protéger.

Le chef Lamont s'adressa à sa nièce :

— Tu te demandes sans doute pourquoi je t'ai fait venir ici.

— À vrai dire, je me demande plutôt ce que *lui* fait ici, répondit-elle en indiquant Jamie. Je pensais m'être montrée assez claire, ce matin. Je n'ai rien de plus à vous dire.

— Vous vous souvenez sans doute de ma réponse, répondit Jamie sur le même ton. Écoutez plutôt la proposition de votre oncle.

Lamont se racla la gorge, visiblement mal à l'aise.

— Campbell ici présent et moi-même avons correspondu au cours des derniers mois, déclara-t-il.

Caitrina écarquilla les yeux. Margaret lui prit aussitôt la main tout en lançant un regard agacé à son mari.

— Tu te méprends, ma chérie. Ton oncle ne t'a pas trahie.

— Ta tante dit vrai, Caitrina, confirma Lamont. Je ne lui ai jamais dit où tu te trouvais. Il m'a contacté pour une autre affaire.

Caitrina se détendit quelque peu et attendit la suite, mais Lamont semblait avoir du mal à trouver ses mots. Prenant pitié, Jamie intervint :

— Votre oncle a servi d'intermédiaire. Après le raid sur Ascog, j'ai fouillé les montagnes environnantes et j'y ai capturé deux des gardes d'Alasdair MacGregor, l'un d'eux se trouvant être son cousin Iain.

— Donc, la mort de mon père n'aura servi à rien, l'interrompit sèchement Caitrina. Vous avez quand même trouvé les MacGregor et les avez livrés à Argyll. À moins que vous ne vous soyez même pas donné cette peine ?

Jamie fronça les lèvres. S'il n'avait tenu qu'à lui, il les aurait tués ; ils ne méritaient pas mieux. Ils ne devaient d'avoir eu la vie sauve qu'à elle. S'il voulait que Caitrina et lui aient une chance d'être ensemble un jour, il ne fallait pas que le sang coule à nouveau à Ascog. Iain

MacGregor était le pire du groupe, une ordure qui avait brûlé les maisons et pillé les terres des Campbell durant des années. Ce à quoi les autres étaient réduits par nécessité, il le faisait par plaisir.

Alasdair MacGregor lui avait fait une tout autre impression. Leurs chemins s'étaient croisés à plusieurs reprises au fil des négociations de ces dernières années. Jamie en était venu à le considérer comme un homme contraint par le sens du devoir à prendre la tête d'une bande de brigands. En tant que chef, il était responsable de leurs actes. Jamie avait presque de la peine pour lui.

Contre toute attente, Lamont le défendit :

— Non, Campbell n'a rien fait de tout cela, Caitrina. Il a même empêché Argyll d'envoyer plus de soldats dans la région jusqu'à ce qu'un accord soit trouvé pour la reddition pacifique d'Alasdair MacGregor. Afin de prouver sa bonne foi, il a refusé de dévoiler où se trouvaient les prisonniers tout en acceptant de mener les négociations.

Caitrina tourna un regard surpris vers Jamie, visiblement consciente du risque qu'il prenait en cachant des informations à Argyll. De fait, il s'était étonné lui-même, car jamais encore il n'avait refusé d'obéir à un ordre de son supérieur. Il savait qu'elle mourrait d'envie de lui demander ce qui avait motivé sa décision mais, au lieu de cela, elle se tourna vers son oncle.

— Et cette reddition pacifique a-t-elle été négociée ?

— Oui, répondit Lamont. MacGregor et ses hommes ont accepté de se rendre et, en retour, Argyll s'est engagé à ne pas les poursuivre pour leurs crimes passés et de les escorter jusqu'en Angleterre. Alasdair MacGregor estime qu'il sera traité avec plus de clémence par le roi Jacques.

En d'autres termes, Alasdair MacGregor mourrait quand même pour les crimes perpétrés par son clan, mais ce serait le roi Jacques qui se salirait les mains.

Caitrina hocha la tête sans quitter son oncle des yeux.

— Je ne m'attendais pas à tant de bonté de la part d'Argyll, mais en quoi tout ceci me concerne-t-il ?

Lamont s'éclaircit à nouveau la gorge avant de répondre :

— Afin de sceller l'accord, Campbell a demandé ta main.

Elle pâlit. En dépit de son indignation, elle parvint à conserver une voix calme.

— Hélas ! j'ai déjà refusé l'offre du laird. D'ailleurs, je comptais justement vous parler d'un autre parti, mon oncle.

Jamie bondit.

— Qui ?

— Cela ne vous regarde pas, répliqua-t-elle d'un air pincé.

Son oncle était décontenancé.

— Voilà qui change tout, mon enfant. J'ignorais que ton père avait conclu un autre arrangement. Je croyais que tu avais refusé toutes les offres. De qui s'agit-il ?

Elle rosit.

— Rien n'a encore été décidé.

Le regard de Lamont alla de sa nièce à Jamie.

— Tu devrais néanmoins écouter son offre avant de décider, ma petite.

— Rien de ce qu'il pourrait dire ne me fera changer d'avis.

Sa tante se pencha vers elle et déclara doucement :

— Écoute-le quand même jusqu'au bout, ma chérie.

En désespoir de cause, Caitrina se tourna vers John mais même celui-ci acquiesça à contrecœur.

— Soit, je vous écoute…

— Si tu épouses Campbell, répondit Lamont, tu pourras rentrer à Ascog avec les gens de ton clan et sous sa protection.

À l'expression ahurie de Caitrina, Jamie sut qu'il avait vu juste. Sa famille disparue, ce qui comptait le plus pour elle désormais étaient sa terre et son clan. Mais jusqu'où était-elle prête à aller pour eux ?

Elle ne pouvait empêcher ses mains de trembler mais répondit calmement :

— Je vois. En somme, il m'offre ce qui me revient déjà de droit.

Il y eut un silence gêné. Tout le monde savait qu'Argyll avait revendiqué les terres de son père. Pour encourager la capture des hors-la-loi, le Conseil Privé avait décrété que quiconque tuerait un MacGregor recevrait une récompense, ainsi que les biens du défunt. En abritant les rebelles, Lamont s'était mis lui-même hors la loi et ses terres avaient été confisquées. En l'absence de survivant mâle, Caitrina ne pourrait les récupérer qu'au prix d'une longue et pénible bataille, sans garantie de réussite.

Ce fut Jamie qui lui répondit :

— Mon cousin a accepté de me donner les terres d'Ascog le jour de notre mariage.

Un arrangement qui avait nécessité quelques négociations et qui n'avait pas ravi son frère Collin, ce dernier estimant que ces terres devaient lui revenir.

Il ajouta :

— Ce sera notre second fils qui en héritera.

Cette allusion à une future progéniture la fit pâlir. Il lut la panique dans son regard et comprit qu'elle était sur le point d'éclater en sanglots. Il se tourna vers les autres et ordonna :

— Laissez-nous.

Lamont fronça les sourcils.

— Il n'est pas question que vous la forciez à accepter.

Jamie le fusilla du regard mais lui pardonna l'insulte en sachant que le chef ne pensait qu'au bien-être de sa nièce.

Le chef escorta son épouse vers la sortie, John sur les talons. Sur le pas de la porte, ce dernier se retourna.

— Tu n'es pas obligée d'accepter, cousine. Cela me fend le cœur de te voir liée à un maudit Campbell. Tu n'as qu'un mot à dire et je lui ferai sentir la pointe de mon épée.

Jamie se leva, en garde.

— À moins que vous ne sentiez la mienne le premier ! menaça-t-il.

Il avait justement besoin de se défouler et, à en juger par la taille et la force de John Lamont, cela promettait d'être un bon combat.

Caitrina posa une main sur le bras de son cousin.

— Merci, John, mais ce ne sera pas nécessaire.

John lança un dernier regard assassin à Jamie avant de claquer la porte derrière lui.

Caitrina se tourna vers Jamie. Dieu qu'elle était belle, à la lueur des torches ! Se tenir si près d'elle était une torture exquise. Il mourait d'envie de plonger ses mains dans cette masse de cheveux lisses et soyeux, de toucher la courbe douce de sa joue et de goûter le miel de ses lèvres… Hélas ! Elle ne voulait pas de son réconfort.

— Voici donc votre plan, dit-elle d'une voix faible et chargée d'émotion. Vous êtes aussi impitoyable que je le pensais. Vous êtes prêt à me contraindre de vous épouser tout en sachant que je vous hais.

— Je ne vous contrains en rien. Le choix vous appartient.

Elle eut une moue de dédain.

— Quel genre de choix, alors que toutes les cartes sont entre vos mains ? Pourquoi me faites-vous subir ceci ? Est-ce à cause de ce qu'il s'est passé il y a des mois ? Est-ce parce que j'ai osé refuser d'épouser le grand Jamie Campbell ? Vous voulez me plier à votre volonté et m'humilier ?

— Est-ce sincèrement ce que vous pensez ? Il est donc si difficile de croire que je vous veux pour épouse ?

— Non. Mais pour cela, il n'est pas nécessaire de m'épouser. Si c'est tout ce que vous voulez, vous n'avez qu'à vous servir...

Choqué, il lui agrippa le bras et répondit d'une voix basse :

— Ne dites pas ça !

Se rendant compte qu'il s'y prenait très mal, il la lâcha. Il n'avait encore jamais eu à s'expliquer devant une femme.

— Ce n'est pas du tout ce que j'attends de vous. J'ai... j'ai des sentiments pour vous.

— Si c'est vraiment le cas, nul besoin de m'épouser...

— J'essaie de vous aider, insista-t-il. Ne voyez-vous pas que c'est le meilleur moyen pour vous de récupérer votre terre ? En outre, je peux vous protéger.

— Je n'ai pas besoin de protection.

— Vraiment ?

Elle acquiesça.

— Tout à fait.

Incapable de résister, il tendit la main et caressa sa joue du bout de l'index.

— Devenir mon épouse serait donc si terrible ?

Il la sentit trembler mais elle ne broncha pas. Il rassembla son courage et lui posa la question qu'il redoutait tant :

— Y a-t-il quelqu'un d'autre que vous souhaitez épouser ?

Cette idée le torturait. Elle le dévisagea, étudiant ses traits comme si elle percevait son angoisse.

— Non, il n'y a personne d'autre.

Il approcha d'un pas et baissa les yeux vers le rideau de ses longs cils noirs. Quelques nouvelles taches de rousseur étaient apparues sur son petit nez retroussé. Il prit une grande inspiration et déclara en se gardant bien de la toucher :

— Donnez-moi une chance. Je ferai tout mon possible pour vous rendre heureuse.

146

Jamais il n'avait été aussi près d'implorer. Sans réfléchir, il repoussa doucement une mèche brune derrière son oreille, ses doigts effleurant le velours de sa joue. Après quelques instants d'un silence chargé, il demanda :

— Voulez-vous bien réfléchir à mon offre ?

Elle acquiesça.

— Il y a encore une chose que vous devriez savoir avant de prendre votre décision.

Elle releva les yeux vers lui.

— L'homme qui a mené l'attaque contre votre père... c'est mon frère.

Son cri s'étrangla dans sa gorge, tandis que le visage du chef lui revenait en mémoire. Quelque chose chez lui lui avait rappelé Jamie, à présent elle savait pourquoi... Elle sentit un goût amer dans sa bouche. Le frère de Jamie avait tué son père !

— Je ne vous forcerai jamais à l'accepter, mais j'ai pensé que vous aviez le droit de le savoir. Il ignorait mes sentiments pour vous...

— Et... c'est censé l'excuser ?

— Non, mais cela aurait peut-être modifié son comportement, s'il avait su. À présent, je vais vous quitter. Lorsque vous aurez pris votre décision, envoyez un message à Dunoon. Si vous décidez d'accepter, nous pourrons nous marier sur-le-champ.

— Mais les bans...

— Les bans ont déjà été publiés.

Caitrina sentit le nœud se resserrer autour de sa gorge.

— Ai-je seulement mon mot à dire ?

— Je voulais être prêt. J'ai pensé que vous auriez hâte de rentrer chez vous.

— Je n'ai plus de chez moi, il n'en reste rien.

— Cela peut se reconstruire.

— Pas tout, dit-elle avec tristesse.

— Je suis profondément désolé.

Il lui prit le menton et la regarda dans les yeux.

— Vous avez raison. Tout ne peut pas être reconstruit mais nous pouvons essayer de construire du neuf.

C'était comme un rameau d'olivier qu'il lui tendait mais elle n'était pas prête à l'accepter.

— Je ne veux pas du neuf, je veux ma famille !

Elle le vit baisser les yeux mais il se reprit si vite qu'elle se demanda si elle ne l'avait pas rêvé.

— Ne comprenez-vous pas ? insista-t-elle. Je ne pourrai jamais les remplacer.

— Je ne vous suggère pas de le faire, Caitrina, mais, pour le moment, je suis tout ce qu'il vous reste.

Interdite, elle le regarda sortir et refermer la porte derrière lui. Désormais, la décision lui appartenait...

Elle avait besoin de réfléchir. Elle sortit de la pièce à son tour et, une fois dehors, elle se mit à courir.

Le soleil sombrait derrière la ligne d'horizon et l'air était chargé d'humidité. Le vent fouettait sa chevelure. Elle dévala le sentier menant à la plage, puis se laissa tomber à genoux dans le sable et enfouit dans ses mains son visage ruisselant de larmes.

Elle perçut vaguement des cris mais ils paraissaient lointains. Quelques instants plus tard, elle sentit les bras de Mor se refermer sur elle. Son odeur familière, sa poitrine accueillante et chaude firent redoubler ses pleurs. Elle sanglotait comme une enfant.

— Du calme, du calme, ma fille. Qu'est-ce qui te bouleverse à ce point ?

Entre deux hoquets, Caitrina raconta son entrevue avec Campbell.

— Ainsi, il affirme qu'il était venu pour arrêter l'attaque ?

Caitrina acquiesça.

— Et tu le crois ? demanda la nourrice.

Elle acquiesça.

— Mais je n'y étais pas. Raconte-moi ce dont tu te souviens…

C'était la première fois qu'elle interrogeait Mor sur cette journée tragique. La nourrice réfléchit un moment avant de répondre :

— Tout s'est passé très vite… On nous a traînés hors du donjon et j'ai dû me battre pour ne pas perdre Una. Il y avait de la fumée partout… et des corps. Partout où je regardais, il y avait des cadavres. J'étais terrifiée à l'idée de vous reconnaître parmi eux, toi et le petit.

Elle s'interrompit, la voix brisée par l'émotion, avant de reprendre :

— J'ai été si soulagée quand j'ai vu l'Exécuteur d'Argyll te porter hors du château. Il t'avait sauvée mais j'ignorais pour quelle raison. Quelque chose m'a surprise : la manière dont il te tenait dans ses bras… Il a embrassé ton front. Il avait une expression étrange. Il m'a dit : « Veillez sur elle, je reviens tout de suite. Je dois m'assurer qu'il n'y a plus personne à l'intérieur. »

Mor marqua une pause, puis reprit :

— J'ai cru d'abord qu'il voulait parler de ses propres hommes mais peut-être que… En tout cas, je l'ai vu se disputer avec l'autre homme, celui qui a tué ton père.

— C'était son frère, expliqua Caitrina d'une voix blanche. Je ne peux pas l'épouser.

Mor lui caressa les cheveux.

— Bien sûr que non, ma fille… si tu n'en as pas envie.

— Je le méprise, c'est un Campbell. Comment peux-tu imaginer…

— Caitrina Lamont, je te connais depuis le jour de ta naissance. J'ai bien vu de quelle façon tu le regardes… et inversement.

Caitrina se sentit rougir. Elle essuya ses yeux sur sa manche et releva le menton.

— Si c'est ce que tu as cru voir, tu as la berlue.

— Ah oui ? Caiti, nous n'avons pas plus de contrôle sur nos désirs que nous n'en avons sur la pluie ou le vent. Ce que tu ressens pour cet homme n'a rien de honteux.

Caitrina sentit son cœur se serrer. Mor se trompait : en cédant à son attirance pour Jamie Campbell, elle trahissait son père et ses frères.

— Comment peux-tu dire une chose pareille ? s'indigna-t-elle, sachant qui il est et ce qu'il a fait ?

— Les Campbell sont une bande de brutes et de voleurs de terres, confirma Mor. Je pourrais voir sans sourciller les hommes qui ont attaqué ton père être pendus, éviscérés et écartelés. Mais je doute que Jamie Campbell ait quelque chose à voir là-dedans. Certes, c'est l'homme de main d'Argyll, ce qui ne plaide pas en sa faveur, mais il a des sentiments pour toi et ce qu'il t'offre n'est pas négligeable. Les Campbell sont puissants, et s'allier avec eux est sans doute le meilleur moyen de protéger les Lamont. En outre, sans cette union, tu n'auras peut-être pas d'autres occasions de récupérer Ascog.

Même si cela lui faisait mal de l'entendre énoncer aussi clairement, Caitrina devait reconnaître que Mor ne faisait qu'exprimer à voix haute le fond de sa propre pensée. Jamie Campbell l'avait mise au pied du mur, ne lui laissant aucune échappatoire. En refusant sa demande, elle refusait d'accomplir son devoir envers son clan.

Lorsque son père lui avait demandé de réfléchir à l'offre de Jamie, elle avait réagi avec égoïsme, ne voulant pas quitter le sein douillet de sa famille.

Les choses auraient-elles été différentes si elle avait accepté alors ? Cette question était trop douloureuse pour tenter d'y répondre.

Elle avait déjà failli une fois à son devoir envers sa famille ; elle ne pouvait faillir à nouveau. S'il existait une chance de protéger ce qu'il restait de son clan et de récupérer Ascog sans un bain de sang, elle devait la saisir.

Jamie Campbell le savait aussi bien qu'elle.

En la voyant aussi désemparée, Mor la prit dans ses bras. Caitrina ferma les yeux, puisant un réconfort dans cette affectueuse étreinte. Elle sentit peu à peu sa résolution se renforcer.

Puis elle s'écarta lentement de sa nourrice et fixa l'étendue houleuse de vagues bleu nuit. Le vent poussait vers elle le parfum iodé de la mer. La silhouette de l'île de Bute se détachait au loin dans les dernières lueurs orangées du soleil.

— Que vas-tu faire ? demanda Mor.

— Mon devoir, quoi d'autre ?

Son ton était aussi tranchant que les récifs luisants qui bordaient la côte.

Elle accepterait son offre mais, un jour, Jamie Campbell regretterait de l'y avoir forcée. Elle lui donnerait son corps, mais son cœur ne lui appartiendrait jamais.

11

Le mariage fut célébré le dimanche suivant, deux jours après qu'Alasdair MacGregor et ses hommes, escortés par Jamie et l'oncle de Caitrina, se furent rendus au comte d'Argyll à Dunoon.

Caitrina avait posé comme condition à son accord que ni le comte ni le frère de Jamie n'assistent à leur mariage. Les seuls Campbell présents étaient les fidèles gardes de son futur époux. La cérémonie se tint dans la petite chapelle de Toward Castle, située en face du donjon et tout près de la nouvelle salle de banquet. Les bancs étaient occupés par tout ce qui lui restait de famille : son oncle, sa tante, ses cousins, Mor et – même s'il était inhabituel qu'ils assistent à ce genre d'événement –, la poignée de membres de son clan venus d'Ascog avec elle.

Sa tante avait eu beau protester, Caitrina avait refusé les toilettes sophistiquées en velours et brocarts, optant pour une robe simple de laine bleue sur une chemise blanche. Elle trouvait cette tenue sobre plus conforme aux tristes circonstances.

Même si elle tentait de chasser son émotion en se répétant qu'elle ne se mariait que par nécessité, Caitrina sentit les larmes lui monter aux yeux quand elle entra dans la petite chapelle sombre et aperçut Jamie, debout au fond de l'allée centrale.

« Ce doit être nerveux », pensa-t-elle. Après tout, c'était son mariage, même si ce n'était pas le plus beau jour de sa vie...

Mais cela n'expliquait pas pourquoi son cœur manqua un battement à l'instant où leurs regards se rencontrèrent. L'espace d'un instant, elle se sentit en harmonie avec elle-même, comme si tout allait bien dans le meilleur des mondes. Jusqu'à ce qu'elle se souvienne de la manière dont il l'avait contrainte.

Néanmoins, elle ne pouvait nier qu'il était superbe. À la lueur des chandelles, sa chevelure se parait de reflets auburn et il se tenait droit et fier, dominant le prêtre et l'oncle Lamont qui attendait à ses côtés. Il portait un splendide pourpoint de cuir noir qui ne cachait rien de la virilité de ses épaules larges, de son torse musclé et de ses cuisses robustes.

Elle avança lentement jusqu'à lui et il lui tendit la main. Dans sa paume ouverte, elle contempla son avenir. Rendue calleuse par le maniement de l'épée, elle était striée de fines cicatrices blanches, traces des batailles passées. Il avait peut-être les manières raffinées d'un courtisan mais on ne pouvait douter qu'il soit un guerrier.

En s'efforçant de ne pas trembler, elle déposa sa main sur la sienne, paume contre paume. Quand il referma ses doigts, elle sentit une onde de chaleur l'envahir.

Il se pencha et lui chuchota :

— Respirez. Tout ira bien.

Sa ferveur l'émut et lui donna envie de le croire. Elle hocha la tête, puis se tourna vers le prêtre pour prononcer les vœux qui la lieraient à Jamie Campbell à jamais...

Soudain, il lui prit le menton et scella leur promesse en déposant un baiser chaste sur ses lèvres, la tirant de l'état d'hébétude dans lequel elle se trouvait depuis le début de la cérémonie.

C'était fini. Elle était son épouse... une Campbell. Elle était devenue l'ennemi.

Assis sur l'estrade aux côtés de sa nouvelle épouse, Jamie regardait le banquet, qui durait déjà depuis des heures, dégénérer peu à peu en franche rigolade avinée et paillarde. Tout mariage, même non désiré, était un bon prétexte pour faire la fête. Déjà chahuteurs, les Highlanders s'en donnaient à cœur joie. En regardant autour de lui, il avait du mal à croire qu'ils ne célébraient pas là un événement heureux.

Il fit signe à une servante qui passait par là de lui servir un autre verre de vin et en proposa à sa femme, qui fit non de la tête. Il n'avait pas pu lui arracher un mot de toute la soirée.

Il percevait sa tension à mesure que leur nuit de noces approchait. Il ne pouvait guère le lui reprocher, car lui-même était inquiet. Il avait attendu si longtemps qu'elle devienne sa femme qu'il avait du mal à croire que ce jour était enfin arrivé. Maintenant que l'heure où elle serait vraiment sienne était proche, son impatience se mêlait d'inquiétude. Il voulait que cette nuit soit parfaite, mais savait que sa jeune épouse se montrerait réticente...

Tout au long de la journée, il avait eu l'impression de la traîner vers la potence et ses airs de victime sacrificielle n'étaient guère encourageants.

Il avait espéré qu'elle ressentirait quelque chose pour lui ; qu'après réflexion, elle aurait éprouvé une certaine satisfaction à se marier avec lui, à défaut de plaisir. Visiblement, il s'était leurré : elle l'épousait pour récupérer ses terres, rien de plus. Il avait obtenu ce qu'il voulait mais se demandait à quel prix. Lui pardonnerait-elle jamais ?

Quand elle était entrée dans la chapelle, il avait été pris de doutes. Elle semblait tellement nerveuse, tellement fragile... Il avait tenté de la rassurer et, dans un premier temps, pensait y être parvenu. Mais cela n'avait pas duré. Ce qu'il voulait surtout, c'était la prendre dans ses bras pour calmer ses craintes, mais il savait que cela ne ferait qu'aggraver la situation.

À l'avenir, comment lui prouver qu'il n'était pas un ogre, qu'il voulait la protéger et non lui faire du mal ? Cela demanderait du temps et de la patience. Il sourit à l'idée qu'il allait devoir faire la cour à son épouse. Quelle ironie !

Il l'observa par-dessus le bord de sa coupe. Plus il la regardait, plus sa beauté l'envoûtait. La tenue sobre qu'elle avait choisie ne faisait qu'accentuer son éclat au lieu de le ternir, ce qui avait sans doute été son intention. Ses traits étaient d'une symétrie parfaite. Il admira la courbe haute de sa joue, la rondeur pleine de sa bouche, ses longs cils noirs et la pente douce de son nez. Toutefois, sa vraie beauté était intérieure et c'était le feu qui couvait en elle qui l'attirait depuis toujours. Cette femme fougueuse et effrontée qui ne cessait de le défier lui plaisait. Une femme qui marchait sur les cendres de son passé, prête à se battre pour son clan…

Elle dut sentir son regard appuyé car elle rosit et se tourna vers lui, leurs regards se croisant pour la première fois depuis la cérémonie.

— On ne vous a jamais dit qu'il était impoli de fixer les gens ?

Jamie sourit, heureux de constater qu'elle n'avait pas perdu sa langue acerbe.

— Je vous fixais ? demanda-t-il innocemment.

— Oui.

— C'est parce que vous êtes très belle.

Le compliment n'eut aucun effet.

— Cela compte-t-il donc tant pour vous, l'apparence physique ?

— Cela ne peut pas nuire. Mais si vous croyez que ce n'est que votre beauté qui m'intéresse, vous vous trompez. J'ai connu beaucoup d'autres jolies femmes.

155

Elle voulait faire l'indifférente mais sa curiosité l'emporta.

— Alors, pourquoi ?

Il réfléchit, cherchant les mots justes.

— Vous m'intriguez par votre audace et votre esprit. Je n'avais encore jamais rencontré une femme comme vous.

— Vous voulez dire que si j'avais été docile et timide, je ne vous aurais pas intéressé ?

— Sans doute. Vous devriez peut-être essayer.

— Peuh ! Je ne pourrais jamais. Rassurez-vous, vous avez bien épousé une mégère. Vous me rappelez mes frè…

Elle s'interrompit en se rendant compte de ce qu'elle était sur le point de dire. Il prit sa main, qu'elle ne tenta pas de retirer.

— Vos frères vous taquinaient beaucoup ?

Elle acquiesça.

— Ils doivent terriblement vous manquer.

— En effet.

— J'aurais aimé que Lizzie soit avec nous aujourd'hui. J'aimerais vous la présenter.

— Votre sœur ?

— Oui.

— Où est-elle ?

— À Castle Campbell. J'ai pensé qu'il était encore trop tôt et qu'elle était plus en sécurité dans les Lowlands.

Elle lui lança un regard interrogateur et il expliqua :

— Les MacGregor ont tenté de l'enlever. Ils voulaient l'utiliser pour me faire chanter.

— Mais c'est affreux ! Elle a dû être terrifiée.

En fait, Jamie avait trouvé sa sœur étonnamment calme, compte tenu des circonstances. Il n'avait pas eu le temps de se demander pourquoi car son garde était arrivé pour lui annoncer que les MacGregor avaient été repérés à Ascog.

— Elle a eu de la chance. Un groupe d'habitants de la région ont déjoué le guet-apens des bandits et les ont mis en fuite. Il y a eu plus de peur que de mal.

Caitrina se tut un moment, puis demanda :

— C'est l'affaire dont vous vous occupiez quand votre frère a lancé son attaque contre nous ?

— En effet. Je regrette de ne pas avoir été informé plus tôt.

— Moi aussi…, murmura-t-elle en essuyant une larme.

En la voyant si triste, il eut envie de la serrer contre lui et de lui assurer que tout irait bien. Hélas ! rien ne pourrait changer les événements de ce triste jour et lui rendre sa famille. Il ne pouvait pas non plus nier le rôle de son clan dans la tragédie. Mais il pouvait lui restituer ses terres et, si elle le laissait faire, lui donner une nouvelle famille.

Naturellement, leur couple pourrait aussi se construire sur d'autres bases. Il était temps de lui montrer que les plaisirs de la chair pouvaient servir à forger des liens puissants. Leur attirance sexuelle était peut-être le meilleur moyen pour eux de se rapprocher. Il rechignait à briser la trêve fragile qu'ils venaient d'établir, mais il ne pouvait plus attendre. Ils étaient mari et femme et il entendait bien exercer son devoir conjugal.

— J'enverrai chercher Lizzie bientôt, reprit-il. Maintenant qu'Alasdair MacGregor s'est rendu, les routes devraient être plus sûres.

— Vous pensez que c'est la fin des querelles sanglantes ?

— Pour le moment, répondit-il sans illusions. Sans son chef et la plupart de ses nervis, le clan sera désorganisé. Lizzie sera bien protégée… tout comme vous.

— Pourquoi, je suis en danger ?

— Vous êtes ma femme et, comme vous me l'avez rappelé à maintes reprises, j'ai beaucoup d'ennemis. Tous mes proches sont des cibles potentielles. Mais ne craignez rien, je ne laisserai personne vous faire du mal.

— Pourtant, vous-même voyagez dans les Highlands avec à peine une poignée d'hommes comme escorte.

S'inquiétait-elle pour lui ? Cette simple pensée lui réchauffa le cœur.

— Je sais me défendre.

Elle parut sur le point de vouloir en débattre mais une servante approchait. Il lui fit signe qu'ils ne voulaient plus de vin, puis se tourna vers elle :

— Votre oncle nous a fait préparer une chambre dans la tour. Je vous y rejoindrai dans un instant.

Elle pâlit et il discerna une lueur d'affolement dans son regard.

— Il est encore tôt, balbutia-t-elle. Le bal n'a pas encore commencé et…

— Si vous le préférez, nous pouvons partir ensemble tout de suite, coupa-t-il d'un ton impérieux. À vous de voir.

Ses atermoiements étaient compréhensibles, mais à la vérité, il ne lui laissait pas le choix. Leur union serait consommée, ce soir même.

Sa nuit de noces approchait… Caitrina sentit la panique s'emparer d'elle et une foule de pensées confuses se bousculer dans sa tête. Le moment qu'elle redoutait tant était arrivé. Il lui sembla que, depuis qu'elle avait accepté d'épouser Jamie, elle n'avait cessé d'y songer. Trop souvent, le souvenir de ce qu'ils avaient partagé au bord du loch s'immisçait dans son esprit. Elle se remémorait ce qu'il lui avait fait ressentir et se demandait s'il la toucherait à nouveau de la même manière.

Se montrerait-il doux et prévenant ? Aurait-elle mal ? Elle avait observé ses mains et les avait imaginées caressant sa peau. Elle avait regardé sa bouche et l'avait imaginée sur la sienne, sa langue s'insinuant entre ses lèvres. Sa peur se mêlait d'impatience et une onde de chaleur se déversait en elle chaque fois qu'il la touchait.

Elle le regarda dans les yeux et y lut sa détermination. Elle ne doutait pas que, s'il le fallait, il la soulèverait et la porterait dans leur chambre lui-même, tel un Viking d'antan.

Elle rassembla son courage et se leva de table.

— Dans ce cas, je vais prendre congé de ma tante et de mon oncle.

Il hocha la tête et répondit :

— Faites, je vous rejoins sans tarder dans notre chambre.

— Prenez tout votre temps.

Caitrina prolongea ses adieux mais ne pouvait repousser indéfiniment l'inévitable. Quand elle eut atteint le vieux donjon, Mor la conduisit dans l'appartement privé du chef. Son oncle leur avait cédé sa chambre pour l'occasion. Le lendemain, ils partiraient pour l'île de Bute et Rothesay Castle où ils seraient les invités du roi pendant les travaux de reconstruction d'Ascog.

La chambre était spacieuse et dépouillée. Face à la porte, un grand lit à baldaquin avec des tentures en soie dominait la pièce. Caitrina évita soigneusement de le regarder tandis que Mor s'affairait autour d'elle. Sa vieille nourrice lui parlait des événements de la journée et lui racontait les derniers commérages des domestiques, sans aborder le thème de la nuit qui s'annonçait. Ce bavardage affecté ne lui ressemblait guère. Caitrina devina qu'elle était nerveuse, ce qui ne fit qu'accroître ses propres appréhensions.

Serait-ce pire que ce qu'elle pensait ?

Mor remplir la bassine pour sa toilette et alluma toutes les chandelles de la pièce avant de l'aider à retirer sa robe. Tous ces gestes coutumiers prenaient ce soir-là un sens particulier. À chaque vêtement qu'elle ôtait, Caitrina sentait sa tension monter. Quand Mor lui passa sa chemise de nuit, elle tremblait comme une feuille.

La nourrice ouvrit ensuite le coffre contenant les maigres biens de Caitrina, placé dans la chambre nuptiale pour l'occasion. Elle en sortit un manteau d'intérieur en laine qu'elle tendit à la jeune femme.

— Enfile ça, ma chérie. Tu as l'air gelée.

Caitrina passa ses bras dans les manches amples et noua la ceinture autour de sa taille.

Ôtant une à une les épingles à cheveux de Caitrina, Mor défit en quelques minutes le travail de plusieurs heures, laissant la chevelure brune de la jeune femme retomber sur ses épaules. Les nerfs à fleur de peau, celle-ci sursautait chaque fois que les doigts de la vieille femme effleuraient ses épaules tandis qu'elle la coiffait minutieusement, mèche après mèche. Cependant, le mouvement répétitif était apaisant et Caitrina se détendit peu à peu.

Lorsqu'on frappa à la porte, les deux femmes se raidirent. Mor posa le peigne en os sur la table et mit les mains sur les épaules de Caitrina.

— Tout ira bien, chuchota-t-elle. Tu ressentiras une légère douleur mais ça ne durera pas. Ce garçon a des sentiments pour toi, il ne te fera pas mal.

Caitrina déglutit péniblement.

— Je sais, parvint-elle à répondre. J'espère.

On frappa à nouveau, avec plus d'insistance, cette fois.

— J'aurais aimé que ta mère soit ici pour t'expliquer, reprit Mor. Comme ce n'est pas le cas, tu devras te contenter des vagues souvenirs d'une vieille femme. Ma vie d'épouse est bien lointaine, sans parler de ma nuit de noces. Tu sais ce qu'il va se passer ?

Caitrina acquiesça en se mordant la lèvre.

Après lui avoir adressé un sourire encourageant, Mor alla ouvrir.

Jamie attendait sur le seuil. Il paraissait encore plus imposant qu'à l'accoutumée, sa haute taille et ses larges épaules occupant tout le chambranle. Il ignora le

160

regard menaçant de la nourrice et fixa Caitrina. Bien que son manteau de laine soit épais, elle eut l'impression qu'il voyait à travers. La première fois qu'ils s'étaient rencontrés, elle portait beaucoup moins que cela, mais c'était dans une autre vie... Elle n'était plus une inconnue pour lui, désormais, mais son épouse. Elle lui appartenait. Il pouvait user d'elle comme bon lui semblait et personne ne pourrait l'arrêter.

À l'exception de Mor qui, sans préambule, se planta devant lui, l'empêchant d'entrer dans la pièce. Avec sa tête grise qui ne lui arrivait qu'au niveau du plexus, elle ne représentait pas vraiment une menace, mais Mor ne laissait jamais ce genre de détail l'intimider.

— Je me moque de qui vous êtes et de votre réputation, déclara-t-elle, mais si vous lui faites le moindre mal, vous aurez affaire à moi. Saviez-vous que j'ai un jardin de simples très bien fourni ?

Caitrina sursauta. Sa chère nourrice venait-elle de menacer Jamie d'empoisonnement ?

Jamie dévisagea la vieille femme avec attention, comme s'il prenait sa menace au sérieux. Ils se toisèrent un long moment, chacun refusant de céder. Enfin, il acquiesça.

— J'en prends bonne note, madame. Mais vos craintes sont infondées. Je ne suis pas un novice. Je prendrai grand soin de l'innocence de votre protégée.

— J'y compte bien, dit la vieille femme.

Elle s'écarta enfin pour le laisser passer et sortit.

Caitrina était seule avec son mari.

Un peu frais quelques minutes plus tôt, l'air devint chaud et étouffant. L'espace semblait avoir rétréci et l'atmosphère lui paraissait à présent confinée et chargée.

Devinant son malaise, Jamie se dirigea vers un guéridon, près de la cheminée, où une bouteille de vin et deux verres avaient été laissés à leur intention. Il les remplit et en tendit un à Caitrina. Elle le refusa d'un geste de la tête.

— Prenez-le, insista-t-il. Cela calmera vos nerfs.

— Je ne suis pas nerveuse, protesta-t-elle en acceptant néanmoins le verre.

— Alors cela calmera les miens, dit-il avant de vider le sien d'un trait.

Cet aveu la surprit. Il paraissait toujours tellement maître de lui ! L'idée qu'il ne soit pas aussi insensible qu'elle le pensait la réconforta.

— Vraiment ? Mais pourquoi ? Quelle raison avez-vous d'être nerveux ? Ce n'est sans doute pas votre première fois ?

Il se mit à rire.

— En effet, j'ai déjà fait cela une ou deux fois.

— Je ne comprends pas, déclara-t-elle.

Il ne semblait pas disposé à discuter. Au lieu de cela, il ôta son pourpoint et le déposa sur le dossier d'une chaise avant de s'asseoir près du feu. Elle prit un siège en face de lui. La douce chaleur de l'âtre était apaisante et de se retrouver seule avec lui dans une chambre à coucher n'était pas si gênant, en fin de compte. De fait, elle se sentait étrangement à son aise.

— Vous ne voulez pas m'expliquer ce que vous vouliez dire ? insista-t-elle.

Il se tourna vers elle.

— Vous êtes innocente et je n'ai aucune intention de vous faire mal. Tout ce que je veux, c'est vous donner du plaisir.

— Mon plaisir vous importe donc ?

— Est-il si difficile de croire que je veux votre bonheur ?

Sentant qu'elle l'avait froissé malgré elle, elle répondit néanmoins :

— Oui, surtout en sachant que vous m'avez contrainte d'accepter ce mariage.

— Vous aviez le choix.

— Vraiment ?

Il soutint son regard avec une expression indéchiffrable. Toutefois, Caitrina se demanda si elle n'avait pas eu

162

tort de mettre ses motivations en doute. Peut-être avait-il désiré ce mariage et elle-même, beaucoup plus qu'elle ne l'avait imaginé.

Au bout de quelques minutes, il déclara en fixant les flammes :

— Je me suis sans doute trompé en pensant que vous accepteriez notre union un jour. Je n'ai jamais contraint une femme et n'ai pas l'intention de commencer. Si vous ne voulez pas de ce mariage, vous pouvez partir.

Elle n'en croyait pas ses oreilles. Il lui offrait une issue, c'est-à-dire exactement ce qu'elle souhaitait... Mais le souhaitait-elle vraiment ?

Il attendit sans la quitter des yeux. Quand elle se leva enfin, elle lut la déception dans son regard...

Elle aurait dû marcher vers la porte et laisser derrière elle cet homme qui lui avait causé tant de peine. Au lieu de cela, elle vint se placer devant lui en sachant qu'elle était sur le point de prendre la décision la plus importante de sa vie.

Une décision fondée sur ce qu'elle savait de lui et non sur ce qu'on lui en avait raconté. Il l'avait peut-être manipulée, mais elle commençait à comprendre que ses intentions avaient toujours été honorables. Son intégrité ne cadrait pas avec sa terrible réputation. Était-il possible que, mû par des sentiments sincères, il cherche à se racheter auprès d'elle ?

Une force les avait réunis et elle n'avait plus le courage, ni la volonté, d'y résister.

— Je vous ai donné ma parole, annonça-t-elle. Je ne reviendrai pas dessus.

Il se leva à son tour. Ils n'étaient plus qu'à quelques centimètres l'un de l'autre. Elle eut soudain envie de poser ses mains sur son torse, de sentir ses muscles durs comme la pierre se contracter sous ses paumes, de presser son visage contre sa peau chaude et d'inhaler son odeur musquée. De puiser un réconfort dans sa force...

Il lui caressa lentement la joue du revers de sa main, un contact si doux qu'elle en frissonna.

— Vous êtes sûre ?

Elle acquiesça. Oui, elle le voulait et ne ferait pas volte-face.

Comme pour s'assurer de sa détermination, il posa les mains sur sa taille et dénoua le cordon de son manteau de laine sans cesser de la regarder dans les yeux.

Caitrina était habituée à être déshabillée par des domestiques mais ce geste intime effectué par Jamie Campbell se chargea soudain d'un érotisme brûlant. Glissant les mains sous l'étoffe, il repoussa le manteau qui tomba aux pieds de Caitrina.

Il retint son souffle, dévorant des yeux ses courbes féminines que révélait la soie vaporeuse d'une chemise de nuit ivoire. Caitrina subit sans broncher ce regard de désir brut qui menaçait de l'engloutir. Jamais un homme ne l'avait regardée avec une telle passion, une telle possessivité...

Du bout du doigt, il décrivit un cercle autour de son mamelon, le faisant durcir et pointer sous la fine soie.

— Dieu que vous êtes belle ! murmura-t-il d'une voix éraillée.

Il la pinça délicatement entre le pouce et l'index et elle sentit une onde de plaisir courir dans tout son corps. Fermant les yeux, elle s'abandonna au tourbillon de sensations qui commençaient à l'envahir...

Elle crut qu'il allait l'embrasser mais il la surprit en la soulevant comme une plume et en la portant jusqu'au lit, avant de s'asseoir au bord et d'ôter ses bottes. Ensuite, il retira sa chemise et la lança sur la chaise où il avait posé son pourpoint.

Caitrina le contemplait, fascinée. Il était si beau ! Les lignes dures de son torse et de ses bras semblaient sculptées dans le granit. Elle voyait le dessin délicat de chaque muscle sous sa peau dorée dont la surface lisse était striée de quelques cicatrices.

Il se leva et dénoua les lacets de sa culotte qui s'affaissa sur ses hanches. Elle remarqua l'ombre longue et épaisse de sa virilité étirant le cuir, signe de son désir pour elle.

— Vous n'avez aucune raison d'avoir peur, la rassura-t-il d'une voix douce.

— Vous ne me faites pas peur.

Il se mit à rire et se rassit au bord du lit.

— Si on vous entend dire ça, ç'en est fini de ma réputation !

La plaisanterie prit Caitrina de court. C'était inattendu et tendre. Elle lui retourna son sourire.

— Je vous promets de ne pas le répéter en public.

Il était si proche qu'il lui aurait suffi de lever la main pour le toucher. Elle promena de nouveau son regard sur lui.

— C'est juste que... Je ne peux pas m'empêcher de vous admirer. Vous êtes très beau.

Les mots lui avaient échappé. Il fronça les sourcils.

— Je suis un guerrier. Les guerriers ne sont pas beaux.

Il se trompait. Il y avait une beauté indéniable dans la force et la puissance de son corps. Elle tendit les mains et le sentit tressaillir quand ses paumes se posèrent sur son torse. En voyant palpiter une veine, dans son cou, elle sut que ce contact lui faisait plaisir. Sa peau était chaude et étonnamment douce. Tout en soutenant son regard, elle glissa ses mains sur ses épaules, puis sur ses bras en suivant les courbes fermes de ses muscles saillants qui durcirent sous ses doigts.

— Vous l'êtes à mes yeux, murmura-t-elle.

Il inclina la tête et posa ses lèvres sur les siennes dans un baiser tendre qui valait tous les mots d'amour. Il embrassa sa joue, son menton, le creux sensible de son cou, la chatouillant.

Les poils drus de sa barbe la grattaient délicieusement. Elle enfonça ses ongles dans ses épaules, en réclamant plus. Elle voulait sentir son poids sur elle, sentir sur sa poitrine les pectoraux d'acier qu'elle venait de toucher.

Il l'embrassa de nouveau, avec plus de fougue cette fois. Elle s'ouvrit à lui, le forçant à approfondir son baiser quand leurs langues se rencontrèrent. Elle gémit, incapable de contenir son plaisir à mesure que le baiser se faisait plus profond.

Il avait une saveur sombre, épicée, avec un arrière-goût de vin. Une saveur grisante. Elle aurait pu l'embrasser ainsi éternellement, mais sentait monter en elle une impatience qu'elle reconnut pour l'avoir déjà vécue dans ses bras. Chaque pore de sa peau était en feu ; ses mamelons durcis étaient sensibles à l'extrême... tout son corps le réclamait.

Elle sursauta quand il posa enfin sa main sur son sein, qu'il caressa jusqu'à ce qu'elle se cambre, l'implorant en silence. Il tira alors sur le lacet du col de sa chemise de nuit, dénudant sa poitrine... Elle se cambra contre lui, au comble de l'excitation.

Enfin, au moment où elle pensait ne plus pouvoir en supporter davantage, il écarta sa bouche de son sein et glissa doucement une main entre ses jambes.

Soudain, elle se raidit. Son poids sur elle l'oppressait, tandis que des images obsédantes ressurgissaient à sa mémoire. Dans son esprit, ces douces caresses se muèrent en gestes brusques et menaçants. Elle sentit sa gorge se serrer douloureusement. La fumée. Les flammes... Le soldat qui lui écartait les cuisses...

Elle se débattit et s'écarta de lui, les larmes aux yeux. Les horreurs du passé avaient fait voler en éclats la magie du moment.

— Arrêtez ! s'écria-t-elle. S'il vous plaît, arrêtez ! Je ne peux pas.

12

Le désir enserrait Jamie comme un étau. Il n'avait jamais eu autant envie de pénétrer une femme et de libérer la tension infernale entre ses cuisses. Son membre l'élançait et tout chez Caitrina – ses baisers, ses gémissements, les mouvements de son corps, ses réponses à ses caresses – l'avait conduit au bord de l'explosion. Il luttait pour conserver le peu de retenue qui lui restait, la sueur perlant sur son front.

Lentement, il se souleva, la libérant.

— Vous n'avez rien à craindre de moi, Caitrina. Je ne vous ferai jamais le moindre mal.

Elle semblait sur le point de fondre en larmes.

— C'est que… Je revois sans cesse cette scène…

Jamie maudit en silence le garde de son frère. Si ce scélérat n'était pas déjà mort, il irait le trucider sur-le-champ.

— Vous ne comprenez pas, hoqueta-t-elle. Je crois qu'il… qu'il m'a déshonorée.

Il essuya une grosse larme qui coulait sur sa joue.

— Il ne vous a pas violée, Caitrina.

— Comment pouvez-vous en être sûr ?

— Parce que je l'en ai empêché.

Elle écarquilla les yeux.

— Vraiment ?

— Vous étiez inconsciente et je croyais que vous ne vous souveniez de rien ; sinon, je vous aurais dit ce qu'il s'était réellement passé. Soyez assurée que ce porc a payé son geste au prix fort.

À son expression grave, elle comprit qu'il l'avait tué.

— Merci.

Elle était soulagée d'avoir échappé au viol mais ne surmonterait pas de sitôt les peurs que son agression avait suscitées. Le seul moyen qu'il connaissait de les effacer était de lui faire l'amour. Mais comment gagner sa confiance ?

Soudain, une idée lui vint. Il lui prit la main et déposa un baiser sur sa paume.

— Montrez-moi ce que vous voulez.

— Que voulez-vous dire ?

— Je jure de ne pas vous toucher à moins que vous me le demandiez. Si vous voulez que j'arrête, vous n'aurez qu'un mot à dire.

Il s'allongea à ses côtés et la fit rouler sur lui. Les longues jambes de Caitrina se mêlèrent aux siennes, le creux de sa hanche accueillit la forme dure de son membre viril, ses seins pleins et ronds épousèrent son torse, leurs délicates pointes roses s'enfonçant dans sa peau. La sensation était tellement extraordinaire qu'il se demanda s'il parviendrait à tenir sa promesse de ne pas la toucher.

Il implora les cieux de lui donner la force de résister et s'efforça de ne pas y penser, ce qui n'était pas chose facile avec ce corps sensuel plaqué contre le sien.

Quand il regarda dans ses yeux, il y lut de la surprise et plus, à son soulagement, de la peur.

— Euh…, hésita-t-elle, vous êtes sûr que c'est possible comme ça ? C'est… naturel ?

Il s'efforça de ne pas gémir. Oh que oui ! cette position était on ne peut plus naturelle. Il ne voulait pas imaginer ses mains autour de sa taille, ses seins rebondissant tandis qu'elle le chevauchait, empalée sur son…

« Fichtre ! »

Il chassa ces images de son esprit avant de répondre :

— Il y a plus d'une façon de faire l'amour, Caitrina. Je vous promets de vous les montrer toutes.

Il n'avait jamais rien vu d'aussi sensuel que cette roseur timide qui envahit ses joues, car elle s'accompagnait d'une vraie curiosité. Il maintint ses mains le long de son corps, résistant à l'envie de les glisser le long de la courbe douce de ses reins et sous ses fesses.

Embarrassée, elle déclara :

— Je ne sais pas trop ce que je dois faire.

— Tout ce que vous voudrez. Je suis à vos ordres.

Elle réfléchit un moment, puis esquissa un petit sourire coquin avant de se passer inconsciemment la langue sur les lèvres, les yeux fixés sur sa bouche.

— Vous voulez dire que, si je vous embrasse…

Elle s'abaissa vers lui, ses lèvres à quelques centimètres des siennes. Le doux miel de son souffle le fit frémir.

— … vous ne m'embrasserez pas en retour ?

Tout son corps se raidit quand elle déposa un tendre baiser sur ses lèvres. Pour résister à l'élan qui le poussait vers elle, il serra la courtepointe entre ses doigts. Il avait envie de l'embrasser fougueusement, jusqu'à ce qu'elle perde haleine.

— Sauf si vous le demandez, répéta-t-il.

Il la sentit se détendre, puis elle l'embrassa de nouveau, faisant glisser sa langue sur ses lèvres, jusqu'aux commissures. Où diable avait-elle appris à faire une chose pareille ?

Il n'eut pas le temps d'y réfléchir car elle glissa sa langue dans sa bouche avec un soupir lent.

— Embrassez-moi, murmura-t-elle.

Il gémit de plaisir, répondant enfin à son baiser avec une langue avide, dardant, fouillant, la savourant. Son érection était si dure qu'elle lui faisait mal. Comme si elle avait lu dans ses pensées, elle déplaça légèrement ses hanches, serrant son membre entre ses cuisses.

Sans se rendre compte du supplice auquel elle le soumettait, elle détacha ses lèvres des siennes et l'embrassa dans le cou, traçant un sillon de feu sur sa peau, caressant son torse et ses bras, explorant tous les recoins et les courbes de ses muscles avec un plaisir presque enfantin.

Elle le rendait fou. Il compta mentalement jusqu'à dix pour ne pas penser à ce qu'elle était en train de lui faire.

Elle souleva son buste pour glisser une main entre eux, ses doigts errant sur son ventre. Il banda tous les muscles de son corps en les sentant descendre dangereusement bas. Quand sa main parvint au niveau de sa taille, elle effleura son membre.

Soudain, elle baissa les yeux vers le cuir étiré de ses culottes, ce qui le fit durcir encore.

— Cela vous soulagerait si je vous touchais là ?

— Oui, mentit-il en sachant que cela ne ferait qu'aggraver son cas.

Mais comment résister à une telle tentation ?

Il savait qu'il n'aurait pas dû, mais il ne put s'empêcher de la regarder dénouer sa ceinture et lui ôter son pantalon. Elle écarquilla les yeux en découvrant son sexe nu et tendu.

— Prenez-le dans votre main...

Il ferma les yeux et gémit. Elle avait la main douce et fraîche et il était brûlant. Incapable de prononcer un mot, il lui prit doucement la main et lui montra comment le caresser. Quand il s'abandonna au feu qu'elle répandait dans son sang, un plaisir inouï déferla en lui. Elle accéléra ses va-et-vient jusqu'à ce que sa tension soit à son comble. Sentant qu'il était sur le point d'exploser, il lui agrippa le poignet.

— Arrêtez... Cela fait trop longtemps que je n'ai pas été avec une femme..., expliqua-t-il.

Il savait très bien que cela n'avait rien à voir, car il avait toujours su se contrôler... sauf avec cette femme.

Son explication parut la satisfaire, car elle se pencha vers lui et l'embrassa avant de demander :

— Depuis combien de temps ?

Il hésita un instant, puis décida de lui dire la vérité.

— Depuis le jour où je vous ai vue pour la première fois.

Caitrina ignorait pourquoi, mais cette déclaration la combla d'aise. Il n'avait couché avec personne depuis qu'il la connaissait. Cela voulait forcément dire quelque chose...

Elle comprit que ce qu'elle lui avait fait lui avait plu. Et de lui faire plaisir, découvrit-elle, lui avait procuré du plaisir à elle aussi. Elle se sentait détendue, sûre d'elle et, surtout, prête à aller plus loin.

Elle l'embrassa de nouveau. Elle sentait la passion qui vibrait en lui mais savait qu'elle aurait beau le provoquer, il tiendrait parole.

Elle devrait lui dire ce qu'elle désirait.

— Touchez-moi, murmura-t-elle. S'il vous plaît, touchez-moi.

— Où ?

— Partout.

Il prit doucement ses seins dans ses mains et pinça ses mamelons.

— Comme ça ?

Elle renversa la tête en arrière, s'abandonnant aux sensations exquises que provoquaient ses mains puissantes sur son corps. Des mains qui pouvaient manier une claymore avec une force mortelle mais également caresser avec une tendresse infinie.

Il referma sa bouche sur un téton et le mordilla du bout des dents jusqu'à ce qu'elle crie de plaisir. Elle sentait son érection brûlante contre son ventre. Son membre était imposant, mais elle n'avait mesuré à quel point qu'en le libérant de sa prison de cuir. Le premier choc passé, elle avait été de nouveau surprise en le touchant : c'était comme une gaine de velours sur une tige d'acier.

— Je voudrais vous voir nue..., murmura-t-il soudain.

Il la regardait avec une intensité presque effrayante. Ce n'était pas uniquement du désir, mais quelque chose de plus profond, de plus intime encore…

Elle acquiesça et il fit passer sa chemise de nuit par-dessus sa tête avant de la laisser tomber sur le sol, à côté du lit.

Elle n'eut pas le temps d'être gênée par sa nudité car aussitôt, il enfouit le visage entre ses seins, qu'il caressait des deux mains. Jamais elle ne s'était sentie autant vénérée. Il l'adorait avec sa bouche et sa langue, comme s'il voulait mémoriser chaque parcelle de son corps. Il la sculptait des doigts, ne laissant aucun recoin inexploré, électrisant sa peau fiévreuse.

— Dis-moi ce que tu veux, murmura-t-il en glissant ses doigts entre ses jambes.

Elle indiqua sa main d'un signe du menton mais il se contenta de la frôler du bout des doigts.

— Tu veux que je te touche là ?

— Oui, l'implora-t-elle en se pressant contre sa main.

Elle gémit quand il inséra enfin un doigt en elle et commença à la caresser ; bientôt, elle ne pensa plus à rien, sinon à lui appartenir entièrement, totalement…

Il lui murmurait des encouragements à l'oreille, la rendant folle d'excitation. Mais elle en voulait plus. Elle voulait partager son plaisir avec lui. D'un geste instinctif, elle prit son membre, refermant ses doigts sur la peau brûlante et douce.

— Montre-moi, murmura-t-elle.

Sans dire un mot, il la prit par la taille et la hissa doucement sur lui. Elle se figea un bref instant en sentant son membre épais entre ses cuisses, une hésitation qui ne dura pas quand il la guida sur la pointe de son sexe. Elle sentit tout son corps frémir quand le gland rond et lisse toucha sa peau humide de désir…

Il gémit quand elle le laissa pénétrer en elle.

— Cela ne fait pas si mal que cela, observa-t-elle.

Il émit un petit rire étranglé.

— Nous n'y sommes pas encore tout à fait, mon cœur.

« Mon cœur »… Elle savait que c'était une expression toute faite, un terme affectueux lâché dans le feu de l'action mais elle en fut néanmoins émue.

Elle tenta de s'abaisser un peu plus et s'arrêta.

— Je ne crois pas que je puisse aller plus loin. Vous êtes tout simplement trop gros.

Il sourit.

— Ces paroles réchaufferaient le cœur de tout homme, mais je t'assure que tu peux. Il faut que je perce ton hymen. Je peux le faire d'un coup rapide, mais cela sera un peu douloureux.

Elle acquiesça et, avant même qu'elle ait le temps de changer d'avis, il la saisit par la taille et, tout en la regardant dans les yeux, donna un grand coup de reins vers le haut, la transperçant. Elle poussa un cri de douleur.

— Pardonne-moi, dit-il d'une voix tendue.

Elle chercha par réflexe à se libérer mais il la maintint avec fermeté.

— Attends un peu. Détends-toi…

Alors, doucement, elle commença à remuer, se soulevant puis s'abaissant à nouveau sur lui. Peu à peu, elle trouva un rythme naturel. Jamais elle ne s'était sentie aussi libre.

À voir l'expression béate sur le visage de Jamie, elle s'y prenait bien. Il la tenait par la taille et l'aidait à accélérer. De plus en plus fort, de plus en plus vite, jusqu'à ce que Jamie murmure dans un souffle :

— Je… je vais jouir…

Il donna un dernier coup de reins, la pénétrant au plus profond de son être. Leurs regards se rencontrèrent et ce qu'elle vit lui transperça le cœur. Son expression tendre n'avait plus rien à voir avec sa mine sévère habituelle. Il lui montrait une facette de lui-même qu'elle ne connaissait pas encore… et que, peut-être, personne n'avait jamais vue.

Tout son corps se contracta tandis qu'il explosait en elle.

Elle atteignit l'orgasme presque en même temps, le corps tout entier parcouru de spasmes. C'était le même bonheur que la première fois, mais en plus puissant. Mais cette fois, elle n'était pas seule à atteindre le septième ciel.

À bout de souffle, elle se laissa tomber sur le torse de Jamie, la peau moite et brûlante. La joue pressée contre sa poitrine, elle écouta les battements de son cœur ralentir peu à peu et ferma les yeux.

Quand il comprit qu'elle s'était endormie, Jamie se détendit à son tour. Il n'avait pas de mots pour décrire ce qu'il venait de vivre et n'était pas fâché d'avoir un peu de répit pour se remettre de ses émotions.

Il n'avait encore rien vécu de tel. Il savait que l'attirance entre eux était forte, mais cela n'expliquait pas le sentiment qu'il avait ressenti en entrant en elle. Un sentiment qui allait au-delà de la gratification sexuelle et qui l'avait ému au plus profond de l'âme. Jamais une femme n'avait percé son armure, mais celle-ci avait mis à nu une partie de lui-même dont il ignorait l'existence.

Il caressa les cheveux de Caitrina, pris d'une tendresse infinie pour ce petit bout de femme lovée contre lui. *Sa* femme. Il avait cru que la faire sienne lui suffirait mais ce n'était pas le cas. Il voulait plus, beaucoup plus. Il voulait son amour, sa confiance, son respect.

Si elle ne parvenait jamais à les lui accorder ? Combien de temps s'écoulerait-il avant qu'elle lui demande de choisir entre elle et son devoir ?

13

Caitrina se réveilla en entendant toquer à la porte. Il lui fallut quelques instants pour se rappeler où elle était et se rendre compte qu'elle était seule. Elle ne savait pas si elle devait être déçue ou soulagée. Dans la lumière crue du matin, les souvenirs des événements de la veille revêtaient un nouveau sens et elle se sentait un peu honteuse de s'être adonnée à leurs ébats avec autant d'ardeur.

Les draps froissés autour de son corps nu parlaient d'eux-mêmes. Elle se sentit rougir. Elle ramassa rapidement sa chemise de nuit sur le sol, l'enfila et noua les lacets du col avant de demander à la personne derrière la porte d'entrer.

C'était Mor, les bras chargés de linge propre.

— Le laird m'a demandé de te réveiller pour que tu aies le temps de faire ta toilette avant le déjeuner.

Elle déposa la pile sur la poitrine de Caitrina avant d'aller raviver le feu tout en précisant :

— Il souhaite partir avant une heure.

Caitrina s'étira paresseusement, rechignant à quitter la chaleur douillette de son lit.

— Quelle heure est-il ? demanda-t-elle.

La vieille nourrice se dirigea vers la fenêtre et ouvrit les volets. Une lumière aveuglante se répandit sur le parquet lustré.

— Bientôt midi.

— Comment ? s'écria Caitrina. Mais nous devions partir pour Ascog à l'aube ! Pourquoi ne m'a-t-on pas réveillée ?

— Le laird a ordonné qu'on te laisse dormir.

Mor semblait de mauvaise humeur ; elle n'appréciait sans doute pas de devoir prendre ses ordres de Jamie Campbell. Elle ajouta avec un regard appuyé :

— Il a dit que tu avais besoin de repos.

Caitrina tourna la tête pour qu'elle ne la voie pas rougir.

— Tu vas bien ? demanda Mor, inquiète. Il n'a pas été trop brutal ?

— Mais non !

En voyant le front soucieux de sa nourrice, elle lui prit les mains et la regarda dans les yeux.

— Sincèrement, Mor, je vais bien. Il a été... très doux.

Rien à voir avec le redoutable guerrier auquel elle avait cru avoir affaire. Elle avait encore du mal à croire à ce qu'il s'était passé la nuit précédente. Il l'avait surprise à plus d'un titre. Tout d'abord en lui montrant qu'il comprenait ses peurs, après son agression par le soldat ; puis, en la laissant contrôler leurs ébats. Elle n'aurait jamais imaginé qu'il pût lui faire un tel présent alors que tout chez lui – sa force physique, son autorité naturelle, la virilité qui suintait par tous les pores de sa peau – reflétait une personnalité dominatrice. Le fait qu'il lui assure qu'il arrêterait dès qu'elle le lui demanderait avait calmé toutes ses craintes. C'était comme s'il avait su ce dont elle avait besoin avant même qu'elle n'en prenne conscience. Elle l'avait pris pour un être sans pitié et froid. Pour ses ennemis, peut-être, mais avec elle, il s'était montré compréhensif, tendre... presque amoureux.

Satisfaite de la réponse de la jeune femme, la nourrice hocha la tête. Elles n'eurent pas le temps de parler davantage car le tub en bois arrivait.

Pendant qu'elle se détendait dans son bain chaud, elle se remit à penser à son nouvel époux. Leur relation avait changé, mais serait-elle mal à l'aise en le revoyant ? Ferait-elle comme s'il ne s'était rien passé ? Elle s'attendait à ce qu'il la rejoigne dans la chambre mais, en fait, elle ne le revit qu'après son petit déjeuner.

Quand il entra dans la grande salle, accompagné de son oncle, elle se tendit dans l'attente de sa réaction. Il l'aperçut et lui sourit.

Elle se sentit fondre. Être aussi beau était un péché. Ses yeux pétillaient, une lourde mèche auburn lui retombait sur le front, sa bouche sensuelle était incurvée en un large sourire. Elle ne l'avait jamais vu aussi détendu.

Mais il y avait autre chose…

Ses vêtements ! Elle découvrit soudain que, pour la première fois depuis leur rencontre, il portait le *breacan feile* traditionnel du Highlander, le tartan ceinturé porté sur une chemise en lin blanc et retenu à l'épaule par son insigne de chef. Dans cette tenue, il était encore plus impressionnant. Elle reconnut le même tartan que celui qu'il lui avait prêté, le jour de leur rencontre. Elle était tellement habituée à le voir en habits de cour qu'elle en avait presque oublié qu'il était un vrai Highlander.

Il s'avança vers elle, lui prit la main et la baisa.

— Tu as bien dormi ?

— Oui, je te remercie.

— De rien, tout le plaisir fut pour moi.

Mortifiée, elle balbutia :

— Ce n'est pas ce que j'ai voulu…

Puis, apercevant la lueur amusée dans son regard, elle marmonna :

— Misérable !

Il glissa sa main sous son coude.

— Si tu es prête, nous pouvons prendre congé de nos hôtes…

Faire ses adieux à son oncle, sa tante et ses cousins fut plus difficile qu'elle ne l'avait pensé. Elle leur devait tant et savait qu'elle ne pourrait jamais les remercier assez de leur bonté.

Alors que Jamie s'entretenait en privé avec son oncle dans le bureau de ce dernier, son cousin John l'attira à part.

— Être mariée à un Campbell ne sera pas facile pour toi, lui dit-il. Tu as fait un grand sacrifice pour ton clan mais, si cette épreuve devait être au-dessus de tes forces, fais-le-moi savoir.

Caitrina baissa les yeux. Jusque-là, elle n'était pas vraiment à plaindre. Toutefois, la sollicitude de son cousin la toucha. Malcom et Niall auraient sans doute réagi comme lui.

— Merci John, mais ce ne sera pas nécessaire. Je m'en sortirai très bien.

— Ne laisse pas les plaisirs du lit conjugal te bercer d'illusions, cousine. Jamie Campbell te veut mais il est aussi dangereux et impitoyable qu'on le dit. Je l'ai vu à l'œuvre. Il ne se laissera jamais influencer par une femme. Il restera loyal à Argyll envers et contre tout. N'oublie pas que l'habit ne fait pas le moine, tartan ou pas. C'est avant tout un Campbell et, à ce titre, il ne sera jamais notre ami.

Caitrina tenta de cacher sa gêne. Était-elle transparente à ce point ? Sa fascination pour son mari était-elle aussi flagrante ? Elle songea à sa promesse de garder ses distances, à son vœu de venger sa famille et eut honte de sa faiblesse. Comment avait-elle pu lui céder aussi facilement ? La fierté lui fit relever le menton et regarder son cousin dans les yeux.

— Tu n'as pas besoin de me le rappeler. Je sais très bien qui j'ai épousé.

— Il y aura des mécontents, la prévint John.

Il avait raison. Certains des membres survivants de son clan n'apprécieraient pas son mariage. D'un autre côté, Jamie ne tolérerait pas la déloyauté ni le manque de respect. Parviendrait-il à les tenir ?

— Ils finiront par comprendre que c'est pour leur bien.

Il le faudrait bien. Elle ne subirait pas le même déchirement que sa mère, rejetée par son clan pour avoir épousé l'ennemi.

Du coin de l'œil, elle aperçut Jamie, qui revenait dans la pièce. Il se dirigea vers elle, l'air sombre, comme s'il devinait ce qu'elle et son cousin étaient en train de dire.

— J'espère pour toi que tu as raison, ma petite cousine, conclut John avec un regard de compassion.

La brève traversée du Clyde se déroula sans encombre et, vers le milieu de l'après-midi, Caitrina était installée à Rothesay Castle, la luxueuse forteresse des Stuart, pimpante avec ses inhabituelles tours rondes. Elle y resterait jusqu'à ce que la reconstruction d'Ascog soit achevée. Elle n'avait encore jamais vécu dans une demeure aussi grandiose et il lui faudrait un peu de temps pour s'y accoutumer.

Au cours des jours suivants, Jamie et elle établirent une sorte de pacte. Il leur avait été dicté par les exigences de la nuit, quand rien ne pouvait se dresser entre le désir et la passion. Il la rejoignait dans la chambre tard, ôtait ses vêtements devant le feu, se glissait nu dans le lit à ses côtés et attendait qu'elle vienne à lui. Comme la première nuit, il lui faisait comprendre que tout dépendait d'elle. Et, tel un papillon de nuit attiré par une flamme, elle était incapable de résister à l'appel de la chair…

Dans l'obscurité, elle glissait ses mains sur son corps puissant, savourait sa force et donnait libre cours à ses désirs. Elle lui exprimait avec sa fougue ce qu'elle ne pouvait lui dire avec des mots. Et lui étanchait sa soif avec une tendresse qui ne cessait de l'émouvoir, lui procurant un plaisir au-delà de l'imaginable.

Toutefois, en dépit de la tendresse et de l'affection qu'il lui témoignait au lit, au-delà de ce qu'elle avait appris de lui à travers son corps, son mari demeurait un inconnu par bien des aspects. Ils n'avaient pas retrouvé l'intimité de leur première nuit ensemble. Il la berçait dans ses bras, mais n'essayait jamais de parler avec elle. Ensemble, ils utilisaient le langage du plaisir, partageant les secrets de leurs corps mais pas ceux de leurs cœurs. Elle savait comment le prendre dans sa main et lui faire pousser des râles d'extase, elle savait l'émoustiller, le caresser... mais elle ignorait tout de ses sentiments pour elle.

Par un accord tacite, ils évitaient toute allusion à leurs familles respectives : le cousin de Jamie, qui gouvernait les Highlands avec une poigne de fer ; son frère, qui avait tué le père de Caitrina et détruit sa maison, sans parler de la redoutable réputation de Jamie lui-même.

Comme l'avait suspecté son cousin John, Caitrina n'avait pas mesuré à quel point il serait difficile pour son clan d'accepter la nouvelle donne. Mor et les autres domestiques qui l'avaient accompagnée à Castle Toward avaient fait de leur mieux pour leur expliquer les raisons du mariage, mais les Lamont n'étaient pas prêts à accueillir un Campbell en leur sein. Leur ressentiment à l'égard de Jamie et de ses hommes était palpable. S'ils acceptaient d'être dirigés par l'époux de Caitrina, c'était uniquement parce qu'ils avaient trop peur de lui désobéir.

Caitrina ne put se rendre à Ascog que trois jours après son installation. Là, elle se rendit enfin compte à quel point la situation était précaire.

Elle se mit en route vers le milieu de la matinée et emprunta le sentier qui reliait Rothesay à Ascog, les deux châteaux n'étant distants que d'un kilomètre environ. Le ciel était couvert et l'air chargé de la fraîcheur humide de l'automne. À Toward, elle avait été obnubilée par l'idée de se retrouver sur ses terres mais, à présent, cela se révélait plus pénible que prévu. C'était le lieu où son père et ses frères avaient été tués quelques mois plus tôt et elle n'était pas sûre d'être prête à voir le château en ruines. Comprenant son trouble, Jamie ne l'avait pas pressée et lui avait dit de lui faire signe le jour où elle se sentirait prête.

Lorsqu'elle s'était levée ce matin-là, il était déjà parti. Plutôt que de l'envoyer chercher, elle décida de s'y rendre seule, préférant affronter seule ce qu'il restait de son passé.

Le cœur battant, elle gravit la colline qui formait la majestueuse toile de fond de Castle Ascog. Parvenue au sommet, elle se figea en apercevant les vestiges calcinés du château. À l'intérieur du mur d'enceinte ne restait que le donjon rectangulaire, dépouillé de sa toiture, jadis en bois. Les autres bâtiments dans la cour n'étaient plus que des décombres.

Elle sentit le soulagement pointer sous la tristesse. La demeure n'était plus qu'une carcasse vide mais, au moins, elle tenait encore debout, tout comme elle.

Un grand nombre d'hommes s'affairaient de l'autre côté de la barbacane, ôtant des gravats. Des larmes lui montèrent aux yeux au souvenir des jours heureux. Elle pouvait presque voir Brian courant derrière l'un de ses chiens, ou Malcom et Niall chahutant durant leur entraînement au maniement de la claymore. Mon Dieu, comme ils lui manquaient !

Les travaux pour rendre à Ascog sa splendeur d'antan seraient colossaux. Soudain mue par le sens du devoir et des responsabilités qu'elle avait autrefois abandonnés aux autres, elle sécha ses larmes et descendit le versant d'un pas décidé. Une grande partie des débris avait été éliminée mais il restait beaucoup à faire et elle était déterminée à s'investir dans chaque étape de la reconstruction.

En franchissant le portail, elle s'attendait à apercevoir Jamie mais, à sa surprise, il n'était nulle part. Les hommes, d'anciens domestiques et métayers de son père pour la plupart, interrompirent leur travail et la regardèrent d'un air méfiant. Elle en fut peinée mais afficha néanmoins son plus beau sourire et se dirigea vers l'un des hommes.

— Je suis ravie de vous revoir, Callum.

— Moi aussi, madame, répondit-il. Toutes nos condoléances. Votre père était un grand chef.

— Merci. Il me manque beaucoup.

Elle avança à travers la foule, saluant des hommes au passage et s'enquérant de leur famille. Quand elle les sentit plus rassurés, elle les interrogea sur les travaux. Callum lui répondit qu'ils en avaient encore pour plusieurs jours à déblayer mais qu'ils espéraient pouvoir commencer à abattre des arbres pour construire des charpentes vers la fin de la semaine. Le bois était rare dans les îles mais ils avaient la chance d'avoir une forêt à proximité.

Un autre homme s'avança, à peine plus âgé qu'elle, et posa la question qui, apparemment, était sur toutes les lèvres :

— C'est vrai qu'on vous a obligée à épouser l'homme qui a tué votre père, madame ?

— Mon mari n'avait rien à voir avec l'attaque du château, j'en suis sûre.

— Mais c'est un Campbell, intervint Callum. Et qui plus est, l'Exécuteur d'Argyll.

— Oui, mais...

Elle n'acheva pas sa phrase. Que pouvait-elle répondre ? La situation était pire qu'elle l'avait imaginée et jamais ces gens n'accepteraient Jamie comme leur chef. Cependant, pour des raisons qu'elle ne pouvait leur expliquer, elle voulait croire en Jamie. Elle fit face à Callum et rétorqua :

— Désormais, c'est aussi mon époux et à ce titre, nous lui devons tous le respect. D'ailleurs, où est le laird ? Il est parti dans la forêt chercher du bois ?

L'un des hommes cracha par terre avant de répondre :

— Ce n'est pas du bois qu'il cherche, l'Exécuteur. Ce sont des hommes...

— Je ne comprends pas.

— Il est en train de quadriller la forêt à la recherche des hommes de votre père, expliqua un autre ouvrier. Pour le compte d'Argyll.

— Vous avez sûrement mal compris..., commença-t-elle.

Elle fut interrompue par un claquement de sabots. Son mari venait de franchir le portail, avec dans son sillage une file d'hommes aux poings liés. Elle reconnut parmi eux plusieurs gardes de son père.

Jamie essuya la poussière et la sueur sur son front et descendit de selle. En dépit de l'air frais, il était en nage et épuisé d'avoir traqué des Lamont depuis l'aube. La dernière personne qu'il avait envie de voir était sa ravissante épouse.

Sa ravissante épouse qui le fixait du regard d'un air accusateur.

Ces derniers jours avaient été éprouvants pour lui. Après leur nuit de noces, il avait espéré qu'ils pourraient repartir d'un nouveau pied. Ses illusions s'étaient envolées quand il avait vu son maudit cousin lui parler. Depuis, il avait senti Caitrina se replier sur elle-même et prendre ses distances avec lui.

L'intimité qu'ils partageaient la nuit ne faisait qu'aggraver sa frustration, le jour. Si seulement elle lui donnait une chance ! Il commençait à douter que cela arriverait un jour. Comment pouvait-il en être autrement, quand chaque regard assassin que lui lançaient les hommes du clan Lamont creusait un peu plus le gouffre entre eux ?

Elle courut vers lui en s'écriant :

— Que fais-tu ? Ce sont les hommes de mon père.

Elle se tourna vers l'un des hommes ligotés et le serra dans ses bras, indifférente à la couche de crasse accumulée par des mois de vie dans la nature.

— Seamus, je vous croyais…

— Ça fait plaisir de revoir votre joli minois, répondit le vieil homme. Ce n'est qu'en apprenant vos épousailles avec l'Exécuteur d'Argyll qu'on a su que vous étiez toujours en vie.

— Je suis si heureuse de vous voir tous !

Elle caressa la joue d'un autre prisonnier, celui-ci beaucoup plus jeune. Cette marque d'affection toucha Jamie en plein cœur.

— Libère ces hommes tout de suite ! intima-t-elle en se tournant vers lui.

Jamie se raidit. Un silence se fit dans l'assistance tandis que tous guettaient sa réaction. Comment l'homme le plus redouté des Highlands allait-il réagir face à une jeune femme qui lui donnait des ordres ?

Seamus vint se placer devant cette dernière.

— Je vous protégerai, ma fille.

— Je t'avais dit de m'envoyer chercher quand tu serais décidée à te rendre au château, déclara-t-il sans cacher son agacement.

— Je n'ai pas eu besoin…

— À l'avenir, femme, tu feras ce que je te dis.

Elle frémit d'indignation mais eut la sagesse de ne pas répliquer. Elle comprenait qu'il ne pensait qu'à sa sécurité mais il aurait des comptes à lui rendre plus tard.

Jamie entendit un murmure de mécontentement parcourir les rangs des hommes, mais il sentit également qu'ils l'admiraient malgré eux. Il était le laird et sa parole avait valeur de loi. Il ne se laissait pas dicter sa conduite par une femme, fût-elle la sienne. Les hommes du clan Lamont ne l'appréciaient peut-être pas, mais ils ne s'en mêleraient pas. Rien n'était plus important que la fierté d'un Highlander et aucun Highlander digne de ce nom ne tolérerait que son épouse remette ses décisions en question devant ses hommes.

En se rendant compte qu'elle avait dépassé les bornes, Caitrina adoucit son ton :

— Je t'en prie, qu'ont fait ces hommes pour mériter d'être enchaînés ?

— Rien, répondit Seamus. C'est un Campbell qui brûle et pille les maisons des braves gens pour grossir le trésor d'un tyran.

— Assez ! explosa Jamie.

Ce n'était pas sa faute si ces hommes étaient ligotés : ils avaient refusé les conditions qu'il leur avait offertes. Il se tourna vers le capitaine de sa garde :

— Conduisez ces hommes à Rothesay. Ils changeront peut-être d'avis après avoir passé quelques jours dans les cachots.

— Non ! implora Caitrina. Tu ne peux pas...

— Ne t'inquiète pas, ma fille, lui dit Seamus. L'Exécuteur ne nous fait pas peur.

Jamie le fixa avec une telle intensité que le vieil homme baissa les yeux, démentant son affirmation.

— Retournez tous au travail ! lança Jamie aux ouvriers qui s'étaient attroupés pour observer la scène.

Il donna quelques instructions aux deux hommes qu'il avait désignés comme contremaîtres, puis se tourna de nouveau vers sa femme.

— Si tu souhaites rentrer à Rothesay, un de mes hommes t'escortera.

Elle posa une main sur son bras :

— S'il te plaît, ne pourrait-on pas discuter en privé ?

— Je suis occupé.

— Quelques minutes, pas plus...

Il n'était pas certain qu'avoir une conversation était une bonne idée, mais hocha néanmoins la tête avant de l'entraîner vers le loch. Une fois au bord de l'eau, il se tourna vers elle, impavide.

— Que voulais-tu me dire ?

— Tu ne veux pas m'expliquer pourquoi tu as emprisonné les hommes de mon père ?

Il était las qu'elle le considère comme le pire des hommes et fut tenté de ne pas lui répondre, mais son ton implorant l'émut.

— Quand je t'ai épousée, je t'ai dit que je me porterais garant pour ton clan, ce qui me rend responsable de leurs actes. J'ai été chargé de débarrasser l'île de Bute de ses hors-la-loi et j'ai la ferme intention de mener à bien ma mission.

Elle étudia son visage comme si elle y cherchait une faille.

— Je croyais que tu étais venu ici pour reconstruire Ascog.

— C'est le cas, mais j'ai aussi d'autres devoirs. À ton avis, quel est mon métier ?

Il lui saisit le coude, résistant à l'envie de la prendre dans ses bras pour l'embrasser. De réclamer son corps, même si elle n'était disposée à ne lui donner que ça.

— Si les hommes violent la loi, ma responsabilité est de les traîner devant la justice.

Il n'avait pas honte de ce qu'il faisait. Sans hommes comme lui, le pays serait livré à l'anarchie et au chaos.

Il sentit le cœur de Caitrina battre à tout rompre quand il l'attira contre lui. En tout cas, elle n'était pas indifférente à son contact.

— Mais… qu'ont-ils fait ? demanda-t-elle d'une voix brisée.

— Tu veux dire, outre le fait d'avoir caché les MacGregor ? Ils ont attaqué mes hommes et les ont soulagés de quelques pièces d'argent que je leur avais données pour acheter du matériel de reconstruction.

— Je suis sûre qu'ils ne savaient pas que c'était pour Ascog.

— Peut-être, mais cela les excuse-t-il ?

— Non, mais... Tu ne pourrais pas leur donner une seconde chance ? Une fois qu'ils sauront que tu essayais de les aider...

— J'ai offert de demander leur grâce s'ils acceptaient de se rendre et de me reconnaître comme leur laird. Ils ont refusé.

— Ah...

À sa mine défaite, il constata qu'elle commençait à comprendre la situation. Elle l'avait mal jugé et s'en rendait compte. Il la lâcha mais elle ne s'écarta pas.

— Que vas-tu faire, à présent ?

— S'ils ne changent pas d'avis, je les enverrai à Dunoon.

— Non ! Tu ne peux pas faire ça !

Il serra les mâchoires. Décidément, elle avait la manie de lui dicter sa conduite !

— Les hommes de ton père ne me laissent pas le choix.

— Je t'en prie...

Elle le toucha à nouveau, posant cette fois la main sur sa poitrine. Il eut l'impression que son cœur était marqué au fer rouge. Elle l'implorait du regard.

— Je t'en supplie, ne fais pas ça. Ils seront pendus !

Il voulait rester distant mais ne pouvait rester insensible à son désarroi. Le serait-il jamais ? Cela, plus que tout, l'enrageait.

— Laisse-moi leur parler, lui demanda-t-elle. Je pourrai leur faire entendre raison.

Il ne demandait pas mieux, car il n'avait pas plus envie qu'elle d'envoyer ces hommes à la mort. Il hocha la tête.

— Fais ce que tu peux. Mais, Caitrina, c'est la dernière fois. Ne t'interpose plus jamais entre moi et mes hommes.

Pour une fois, leurs intérêts concordaient. Ce ne serait pas toujours le cas. Cette femme ne cesserait de mettre sa mission en péril, car il était prêt à faire n'importe quoi pour lui complaire.

Caitrina ôta subitement sa main, prenant conscience de ce qu'elle était en train de faire : marchander une faveur en jouant sur le désir qu'il avait d'elle...

Caitrina n'avait encore jamais vu Jamie dans un tel état. Il était furieux contre elle et il avait de bonnes raisons de l'être. Une fois de plus, elle l'avait mal jugé. Quand elle avait vu les anciens gardes de son père les poings liés et avait appris qu'ils étaient envoyés au cachot, elle lui avait jeté au visage sa sinistre réputation.

Pourtant, dans la mesure où les Lamont avaient attaqué ses hommes dans l'intention de les voler, Jamie avait eu raison d'agir ainsi. Elle ne lui avait même pas accordé le bénéfice du doute.

Elle avait exigé qu'il libère les prisonniers sans attendre ses explications et avait défié son autorité devant son clan. Se heurtant à un refus, elle s'était alors servie de la seule chose que ni l'un ni l'autre ne pouvait nier : leur attirance physique.

Il n'était pas aussi insensible qu'il voulait le faire croire et de découvrir qu'elle avait une emprise sur lui était grisant. Elle avait gagné, mais à quel prix ?

En voyant Jamie tourner les talons et remonter le sentier en direction des ruines, Caitrina prit peur. Si elle le laissait partir ainsi, il serait peut-être trop tard, ensuite, pour réparer les dégâts. Elle courut derrière lui en criant :

— Attends !

Il s'arrêta et se retourna. Son visage était impénétrable.

— Je suis désolée, commença Caitrina. Je ne voulais pas me mêler de tes affaires. C'est juste que ces hommes... Tu n'imagines pas ce que j'ai ressenti en les revoyant après tous ces mois passés sans savoir s'ils étaient morts ou vivants. Je connais certains d'entre eux depuis mon enfance. Seamus me faisait grimper sur ses genoux devant le feu et me laissait jouer avec sa barbe pendant qu'il me racontait des histoires sur nos ancêtres. Je ne voulais pas te faire honte en remettant en cause tes décisions devant mon clan, mais il est normal que je prenne leur défense.

— C'est d'abord envers moi que tu dois te montrer loyale.

— Tu me demandes d'oublier des années de haine et de suspicion entre nos deux clans ? protesta-t-elle.

— Non, je te demande simplement de me faire confiance. Qu'ai-je fait pour mériter ta défiance à ce point ? reprit-il. T'ai-je fait le moindre mal ? T'ai-je menti ? T'ai-je donné la moindre raison de douter de moi ?

Elle fit non de la tête. Au contraire, il n'avait cessé de la surprendre. Et puis, il y avait eu ces instants de tendresse…

— Je ne demande qu'à te faire confiance, mais…

— Mais quoi ?

Elle se tordait les mains, ne sachant comment lui faire comprendre qu'en lui accordant sa confiance, elle craignait de perdre une partie de son passé à jamais, de se couper définitivement de son clan.

— Je ne peux pas changer du jour au lendemain, avoua-t-elle. Tout s'est passé si vite. Je ne sais plus ce que je crois. Je me sens perdue.

— Pourtant, la nuit, tu sais ce que tu veux. Quand il s'agit de me donner ton corps, tu n'as pas autant d'états d'âme.

Elle sentit le feu lui monter aux joues.

— C'est différent.

— Vraiment ? répondit-il avec sarcasme. Tu me fais confiance avec ton corps, mais pas avec ton cœur ?

Ne comprenait-il donc pas que, la nuit, ils n'étaient que tous les deux ? Que les problèmes de la journée ne pénétraient pas l'intimité de leur lit ? Pourquoi la poussait-il ainsi dans ses derniers retranchements ? Elle n'était pas encore prête à lui donner ce qu'il demandait.

— Te donner mon corps est mon devoir, répondit-elle avec maladresse.

Il eut beau conserver un visage de marbre, il était évident qu'elle l'avait blessé. Il répliqua en la regardant droit dans les yeux :

— Cela ne ressemble pas à du devoir quand tu gémis de plaisir, quand tu me prends profondément en toi, encore et encore, quand tu me chevauches jusqu'à l'extase...

Elle se raidit devant la franchise de ses paroles. La passion dévorante qu'il lui inspirait lui faisait honte. En voyant son air mortifié, il se reprit :

— Il n'y a pas de honte à avoir. J'aime ta fougue.

Mais que ressentait-il vraiment pour elle ? Il paraissait toujours si détaché, sauf ce fameux matin, après leur nuit de noces. Ce jour-là, elle avait presque cru...

Elle se détourna et demanda d'une voix blanche :

— Que veux-tu de moi ? Je t'ai épousé, je me suis donnée à toi de mon plein gré. Cela ne te suffit pas ?

Il recula d'un pas comme si elle l'avait giflé.

— Non, cela ne me suffit pas.

— Ce que tu me demandes ne vient pas aussi facilement. Cela prend du temps.

— Sans doute, répondit-il sur un ton glacial. Peut-être avons-nous tous les deux besoin de temps.

Que voulait-il dire par là ? Elle le regarda s'éloigner sur le sentier jusqu'à ce qu'il ait disparu. Elle aurait aimé le rappeler, mais se retint et passa le reste de la journée à l'éviter.

Le soir, au dîner, il se montra courtois, quoique encore plus distant qu'à l'accoutumée.

190

Cette nuit-là, pour la première fois depuis leurs noces, il ne vint pas dormir dans leur chambre.

Son oreiller serré contre elle, Caitrina songeait que c'était aussi bien, que cela lui laissait le temps de réfléchir ; mais la douleur sourde dans son cœur lui disait autre chose.

Avait-elle réussi à le repousser définitivement ? Ou lui donnait-il le temps dont elle prétendait avoir besoin mais qu'elle n'était plus sûre de vouloir ?

14

Quelques jours plus tard, Caitrina était agenouillée sur le sol de la grande salle, s'efforçant de garder les yeux sur les dalles tachées de suie qu'elle était en train de briquer sans regarder ce qui se passait au-dessus de sa tête : à l'aide d'échelles et de cordes, les hommes étaient en train de hisser les poutres de la charpente à une dizaine de mètres de hauteur. De longs madriers avaient été posés sur les corbeaux et serviraient plus tard à soutenir les étages mais, pour le moment, ils servaient d'échafaudage de fortune.

Même la bonne odeur de sapin fraîchement coupé ne parvenait pas à calmer ses nerfs. C'était une opération périlleuse et elle mourait de peur à l'idée qu'un accident puisse survenir. À force de travailler aux côtés des hommes de son clan au cours des derniers jours, elle avait fait plus ample connaissance avec bon nombre d'entre eux et, s'il leur arrivait quelque chose, elle ne pourrait pas se le pardonner.

Néanmoins, l'hiver approchait et il fallait faire vite. Les jours raccourcissaient et la pluie rendait les conditions de travail de plus en plus difficiles. Elle n'oubliait pas non plus que Jamie faisait cela pour elle. En temps normal, les travaux auraient été repoussés jusqu'au printemps. Mais il savait à quel point elle souhaitait qu'Ascog retrouve sa splendeur passée. S'ils parvenaient à reconstruire le toit et à rendre le château étanche, ils pourraient continuer à travailler à l'intérieur durant l'hiver.

Elle se concentra de nouveau sur sa tâche et plongea sa serpillière dans le seau de lessive pour la rincer. L'eau était si noire que le linge ressortit aussi sale qu'il était entré. À force d'être restée agenouillée sur les dalles glacées pendant des heures, elle avait les genoux raides. Nettoyer la suie sur le sol et les murs était un véritable supplice. Elle n'en voyait pas la fin.

En la voyant, une jeune servante s'avança vers elle :

— Donnez-moi votre seau, madame, je vais aller vous chercher de l'eau propre.

— Cela ira, Beth. J'ai besoin de me dégourdir les jambes.

Chargée de son seau plein, Caitrina se dirigea vers la fenêtre – ou plutôt ce qu'il en restait, c'est-à-dire un trou sans volets – afin de le vider avant de descendre au puits.

Elle lança un regard en contrebas pour s'assurer que personne ne passait dessous et s'immobilisa. La vue d'un homme puissant brandissant une hache était toujours impressionnante, mais celle de Jamie coupant du bois était tout simplement fascinante. En dépit de la fraîcheur, il avait ôté son tartan et sa chemise trempée de sueur lui collait à la peau, épousant les muscles de son dos tandis qu'il balançait son outil en arrière et le laissait retomber sur le billot avec un bruit sourd.

Comme s'il s'était senti observé, il lança un regard par-dessus son épaule et la vit. Elle recula d'un mouvement vif et se plaqua contre le mur, honteuse de sa réaction. Pourquoi cette scène l'affectait-elle autant ? Ce n'était pourtant pas la première fois qu'elle voyait un homme couper du bois. Certes, celui-ci avait un corps parfait. Un corps qu'elle connaissait intimement… Elle l'avait vu nu, elle avait caressé ses muscles chauds et durs, senti cette chaleur et cette force se fondre dans son propre corps. Cette union lui manquait. Il lui manquait.

Elle allait reprendre son travail quand elle entendit un cri :

— Attention !

Son sang se glaça et elle courut à nouveau à la fenêtre, craignant le pire. Elle poussa un soupir de soulagement en constatant que la situation était déjà maîtrisée. Deux jeunes hommes du clan Lamont avaient entrepris de porter une pile de planches vertigineuse qui avait basculé vers le second porteur.

Il s'en était fallu de peu. L'un deux aurait pu trébucher ou être écrasé si Jamie n'était intervenu pour les aider. Ses bras puissants étaient noués tandis qu'il soutenait le bois pour le remettre en équilibre. Le regard de Caitrina glissa de ses bras à son torse et à ses pectoraux gonflés par l'effort, à son ventre plat, à ses cuisses qui saillaient sous sa culotte en cuir couverte de poussière…

Une fois de plus, voilà qu'elle le détaillait ! Depuis leur dispute quelques jours plus tôt, elle l'observait… ou plutôt, elle l'étudiait, comme s'il était une énigme à élucider… Ces questions la ramenaient immanquablement à elle-même et aux sentiments qu'elle nourrissait pour lui. Lui, qui ne laissait rien transparaître de ses pensées, la traitant comme il l'avait toujours fait, avec considération et prévenance. Fidèle à sa parole, il lui laissait le temps, se montrant même plus présent à ses côtés durant la journée. Mais quelque chose lui manquait : son corps, lové contre le sien, au creux de leur lit… Elle regrettait ces moments d'intimité partagés – ce qu'il recherchait sans doute en la privant de sa présence chaque nuit.

Peut-être tenait-elle plus à lui qu'elle ne l'avait pensé ? Et si, en fin de compte, leur mariage n'était pas si catastrophique qu'elle l'avait craint ?

Elle ne pouvait s'empêcher d'admirer sa force et son efficacité. Même son père n'aurait pu accomplir autant en si peu de temps. Sous la direction de Jamie, les travaux avançaient de façon spectaculaire.

Son autorité n'était jamais mise en doute mais elle admirait surtout la façon dont il dirigeait les hommes. Il n'ordonnait pas, il donnait l'exemple, ne demandant jamais ce qu'il n'était pas lui-même prêt à faire. Comme dans la bataille, il était sur la ligne de front, le premier face à l'ennemi. Il les faisait travailler dur mais il travaillait plus dur encore. Il était toujours le premier sur le chantier et le dernier à partir.

De toute évidence, Jamie et ses hommes maîtrisaient les travaux de construction, ce qui n'était pas surprenant compte tenu du nombre de châteaux que possédaient les Campbell. Toutefois, elle était impressionnée par l'étendue de ses connaissances. Il avait l'esprit exercé aux chiffres, aux mesures et aux plans, démontrant une intelligence vive derrière son image de guerrier redoutable. Comme l'avait dit son père, Jamie Campbell était plus qu'un athlète capable de prouesses physiques ; elle en avait la preuve sous les yeux.

Contrairement aux Campbell, les hommes du clan Lamont n'avaient jamais réalisé de travaux de cette ampleur et Jamie faisait preuve d'une remarquable patience à leur égard, même quand leurs erreurs auraient pu coûter cher, comme dans le cas qui venait de se produire.

Avec l'aide de son mari, les deux jeunes hommes parvinrent à hisser le bois en haut de l'escalier et à l'empiler le long d'un mur, de l'autre côté de la grande salle. Ne voulant pas qu'il la surprenne à l'épier à nouveau, Caitrina se retourna et déversa le contenu de l'eau sale par la fenêtre. Beth et deux autres servantes qui s'étaient portées volontaires pour aider observaient la scène avec un intérêt non dissimulé et Caitrina comprit soudain pourquoi les deux jeunes Lamont avaient transporté autant de bois : conscients qu'ils avaient un public, ils avaient voulu épater la galerie.

Jamie avait compris la situation lui aussi et était en train de sermonner vertement les deux jeunes nigauds.

Ce qu'il leur dit fit son effet car ces derniers prirent un air penaud et dévalèrent à nouveau l'escalier sans un regard derrière eux.

Se tournant vers Caitrina, Jamie commença à s'avancer vers elle mais fut arrêté dans son élan par une voix l'appelant depuis l'extérieur.

— Mon laird !

Il se retourna et regarda en contrebas. Plusieurs hommes dans la cour avaient besoin de son avis. Après un dernier regard vers Caitrina, il descendit les rejoindre.

Elle était stupéfaite de constater à quel point les hommes Lamont en étaient venus à se reposer sur lui. Ils ne s'en rendaient probablement pas compte et auraient été horrifiés si elle le leur avait fait remarquer. Les vieux préjugés avaient la vie longue.

Jamie avançait sur un chemin périlleux, à cheval sur les frontières : c'était un Highlander ayant des affinités avec le gouvernement des Lowlands. D'un côté se tenaient les Highlanders qui refusaient de renoncer à l'autorité sans entrave et au style de vie qu'ils connaissaient depuis des siècles. De l'autre, il y avait le roi Jacques Stuart, dont le pouvoir ne cessait de croître depuis qu'il avait hérité également du trône d'Angleterre. En tentant de rapprocher les deux camps, Jamie s'était aliéné les deux, chacun se méfiant de lui. Il avait choisi une voie difficile et solitaire mais néanmoins nécessaire. Caitrina se rendait compte que, sans hommes comme lui pour négocier les changements, ils risquaient de tous finir comme les MacGregor...

Beth et les autres servantes s'étaient rapprochées d'elle et parurent soulagées en voyant Jamie quitter la grande salle. À leurs expressions, Caitrina devina qu'elles avaient quelque chose à lui dire.

— Que se passe-t-il, Beth ? demanda-t-elle.

La jeune femme hésita et rougit.

— On voulait juste vous dire que... Euh... eh bien qu'on vous admire toutes, madame. Pour tout ce que vous avez fait et pour votre... courage.

— Pour mon courage ?

Beth baissa la voix et lança un regard vers l'escalier où Jamie venait de disparaître.

— Ben oui, pour avoir épousé l'Exécuteur. Vous avez vu comment il s'en est pris à Robby et Thomas ? Les pauvres, ils voulaient juste se rendre utiles !

— Il a eu raison. Ils auraient pu être grièvement blessés.

Elle ne souligna pas que les jeunes hommes avaient surtout voulu les impressionner. Il était clair que les servantes n'avaient pas vu la même scène qu'elle.

Si elles voulaient bien donner une chance à Jamie, elles aussi !

Elle s'interrompit, surprise par sa manière de penser et la façon dont elle en était venue à défendre son mari. Il avait tant fait pour elle, pourquoi n'en prenait-elle conscience qu'à présent ? Non seulement il reconstruisait Ascog, mais il le restituait à son clan.

Si elle voulait que les Lamont acceptent, elle devait donner l'exemple. Il était son mari, c'était son devoir...

Non, cela n'avait rien à voir avec le devoir, mais tout avec le nœud confus de ses sentiments pour lui. Des sentiments qui avaient pris racine en elle et ne disparaîtraient pas facilement.

À ses côtés, Beth poursuivait :

— Et cette façon qu'il a de vous regarder ! J'en ai eu la chair de poule. Si c'était moi qu'il regardait comme ça, je prendrais mes jambes à mon cou !

Les autres filles hochèrent la tête avec vigueur et Caitrina ne put s'empêcher de sourire.

— Mais non, il n'est pas si méchant que ça.

Les servantes la dévisagèrent comme si elle avait perdu la raison.

— Non, il est bien pire et tu ferais bien de ne pas l'oublier, ma fille, dit une voix derrière elle.

Caitrina se retourna et aperçut Seamus qui descendait d'une échelle. Étant l'un des rares Lamont à posséder une expérience de la construction, il avait été chargé de superviser l'approvisionnement en bois. C'était un honneur que Jamie lui faisait mais le vieux garde ne voulait pas l'admettre.

Comme promis, Caitrina avait tenté de convaincre les anciens gardes de son père de se soumettre à Jamie. Elle commençait à le regretter car Seamus détruisait ses efforts en les incitant à l'insubordination.

— Je n'ai pas oublié, Seamus, répondit-elle calmement. Mais tu ne peux pas nier tout ce qu'il fait ici pour nous. Il ne m'a donné aucune raison de me défier de lui.

Elle se tourna vers Beth et les autres filles avant de reprendre :

— Il n'est pas non plus l'ogre qu'on nous a dépeint. Nous devons lui donner une chance.

Devant leur air peu convaincu, elle ajouta :

— Il est notre laird, désormais.

— Pas pour longtemps si Dieu nous aide, grommela Seamus.

L'expression sur son visage ne laissait rien présager de bon. Elle frissonna en espérant l'avoir mal interprété et répliqua :

— Il faudra attendre un certain temps avant que nous ayons un fils en âge de devenir laird, Seamus...

Jamie venait de regagner la grande salle et se dirigeait vers Caitrina quand il l'entendit prendre sa défense. Une lueur d'espoir s'alluma en lui.

Depuis leur arrivée à Ascog, c'était le premier signe qu'elle commençait à fléchir. Il commençait à douter que sa décision de ne plus partager son lit ait été la bonne. Il avait voulu lui donner du temps, lui faire prendre conscience que ce qu'ils partageaient était

198

unique. Il voulait qu'elle regrette non seulement leurs ébats mais aussi lui-même, en tant qu'être à part entière. Cependant, les longues nuits froides et esseulées lui pesaient. Il travaillait chaque jour jusqu'à l'épuisement afin de ne pas penser à sa belle épouse mais la présence constante de cette dernière était comme un caillou dans son soulier.

Il se surprenait à l'observer à la sauvette. Sa seule consolation était qu'elle l'épiait elle aussi. Plus que mari et femme, ils étaient comme deux lions en cage qui se jaugeaient en décrivant des cercles l'un autour de l'autre.

Il se demandait parfois si elle était encore celle qu'il avait rencontrée à Ascog, des mois plus tôt. La jeune effrontée couverte de dentelles et de rubans avait cédé la place à une femme déterminée qui récurait les sols à longueur de journée dans une robe dont une servante n'aurait pas voulu.

La métamorphose était saisissante. Il lui avait offert à de multiples reprises de belles tenues et des bijoux, mais elle refusait tout signe extérieur de richesse. Sa chevelure, autrefois savamment coiffée, était désormais nouée dans sa nuque avec un ruban noir et avait perdu son éclat.

Mais le changement allait bien au-delà de l'apparence physique. Il l'avait crue indifférente à ce qu'il se passait autour d'elle, mais il s'était trompé. Il était chaque jour surpris par l'attention qu'elle portait aux autres. Elle avait fait en sorte que les hommes aident aux champs et pour le bétail les femmes qui avaient perdu leurs maris lors du raid. Elle était toujours disponible pour réconforter ceux qui en avaient besoin.

Elle dispensait à son clan les témoignages d'affection et d'amour qu'elle réservait autrefois à sa famille. Jamie aurait aimé qu'elle en garde un peu pour lui aussi.

La destruction de sa maison et de sa famille l'avait forcée à grandir et à assumer des responsabilités. Bien qu'il admirât la femme qu'elle était devenue, il regrettait qu'elle eût perdu ses illusions et sa candeur passées. Il aurait pourtant tout donné pour voir ses yeux luire d'une joie pure, sans mélancolie ni tristesse.

Pour le moment, ce qui le préoccupait le plus, c'était sa santé. Elle était pâle et avait les traits tirés. Elle dormait probablement aussi peu que lui. Elle travaillait beaucoup trop et il n'allait pas la laisser se tuer à la tâche.

Elle lui avait lancé un jour qu'il ne voyait en elle qu'un faire-valoir, un bel objet à exhiber. S'il y avait jamais eu une part de vérité dans cette affirmation, ce n'était plus le cas. Il était fier de l'avoir à ses côtés, non pas pour sa beauté mais pour sa force et sa ténacité. Pour son esprit et sa fougue. Pour sa belle énergie. Pour sa compassion.

Son désir pour elle n'avait rien à voir avec la possessivité et tout avec l'effet qu'elle produisait sur lui. Elle avait touché une partie de lui-même dont il ignorait l'existence.

Il ne s'était encore jamais rendu compte à quel point il était seul. La première fois qu'ils avaient fait l'amour, il avait su qu'elle était différente. Il avait désiré de nombreuses femmes, mais aucune qui lui donnât envie de la tenir dans ses bras pour l'éternité. Jamais son désir et ses sentiments n'avaient été autant entremêlés. Lorsqu'il la pénétrait, le plaisir qu'il ressentait n'était pas uniquement physique : il touchait tous les recoins de son âme.

Qu'elle ait affirmé ne se donner à lui que par devoir l'avait profondément meurtri.

Le devoir. Comment ce mot pouvait-il blesser à ce point ?

L'ironie était que le devoir était son principe le plus sacré. Le devoir envers le chef de son clan, envers sa famille. Envers sa femme. Il n'aurait jamais cru qu'il lui serait renvoyé un jour en plein visage.

Quelques jours plus tôt, il lui en avait voulu de ne pas le voir tel qu'il était. Elle avait besoin de temps. Après avoir tant perdu, il était naturel qu'elle ait peur d'aimer de nouveau. Il s'était juré d'attendre qu'elle vienne à lui

200

mais, à mesure que les jours passaient, il devenait de plus en plus irascible et tendu. Il était comme un ours réveillé au milieu de l'hiver, affamé.

Il se rapprocha du groupe qui ne l'avait pas encore remarqué.

Seamus s'interrompit en sentant sa présence et fit volte-face.

Jamie arqua un sourcil narquois :

— Je vous en prie, ne vous interrompez pas pour moi. Vous disiez ?

Seamus sourit.

— Que nous attendions tous avec impatience le jour où un Lamont régnera de nouveau sur Ascog.

— Ce jour n'est pas pour demain, répliqua Jamie. Et il risque même de ne jamais arriver si nous ne mettons pas un toit sur ce château.

— Oui, seigneur, répondit Seamus.

Il regrimpa aussitôt sur son échelle pour diriger les hommes qui hissaient les poutres de la charpente. Jamie avait parfaitement saisi sa pique : il l'avait appelé « lord » à l'anglaise plutôt que « laird » comme un Écossais. Caitrina sembla vouloir protester mais il l'arrêta.

— N'y fais pas attention. Je sais comment le prendre.

— Mais…

— C'est ce qu'il cherche. Ses provocations ne me touchent pas. Je suis autant un Highlander que lui, même s'il prétend le contraire.

Les jeunes servantes s'étaient éclipsées, non sans avoir lancé des regards apeurés vers Jamie comme s'il était le diable en personne. Cette attitude craintive agaçait profondément Caitrina.

— Cela ne te dérange pas ? demanda-t-elle à Jamie.

Il haussa les épaules.

— Même un petit peu ? insista-t-elle.

Il soupira. Il en avait suffisamment appris sur elle au cours de la semaine passée pour savoir qu'elle ne le lâcherait pas avant d'avoir sa réponse.

— Il y a longtemps que j'ai cessé de vouloir changer la mentalité des gens. Ils peuvent croire ce qu'ils veulent. Tantôt je suis le méchant, tantôt le gentil, selon le camp dans lequel on se place.

— Je n'y avais pas pensé sous cet angle, dit-elle en fronçant son petit nez taché de suie.

— Tout le monde ne me méprise pas, Caitrina. J'ai même mes admirateurs, tu sais.

Elle lui lança un regard suspicieux.

— Ce ne serait pas plutôt des admiratrices ? demanda-t-elle avec une mine pincée.

Cette petite pointe de jalousie n'était pas pour déplaire à Jamie.

— Oh, je dirais qu'il y en a des deux sexes, la taquina-t-il. Un jour, je t'emmènerai à Castlewene pour en rencontrer quelques-uns.

Il attendit sa réaction. Il venait de parler d'un avenir commun même s'il n'était pas sûr qu'ils en aient un.

Il avança d'un pas vers elle.

— Écoute, Caitrina, je...

Il se passa une main dans les cheveux, ne sachant pas comment aborder la question.

— Oui ?

Comment lui dire qu'il la voulait à nouveau dans son lit ? Il avait juré de lui laisser du temps mais...

— Il faut que nous parlions.

— De quoi ?

Il lui prit les mains et les retourna, paumes vers le ciel. Elles étaient rouges et sèches, parsemées d'ampoules et d'égratignures.

— De ça.

Elle tenta de libérer ses mains mais il les retint.

— Il faut que cela cesse, dit-il avec douceur. Tu travailles comme une esclave. Il faut ralentir la cadence et te reposer un peu.

Elle détourna les yeux en prenant un air buté.

— Je vais très bien.

— Tu es ma femme, pas une fille de cuisine.

— Ah, voilà ce dont il s'agit ! De mon aspect. Il y a beaucoup à faire et la maison ne se reconstruira pas toute seule. Je suis chez moi, ici. Tu ne m'obligeras pas à broder et à jouer du luth pendant que les autres font tout le travail.

Pourtant, il la voyait bien assise au coin d'un feu, jouant du luth pour lui. Quelle image idyllique ! Ce n'était probablement pas le moment de le lui dire et il essaya une autre stratégie :

— Travailler ici pendant qu'on installe la charpente est très dangereux. Tu pourrais être blessée.

— Et pas les autres ?

— Oui mais ce ne sont pas eux…

Il s'arrêta à temps, avant de dire « ce ne sont pas eux que j'aime ». Était-ce ce qu'il ressentait pour elle ? Un jour, Margaret MacLeod l'avait accusé d'ignorer le sens du mot « aimer ». Peut-être avait-elle eu raison, car il n'avait encore jamais ressenti une émotion aussi irrationnelle. Il n'avait jamais eu à lutter contre lui-même pour maîtriser ses émotions, parce qu'elles n'avaient encore jamais occupé une telle place dans sa vie. Jusqu'à ce qu'il rencontre Caitrina.

Elle dut lire le choc sur son visage car elle le regarda d'un air incrédule.

— Ce ne sont pas eux… ?

Ce n'était pas le moment de lui avouer ses sentiments. Terrifiée, elle prendrait ses jambes à son cou. Il se ressaisit et déclara :

— Je ne veux pas avoir à t'ordonner de rentrer à Rothesay.

Elle se redressa aussitôt.

— Tu n'oserais pas !

— Ah non ?

Elle découvrirait bientôt qu'il pouvait se montrer aussi têtu qu'elle.

L'expression de défi qu'elle arborait était éloquente mais elle eut la sagesse de ne pas répliquer. Il détailla longuement ses traits las, sa chevelure ébouriffée.

— Je veux bien être raisonnable, Caitrina.

— Comme c'est galant de ta part ! s'esclaffa-t-elle. Et peut-on savoir ce que tu entends par « raisonnable » ?

— Tu es la châtelaine et dois te comporter en conséquence. Tu peux contrôler les travaux mais pas te mettre à quatre pattes pour récurer les sols. Et puis, ajouta-t-il en baissant les yeux vers sa robe miteuse, tu t'habilleras conformément à ton rang.

— Toi, tu peux couper du bois comme n'importe quel bûcheron mais, moi, on ne m'accorde pas ce privilège ! fulmina-t-elle.

Depuis quand récurer les sols était-il un privilège ? Cette dispute était absurde. Il s'approcha encore d'un pas.

— Je t'ai vue m'observer.

Elle rougit jusqu'à la racine des cheveux.

— Je ne t'observais pas ! Mais tu n'as toujours pas répondu à ma question. Pourquoi aurais-tu le droit et moi pas ?

— Parce que pour les hommes, c'est… différent.

Elle le toisa, si proche de lui qu'il sentait la pointe de ses seins effleurer sa poitrine. Il aurait tant aimé la prendre dans ses bras et presser ce corps voluptueux contre le sien ! Son délicat parfum fleuri lui chatouilla les narines. Elle l'envoûtait, en dépit de sa mine renfrognée.

— Je n'ai jamais rien entendu d'aussi ridicule, déclara-t-elle.

— C'est comme ça.

— C'est toute l'explication à laquelle j'aurai droit ?

— Je t'ai déjà donné la principale. Ne vois-tu pas que c'est à toi que je pense, Caitrina ? Je ne veux pas qu'il t'arrive quoi que ce soit.

La colère de Caitrina commença à fondre.

— Ce n'est pas toi qui m'accusais d'être trop protégée ? D'être dorlotée et coupée du monde réel ? À présent, tu voudrais m'enfermer de nouveau dans une cage dorée ? Tu ne comprends donc pas que je ne serai plus jamais cette femme-là ?

— Je sais que rien ne sera plus jamais comme avant, reprit-il. Mais je veux que tu sois en sécurité. Tu ne peux pas continuer comme ça.

— Je veux simplement aider.

— Et tu continueras à le faire, mais pas en te tuant à la tâche.

— Tu ne m'empêcheras pas de venir ici ? demanda-t-elle d'une voix angoissée.

— Non, pas si tu fais ce que je te dis.

Il ouvrit son *sporran* et en sortit une petite bourse en cuir.

— Prends ça. Va au village et achète du tissu ou une robe si tu en trouves une. Je ferai venir de belles toilettes d'Édimbourg mais cela fera l'affaire en attendant. Aujourd'hui, Caitrina. Fais-le aujourd'hui, je te prie.

Elle parut sur le point de refuser, puis accepta la bourse et la glissa dans ses jupes avant de baisser la tête avec respect.

— Comme vous voudrez, mon laird.

Il se retint de rire et la regarda se diriger vers la porte. À mi-chemin, elle tourna les talons et revint vers lui.

— J'ai oublié mon seau.

— Je vais te le chercher.

Il fit quelques pas vers la fenêtre et se pencha pour ramasser le seau tandis que Caitrina s'arrêtait là où il s'était tenu quelques instants plus tôt. Soudain, il entendit un craquement sinistre et un cri.

Il n'eut pas le temps de réfléchir. Il bondit sur Caitrina, la cueillant à la taille et la plaquant au sol en la protégeant de son corps. Il banda ses muscles, se préparant à l'impact. La poutre s'écrasa sur lui et le choc lui vida les poumons d'un coup. S'il en avait évité une partie, le bord tranchant avait transpercé sa chemise et lui avait entaillé le bras. Il sentit le sang chaud jaillir et couler jusqu'au bout de ses doigts.

Il roula sur le côté pour libérer Caitrina, sentant une douleur fulgurante dans toute son épaule. La grande salle devint floue. Il entendait les hommes appeler depuis l'échafaudage et les servantes pousser des cris. Tout le monde courait dans tous les sens mais il ne voyait qu'elle.

Caitrina était indemne, Dieu soit loué ! Ses ennemis affirmaient qu'il avait de la glace dans les veines et rien ne pouvait pénétrer son armure impavide. S'ils le voyaient à présent ! Son cœur palpitait comme celui d'un lapin affolé. Il n'avait jamais eu aussi peur de sa vie.

Si quelque chose était arrivé à Caitrina... Son cœur n'était plus qu'une boule de feu. S'il avait encore eu des doutes, ils étaient dissipés.

C'était sûr, désormais : il l'aimait de toute son âme, de tout son cœur.

Elle était penchée sur lui, le teint blême.

— Mon Dieu ! Tu n'as rien ?

Elle vit son bras. La plaie ouverte saignait abondamment, tachant sa chemise.

— Tu es blessé !

Elle éclata en sanglots. Mais c'était surtout la lumière dans ses yeux qui pénétrèrent le brouillard de douleur qui l'entourait. Une lumière vive. Nue. Comme s'il voyait dans son cœur.

Son épaule lui faisait un mal d'enfer mais peu lui importait ; il n'avait jamais rien vu d'aussi beau. Car les yeux de Caitrina, ses larmes, l'avaient trahie.

Ils n'étaient pas liés l'un à l'autre que par le devoir.

15

Caitrina faisait les cent pas dans la chambre du laird, faisant de son mieux pour rester calme et ne pas gêner Mor. Cette attente était insoutenable.

Du sang. Il en avait coulé tant ! La poutre qui était tombée sur eux faisait une bonne trentaine de centimètres d'épaisseur. Assez lourde pour tuer.

Elle ferma les yeux et prit une profonde inspiration, mais ne parvint pas à calmer les battements frénétiques de son cœur. La peur panique qui s'était emparée d'elle refusait de desserrer son étau.

Jamie avait failli mourir. Il aurait pu lui être arraché aussi soudainement que son père et ses frères. Dans la fraction de seconde durant laquelle elle avait compris ce qu'il se passait et où il s'était sacrifié pour elle, son cœur s'était mis à battre si fort qu'il avait fait tomber tous les masques.

Ennemi. Exécuteur. Campbell. Rien de tout cela n'avait plus d'importance : elle l'aimait. De toute son âme. Elle n'osait formuler ses sentiments car ils la terrifiaient. Aimer rendait vulnérable. Si elle le perdait, lui aussi...

C'était insupportable. Si elle attendait encore une minute sans savoir, elle allait devenir folle.

Tout en se tordant les mains, elle s'approcha du lit et tenta de regarder par-dessus l'épaule de Mor. Jamie était couché sur le flanc, regardant de l'autre côté pendant que la vieille nourrice soignait sa plaie.

— Alors, comment cela se présente ? demanda Caitrina.

— Exactement comme il y a cinq minutes, rétorqua Mor. Mais c'est difficile à dire car tu me caches la lumière.

Caitrina recula pour s'écarter de la lueur vacillante de la chandelle. Il n'était que midi mais les étroites meurtrières ne laissaient pas filtrer beaucoup de lumière.

— Cela se présentera beaucoup moins bien si tu m'empêches de le recoudre, poursuivit Mor.

— Mais tu es sûre qu'il…

Deux voix lui répondirent à l'unisson :

— Il va bien…

— Je vais bien…

Si elle n'avait pas été bouleversée, elle aurait sans doute été amusée d'entendre, pour une fois, Mor et Jamie parler d'une même voix. Elle alla sagement attendre de l'autre côté de la pièce. Quelques servantes allaient et venaient, obéissant aux ordres de la nourrice, apportant de l'eau propre, des linges et des herbes.

Caitrina ne s'était jamais sentie aussi impuissante. Comment ce terrible accident avait-il pu se produire ? Et d'ailleurs, était-ce bien un accident ? Elle avait remarqué le teint livide de Seamus. Elle ne voulait pas le croire mais, avec le recul, les propos qu'il avait tenus peu avant ressemblaient fort à une menace.

Enfin, après quelques minutes qui lui parurent des heures, Mor quitta son tabouret.

— Tu peux t'approcher à présent, Caiti.

Elle se précipita vers le lit et put enfin voir clairement son mari. Il s'était redressé en position assise, adossé à la tête de lit. Son torse nu luisait de transpiration. Il portait toujours ses bottes et ses culottes mais sa chemise souillée et son tartan était jetés sur une chaise.

Mor avait nettoyé le sang mais il avait une épaisse cicatrice en zigzag en travers de l'épaule et la peau commençait à revêtir une teinte violacée de la clavicule jusqu'au coude. Cela paraissait très douloureux.

Mais il était vivant !

Elle s'assit sur le bord du lit et prit timidement sa main dans la sienne.

— Comment te sens-tu ?

Il esquissa un demi-sourire malicieux.

— J'ai subi bien pire sur le champ de bataille. Je crois qu'il n'y a rien de cassé.

Il lança un regard interrogateur à Mor qui le confirma d'un signe de tête.

— Rien de cassé, mais vous allez avoir un mal de chien pendant quelques jours.

Comme si elle devinait déjà que son patient serait difficile, elle ajouta :

— Il faudra veiller à ne pas rouvrir la plaie sinon elle risque de s'infecter. Je vais vous faire monter une potion pour la douleur.

— Je n'en ai pas besoin, répondit Jamie.

Caitrina lança un regard entendu à Mor, lui faisant savoir qu'elle la lui donnerait elle-même, même s'il fallait pour cela la lui faire avaler de force.

La vieille nourrice sortit en grommelant quelque chose au sujet des mâles et de leur maudite fierté, laissant Caitrina seule avec son mari.

Celle-ci réprima un sourire et dévisagea Jamie qui semblait faire de même.

— Je ne crois pas que tu l'aies impressionnée avec ta déclaration de bravoure.

— Tu as raison, dit-il en riant. Mais ce n'est pas la raison pour laquelle j'ai refusé ses remèdes. Je n'aime pas l'état dans lequel ils me mettent. Je préfère la douleur à l'hébétude qu'induisent ces drogues.

« Toujours sur ses gardes », pensa-t-elle. Après ce qu'il venait de se passer, elle ne pouvait guère le lui reprocher.

Maintenant qu'elle était rassurée sur son état, elle commençait à mesurer le danger auquel ils avaient échappé. Elle ne pouvait plus contenir le flot de ses émotions. Elle avait besoin de lui, de sa force, de sa présence à ses côtés. Elle devait également vaincre son angoisse de le perdre.

En veillant à ne pas toucher son épaule, elle posa la joue sur son torse nu, savourant le contact chaud et lisse de sa peau, puisant un réconfort dans le battement régulier de son cœur. Il fut d'abord surpris par son geste, puis se détendit.

— J'ai eu si peur, avoua-t-elle d'une voix tremblante. Tu aurais pu être tué.

Il caressa ses cheveux, sa main puissante capable de manier une arme avec une précision mortelle soudain aussi douce que celle d'une mère consolant son enfant.

— Mais je suis toujours là, répondit-il. Même si c'est un prix que j'étais prêt à payer.

Elle se redressa.

— Ne dis pas ça ! Je ne pourrai pas le supporter une nouvelle fois. Mon père, mes frères...

Les larmes se mirent à couler sur ses joues. Elle avait tant aimé sa famille et l'avait perdue. Comment pouvait-elle revivre un tel déchirement ? Elle savait à quel point ce qu'il faisait était dangereux. Cette seule pensée la remplissait d'effroi.

— Je ne peux pas te perdre, reprit-elle. Promets-moi...

— Tu ne me perdras pas, promit-il en l'attirant contre lui.

Ils restèrent silencieux. Tous deux savaient qu'il ne pourrait pas tenir cette promesse. Ils vivaient dans un monde où la mort était partout, surtout pour un guerrier.

Caitrina se sentait plus calme, mais des images de l'accident passaient et repassaient sans cesse dans sa tête.

— Tout s'est passé si vite, murmura-t-elle.

— Oui, si je n'avais pas entendu le bruit et levé le nez...

Jamais sa voix n'avait été chargée d'une telle émotion. Jamie Campbell, l'homme le plus redouté des Highlands, avait eu peur. Peur pour elle.

— Lorsque je mettrai la main sur le responsable…

— Je suis sûre que ce n'était qu'un accident.

Il la dévisagea et elle comprit qu'ils partageaient les mêmes soupçons.

— Je suis sûr que personne ne te visait, rectifia-t-il.

Elle pria pour que Seamus ne soit pas mêlé à cette histoire. Sa loyauté envers son clan avait des limites et une tentative de meurtre en était une. Si Seamus était coupable, il en paierait le prix.

— Je ne t'ai pas remercié pour m'avoir sauvé la vie, dit-elle soudain.

— Tu n'as pas besoin de me remercier. Quand je t'ai dit que je te protégerais toujours, j'étais sincère.

Lorsqu'il posa son bras blessé sur sa taille et la serra contre lui, elle aurait voulu figer ce moment à jamais. Après tout ce qu'il s'était passé au cours des derniers mois, elle n'aurait jamais pensé retrouver un jour cette sensation de paix et de sécurité.

Elle n'avait plus besoin de parler car elle savait qu'il partageait ses sentiments. Un accident avait réussi ce que ni l'un ni l'autre n'était parvenu à accomplir : faire tomber leurs cuirasses de faux-semblants et révéler la vérité de leurs cœurs. Il avait fallu qu'elle soit confrontée à la peur de le perdre pour accepter ce qu'il était devenu pour elle.

— Tu m'as manqué, dit-elle soudain.

— Toi aussi.

— Je n'aurais jamais dû dire ces choses-là. Tu ne m'as jamais donné de raisons de douter de toi. J'ai confiance en toi, c'est juste que…

Elle chercha vainement les mots appropriés, puis conclut faute de mieux :

— C'est compliqué…

— Je comprends. Je ne peux pas te promettre qu'il n'y aura pas de problèmes.

— Je sais.

Mais quels que soient ces problèmes, elle ne les laisserait plus la priver de sa présence dans son lit. Même si son clan ne parvenait jamais à l'accepter.

Elle fit glisser sa main jusqu'à son ventre et caressa la fine ligne de duvet brun, sous son nombril. Elle ne pouvait pas ignorer l'érection qui gonflait sa braguette. Alors qu'elle posait la main sur son sexe durci, elle se souvint qu'il était blessé.

— Pardon, dit-elle en ôtant aussitôt sa main. Je n'ai pas réfléchi.

Elle se redressa et voulut se lever du lit.

— Je devrais te laisser te reposer.

Il la rattrapa par le bras et l'attira de nouveau sur lui.

— Reste, j'ai besoin de toi.

— Mais… ton épaule ?

— Le plaisir que tu me donnes vaut toutes les potions du monde. Toi seule peux calmer ma douleur, Caitrina.

Il planta ses yeux dans les siens et écarta une mèche de cheveux qui retombait sur son visage.

— Fais-moi oublier, l'implora-t-il.

Il glissa sa langue entre ses lèvres dans un long baiser profond et sensuel. Quand il la libéra, elle n'avait plus de souffle. Cela le fit sourire.

— Cela faisait trop longtemps…

— Cela ne fait que trois jours, précisa-t-elle.

— Presque quatre.

— Tu es incorrigible ! dit-elle en riant.

Il l'embrassa encore et glissa une main le long de son dos jusqu'à ses fesses, la pressant contre ses hanches.

— Non, je suis juste un homme désespéré. Aie pitié de moi.

Elle prit un air faussement sévère.

— D'accord, mais à certaines conditions.

— Je t'écoute.

— Tu ne dois pas bouger.

Il esquissa un sourire très coquin.

— Je ferai de mon mieux. Quoi d'autre ?

212

— Si tu as mal, tu dois le dire.

— Si j'ai mal où ?

Elle lui donna une tape sur le torse.

— À l'épaule, imbécile !

Il prit un air contrit que démentait la lueur malicieuse dans ses yeux.

— Je te le promets.

Elle se leva et alla abaisser la clenche de la porte afin qu'ils ne soient pas dérangés. Elle sentait son regard suivre le moindre de ses mouvements.

— Il y a quelques problèmes, annonça-t-il.

— Ah oui, lesquels ?

— Nos vêtements. Je crains d'avoir trop mal à l'épaule pour t'aider à ôter les tiens.

— Vraiment ?

— Il va falloir que tu te déshabilles toute seule.

— Et que vas-tu faire, pendant ce temps ?

— Te regarder, bien sûr.

Lui tournant le dos, elle ôta son *arisaidh*, le plia avec soin et le mit sur le dossier d'une chaise. En lançant un regard par-dessus son épaule, elle le surprit lorgnant ses fesses.

— Je suppose que tu n'es pas en mesure de délacer mon corset ?

— Laisse-moi voir ce que je peux faire.

Elle s'approcha du lit et il dénoua les lacets de sa robe et de son corset. Ses doigts caressaient sa peau à chaque passage, s'attardant dans le creux de ses reins et la faisant frissonner.

Lorsqu'il eut fini, elle laissa tomber sa robe, puis passa son corset à demi délacé par-dessus sa tête. Elle ne portait plus qu'une chemise, mais l'atmosphère dans la chambre s'était considérablement réchauffée. Comme elle commençait à dénouer le cordon de sa chemise dans sa nuque, il lui prit le poignet.

— Attends, tourne-toi que je te voie, dit-il d'une voix rauque.

213

Elle obéit, un peu gênée mais très excitée elle aussi. Il y avait quelque chose de très sensuel à se déshabiller devant un homme qui vous dévorait des yeux.

Elle acheva de dénouer le cordon et se pencha en avant pour ôter ses souliers, lui offrant une vue plongeante sur ses seins. Ensuite, elle retroussa sa chemise jusqu'à mi-cuisse et posa un pied sur le lit ; elle prit son temps pour faire glisser ses bas sur sa jambe...

Leurs regards se croisèrent. Celui de Jamie était brûlant de désir.

— Enlève-la, murmura-t-il.

Elle souleva le bord de sa chemise un peu plus haut, puis plus haut encore, lui révélant la courbe de ses hanches, son ventre, ses seins... avant de la laisser tomber sur le parquet.

Lentement, il promena son regard sur chaque partie de son corps.

— Mon Dieu, que tu es belle !

— À part mon nez crochu, le taquina-t-elle.

Il se mit à rire.

— C'est ce que je préfère chez toi...

En vérité, sous son regard, elle se sentait belle. Elle se pencha vers lui, défit la ceinture de ses culottes et libéra sa verge dressée. Puis elle glissa ses mains sous ses fesses fermes pour lui retirer son vêtement. Elle avait hâte de le sentir en elle. Elle l'enfourcha pendant qu'il lui caressait les seins. Elle était chaude et humide, prête à le recevoir, mais elle voulait prolonger les sensations qui parcouraient son corps.

— Oh, mon Dieu, gémit-il. Tu me tues. J'ai besoin d'être en toi.

Il glissa une main entre eux et la caressa du pouce, titillant son bouton de rose. Au bord de l'extase, elle se raidit contre lui en gémissant de plaisir.

Pendant que les spasmes la parcouraient, il la prit par les hanches et plongea en elle d'un coup, la pénétrant si profondément qu'elle poussa un cri. Il n'y avait pas d'équivalent à cette sensation d'union absolue, une union d'autant plus puissante qu'elle savait à présent qu'elle se fondait sur des sentiments profonds.

De nouveau, elle la sentit grandir, cette envie insatiable, désespérée, avide... Il l'attira contre lui de sorte que leurs corps ne fassent plus qu'un, faisant naître en elle une onde délicieuse qui parcourait tout son corps.

Elle était si belle quand elle faisait l'amour, son corps moite et tremblant sous la force de sa jouissance, son visage métamorphosé par l'extase. Il aurait pu la regarder jouir encore et encore. Cela éveillait en lui une émotion profonde et sauvage ; si primale qu'il n'avait pas de mots pour la décrire. Il ne savait qu'une chose : elle lui appartenait, corps et âme.

Les derniers frissons s'estompèrent et elle s'abandonna contre lui, douce et tendre entre ses bras. En veillant à ne pas écraser son épaule blessée, il prit appui sur son bras indemne et roula sur elle.

Il était toujours en elle et avait besoin de libérer le torrent de passion qu'il avait contenu tout ce temps. Il la dévisagea attentivement.

— Tu vas bien ?

Son visage se fendit d'un sourire paresseux.

— Plus que bien.

Elle avait le regard flou. Incapable de résister, il saisit sa lèvre sensuelle entre ses dents et la mordilla avec douceur.

— Je ne suis pas trop lourd pour toi ?

Elle sembla soudain revenir à elle.

— Tu avais promis de ne pas bouger ! le gronda-t-elle.

— J'ai menti.

En réalité, se soutenir sur un bras était plus dur qu'il ne l'avait cru, mais il tint bon. Il l'embrassa encore, la fouillant de sa langue jusqu'à ce qu'elle se raidisse contre lui. À contrecœur, il se retira.

— Mais...

Il la fit taire en lui posant les doigts sur les lèvres.

— Fais-moi confiance.

Il se leva du lit et la tira vers lui de sorte que ses fesses reposent sur le bord du matelas, à la hauteur idéale.

Son sexe l'élançait et il avait hâte de retrouver sa chaleur.

Les yeux dans les siens, il lui écarta les cuisses, caressant sa peau douce, admirant ses longues jambes fines et blanches. Il avait hâte de les sentir enroulées autour de sa taille.

Lentement, il plaça l'extrémité de son membre contre son orifice humide, doux et rose... prêt à le recevoir. Il frotta son gland sensible contre elle, la faisant gémir.

Il humecta son index, puis effleura sa fente. Elle se cambra. Son propre plaisir pouvait attendre.

Il se pencha sur elle, embrassa ses petits mamelons roses durcis par le désir, puis son ventre d'ivoire. Il descendit plus bas, embrassant la chair tendre à l'intérieur de ses cuisses. Elle avait un goût de miel.

— Qu'est-ce que tu... ?

— Fais-moi confiance, répéta-t-il.

Il souffla doucement sur son mont de Vénus, la faisant frémir. Il inhala sa délicate odeur de femme, le plus puissant des aphrodisiaques, et sentit aussitôt la pression monter dans son membre. Pour un peu, il aurait explosé sur-le-champ. Il enfouit son visage entre ses jambes et la sentit se raidir quand il déposa un baiser sur sa toison. Glissant les mains sous ses fesses, il la souleva en peu plus et la goûta avec avidité, dardant sa langue autour de sa fente puis à l'intérieur, léchant et suçant jusqu'à ce qu'elle soit humide et chaude.

Elle se tordait sur le lit, poussant ses hanches contre sa bouche, l'invitant à aller plus loin. Alors, il cessa cette caresse intime et la prit, regardant son membre s'enfoncer en elle centimètre par centimètre. Une fois leurs deux corps réunis, il ferma les yeux et renversa la tête en arrière, savourant les sensations intenses qui le parcouraient.

Il se sentait galvanisé, plus libre que jamais. C'était le paradis... Elle souleva les fesses, en exigeant plus. Il commença ses va-et-vient, plongeant plus profondément à chaque entrée, adorant cette sensation d'être en elle, de la remplir, de la faire sienne. Elle le serrait avec ses muscles intimes, l'attirant en elle. Il n'avait jamais vécu une telle sensation. Il se consumait, perdant tout contrôle de lui-même...

Il ne pouvait plus penser, le corps en feu. Il tenta de se retenir d'exploser, jusqu'à ce qu'il l'entende pousser de petits cris, assaillie par une vague de plaisir. Alors il se lâcha, jouissant en elle avec un soupir qui semblait provenir du plus profond de son être.

Il la tint serrée contre lui jusqu'au dernier frisson, puis se laissa tomber sur le lit à ses côtés, l'attira à lui et attendit d'avoir retrouvé son souffle pour parler.

Mais parler de quoi ? Que restait-il à dire entre eux ? Les mots paraissaient insuffisants et banals après une telle expérience. Il l'aimait de toute son âme et il en serait ainsi jusqu'à son dernier jour.

Il ne pouvait lui restituer sa famille mais il ferait tout son possible pour la rendre heureuse. Alors, peut-être qu'un jour, il lui suffirait... Il se jura que rien ne viendrait plus jamais les séparer.

Peut-être était-ce sa blessure, ou peut-être était-ce l'épuisement après leurs ébats mais, lorsqu'il ferma les yeux, il s'endormit aussitôt, en plein après-midi.

16

— Mais il est beaucoup trop tôt !

Caitrina tira la courtepointe sur ses seins et dévisagea son mari d'un air horrifié.

— Tu n'as pas vraiment besoin de te cacher, déclarat-il avec un sourire. Il n'y a pas un centimètre de ton corps que je n'aie déjà caressé et gravé dans ma mémoire à jamais.

Elle rougit. Bien qu'ils n'aient cessé de faire l'amour ces derniers jours, certaines habitudes, dont la pudeur, avaient la vie longue.

On ne pouvait en dire autant de Jamie. Il n'avait pas la moindre gêne à déambuler nu dans la pièce, exhibant son corps superbe. Il était toujours si sûr de lui ; c'était un des aspects qu'elle admirait le plus chez lui. Il puisait une aisance et une assurance dans son rang, sa fortune et son pouvoir.

Il venait de se baigner et avait noué autour de sa taille le linge humide avec lequel il s'était séché et qui moulait ses fesses rondes et fermes. Il le laissa tomber au sol, puis enfila sa chemise en la passant par-dessus sa tête, lui montrant son dos. La douce lumière du matin soulignait les contours de ses muscles.

Le scélérat ! Il était parvenu à détourner son attention. Mais elle aussi pouvait jouer à ce petit jeu. Laissant retomber la courtepointe, elle sortit du lit pour faire sa toilette. Elle venait d'enfiler sa chemise quand il vint se placer derrière elle, lui enlaçant la taille. Elle se laissa aller contre lui tandis qu'il couvrait sa nuque de petits baisers chauds.

— Ta ruse est un peu grossière, femme, murmura-t-il dans son oreille.

Elle se retourna avec un soupir.

— Mais il est trop tôt pour que tu retournes au travail. Ton épaule...

— Mon épaule va très bien.

— Mais...

— N'insiste pas, Caitrina. J'ai bien bu ta maudite potion, non ?

Caitrina sourit malgré elle. Elle avait dû faire appel à tous ses pouvoirs de persuasion pour lui faire avaler le remède de Mor.

— Oui, mais...

— J'ai promis de faire attention, l'interrompit-il de nouveau en lui caressant la joue. Il faut que je me remette au travail. Nous ne pouvons pas rester enfermés ici pour toujours, Caitrina.

— Je sais, soupira-t-elle.

Ce n'était pas uniquement sa blessure qui l'inquiétait, mais aussi l'intrusion de la réalité dans le refuge de leur chambre, à l'abri des problèmes de clan et des devoirs incombant à leur rang. Ici, rien ne pouvait se dresser entre eux. C'était lâche de sa part, mais elle voulait le garder pour elle seule encore un peu.

Elle s'assit sur le bord du lit et le regarda finir de s'habiller. Il fixa le *breacan feile* sur son épaule avec son insigne de chef, qui représentait une tête de sanglier symbolisant la férocité des Campbell au combat.

Lorsqu'il eut fini, il l'attira à lui et lui prit le menton dans une main, la forçant à le regarder dans les yeux.

— Tu me fais confiance, n'est-ce pas ?

— Tu sais bien que oui.

Au cours des derniers jours, elle avait voulu à plusieurs reprises lui exprimer ses sentiments. Elle était une nouvelle fois tentée de le faire à présent, mais les mots restaient coincés dans sa gorge. Ses émotions étaient encore trop teintées de peur et les plaies du passé toujours béantes. De toute évidence, il l'aimait, cependant elle n'était pas sûre de la force de son amour. Elle ne voulait pas mettre en danger l'équilibre délicat auquel ils étaient parvenus ces derniers jours.

— Dans ce cas, nous surmonterons cette épreuve ensemble, conclut-il.

Elle pria pour que leur lien soit assez puissant pour résister aux obstacles que la vie dresserait sur leur chemin.

Une heure plus tard, Caitrina venait d'avaler le dernier biscuit de son petit déjeuner quand elle entendit le guet crier qu'un messager arrivait. Elle n'y prêta pas attention, car il en venait tous les jours.

Elle croyait Jamie déjà parti pour Ascog, aussi fut-elle fort surprise de le voir entrer dans la grande salle, quelques minutes plus tard. À son air sinistre, elle devina qu'il y avait un problème. Un très gros problème.

Elle se leva de table et se précipita vers lui, indifférente aux regards réprobateurs de Seamus et de ses hommes. Sa nouvelle intimité avec son mari n'était pas passée inaperçue.

Elle lui prit le bras et le sentit noué par la tension. Il portait son masque d'Exécuteur royal, l'expression implacable d'un homme paré pour le combat.

— Que se passe-t-il ? demanda-t-elle.

— Je dois partir.

Elle resta interdite quelques secondes avant de réagir.

— Mais... pourquoi ? Où vas-tu ? Qui t'a envoyé chercher ?

Il lui vint soudain un doute terrible.

— C'est ta sœur ? Il est arrivé quelque chose à Elizabeth ?

220

— Non, Lizzie n'a rien. Le message venait de mon cousin.

Argyll. Son ventre se noua encore un peu plus.

— Ah... Mais tu n'es pas encore complètement remis...

— Je vais très bien. Cela ne peut pas attendre.

Il ne la regardait même pas, l'esprit absorbé par l'affaire qui l'arrachait à elle. Elle ne l'avait encore jamais vu ainsi : distrait, impatient... lointain. Elle haïssait Argyll plus que jamais et trouvait intolérable qu'il puisse lui prendre Jamie et se faire obéir au doigt et à l'œil quand bon lui semblait.

— Tu ne veux pas me dire ce que...

— Nous en parlerons à mon retour.

Son ton était péremptoire. L'intimité qu'ils avaient partagée semblait oubliée. Elle recula d'un pas.

— Dans ce cas, je ne veux pas te retenir davantage.

Il dut sentir qu'il l'avait blessée car il s'arrêta un instant et déposa un baiser sur son front, comme le faisait son père, ce qui acheva d'agacer Caitrina.

— Je reviendrai vite et t'expliquerai tout, l'assura-t-il.

Mais il en fallait plus pour apaiser Caitrina, qui n'acceptait plus d'être tenue à l'écart. Il se tourna pour partir mais elle le retint par le bras.

— Tu ne courras aucun danger ?

Il esquissa un sourire.

— Je vais simplement à Dunoon, Caitrina. Rien de plus.

Ce ne fut qu'une fois qu'il eut quitté la grande salle qu'elle se rendit compte qu'il n'avait pas répondu à sa question.

Après le départ précipité de Jamie, Caitrina sortit se promener pour évacuer sa frustration. Elle remontait le sentier détrempé d'un pas décidé et furieux, sans se soucier de la boue qui maculait ses jupes.

En voulant se rendre à Ascog le matin, elle avait appris que Jamie avait donné l'ordre de ne pas la laisser sortir du château durant son absence. Comme si de la quitter sans explication ne suffisait pas !

Il ne lui avait pas fallu plus d'un quart d'heure pour enfreindre son ordre, le temps de trouver un tartan pour se couvrir la tête et se mêler à un groupe de domestiques qui s'apprêtaient à franchir le portail. Elle avait saisi un seau et s'était fait passer pour une des servantes qui travaillaient sur le chantier. Mais il n'était pas venu à l'esprit de Jamie qu'elle puisse lui désobéir, car personne ne surveillait les femmes qui quittaient le château.

Une fois au-dehors, elle s'était laissé distancer par les autres. Jamie Campbell allait avoir affaire à elle ! S'il s'imaginait être tombé sur une épouse complaisante qui obéissait sans broncher à son seigneur et maître, une gentille femme qui lui dirait adieu en agitant son mouchoir et l'accueillerait à bras ouverts à son retour, il se trompait lourdement ! S'il l'aimait, il devait lui témoigner le respect dû à une épouse, une partenaire. *Partenaire*, oui, ce mot lui plaisait bien. Elle voulait tout savoir et refusait qu'on l'enferme de nouveau dans une cage dorée, coupée des réalités du monde. Et dire qu'il l'avait embrassée sur le front ! Quelle condescendance...

— Ravi de voir que tu es redevenue raisonnable, ma fille.

La voix derrière elle la fit sursauter et il lui fallut quelques instants pour reconnaître Seamus. Apparemment, elle avait parlé à voix haute. Agacée par cette interruption, elle demanda d'un ton sec :

— Raisonnable ? Qu'entends-tu par là ?

— Nous croyions t'avoir perdue.

— Je ne comprends toujours pas.

— Tout le monde pensait que tu étais définitivement passée dans le camp de l'Exécuteur d'Argyll.

Elle se raidit en entendant ce surnom mais n'était pas d'humeur à défendre son mari en ce moment. De toute façon, avec les anciens gardes de son père, c'était prêcher dans le désert.

— Tu me cherchais, Seamus ?

— Oui, cela fait un certain temps que j'essaie de te parler, mais l'Exécuteur ne te quitte pas des yeux.

Il s'interrompit et lança un regard à la ronde comme s'il s'attendait à ce que quelqu'un surgisse de derrière un arbre.

— Même le château a des oreilles, ajouta-t-il.

— Un laird a le devoir de se tenir au courant de ce qui se passe chez lui, rétorqua-t-elle. Il a sans doute raison d'être prudent, compte tenu de l'accident qui a failli nous coûter la vie à tous les deux.

Elle n'avait pas encore parlé à Seamus de cette journée mais Jamie s'en était chargé plus tôt dans la matinée. Le vieux garde de son père affirmait qu'il était en train de hisser une des grandes poutres quand une corde avait glissé, la faisant percuter un madrier de l'échafaudage. C'était le bruit qui avait alerté Jamie et leur avait sauvé leur vie. Tous les Lamont juraient comme un seul homme que c'était un accident et les gardes de Jamie n'avaient pu démontrer le contraire.

Jamie n'avait pas voulu envenimer la rancœur des Lamont en punissant Seamus mais il l'avait averti qu'en cas de nouvel « accident », il se retrouverait avec une corde autour du cou, preuve ou pas.

— Oui, un regrettable accident, déclara Seamus sans conviction.

— Seamus, jure-moi qu'il ne se produira plus jamais rien de tel, dit Caitrina en le regardant fixement. Je sais que c'est difficile, mais nous devons nous adapter.

— Jamais ! lâcha-t-il avec véhémence. Nous n'accepterons pas un Campbell comme laird. Cela me fait mal de te voir accepter une telle infamie, ma fille.

— Si tu es pour quelque chose dans cet accident, Seamus...

— Pas maintenant, la coupa-t-il. Tu comprendras très bientôt. Pour le moment, il faut faire vite. Suis-moi.

Il voulut lui prendre la main pour l'entraîner à travers bois mais elle enfonça les talons dans la terre, refusant de bouger.

— Où veux-tu m'emmener ? Et pourquoi tout ce mystère ?

Seamus lança de nouveaux regards autour de lui et abaissa la voix.

— Je ne peux pas t'expliquer cela maintenant, c'est trop dangereux. Les hommes de Campbell peuvent arriver d'un instant à l'autre. Il faut que tu viennes avec moi pour voir par toi-même, ma fille. Fais-moi confiance, il ne faut pas rater ça.

Caitrina hésita. Après ce qu'il s'était passé, elle n'était pas rassurée à l'idée de rester seule avec Seamus. Et puis, Jamie ne lui avait-il pas donné l'ordre de rester dans le château ? Elle n'y avait pas vraiment réfléchi jusque-là, mais il avait sans doute une raison, au-delà de sa propension à vouloir la protéger de tout.

— Je ne crois pas que ce soit une bonne idée, Seamus. Demain, peut-être...

Une voix venue de derrière les arbres l'interrompit.

— Par tous les saints, Caiti, pourquoi faut-il que tu sois toujours aussi contrariante ? Ne t'ai-je pas dit cent fois que les hommes préféraient les femmes dociles ?

Elle sentit tous les poils de son corps se hérisser et fit volte-face, lançant des regards ahuris en direction de cette voix douloureusement familière. Elle secoua la tête.

— Non, ce n'est pas vrai...

— J'ai bien peur que si, sœurette.

Un homme venait d'avancer entre les troncs, sa silhouette haute et large d'épaules à contre-jour. Elle sentit son sang se glacer. *Seigneur, Niall !*

Elle se trouvait face à un fantôme. L'émotion qui s'empara d'elle était si violente que sa tête se mit à tourner.

— Retiens-la, lança Niall à Seamus. Je crois bien qu'elle va...

Caitrina n'entendit pas la suite car les ténèbres l'engloutirent.

« Aïe. » Quelqu'un lui donnait des claques sur la joue. Caitrina agita la tête et écarta la main.

— Arrête ça !

Un homme se mit à rire.

— À mon avis, elle va bien. En tout cas, le choc n'a pas adouci son sale caractère.

Caitrina ouvrit les yeux et plongea dans les profondeurs d'un regard bleu qu'elle connaissait bien. Elle détailla son frère. Il était maigre et portait quelques nouvelles cicatrices, mais c'était bien son frère chéri. Elle posa une main sur sa joue mal rasée.

— Tu es bien réel !

Niall lui adressa son fameux sourire railleur qu'il avait mis des années à peaufiner et qui faisait des ravages sur les filles du village.

— Oui, chérie. C'est bien moi, en chair et en os.

Elle se jeta à son cou et fondit en larmes. Son bonheur était indicible. Une lumière venait de s'allumer dans un coin de son cœur qu'elle avait cru condamné à jamais.

Son cher et insupportable frère était en vie, toujours aussi taquin et fier-à-bras ! Il paraissait en bonne santé mais elle voyait bien que, comme elle, il avait changé. Il était plus dur, plus sombre, plus révolté.

Elle ne pouvait s'arrêter de pleurer. Niall la tint contre lui, caressant ses cheveux tout en murmurant des paroles d'apaisement.

— Tout va bien, Caiti. Je suis là, tout va bien.

Elle s'écarta et essuya ses yeux avec l'impression de se réveiller d'un terrible cauchemar.

— Mais comment est-ce possible ? demanda-t-elle. Pourquoi ne m'as-tu rien dit ? Comment as-tu pu me laisser croire que tu étais mort pendant tout ce temps ?

Il se mit à rire.

— Ah, je retrouve enfin ma sœur. Je commençais à croire que cette petite créature pleurnicharde était quelqu'un d'autre.

Il la regarda des pieds à la tête, s'attardant sur ses jupes sales et son *arisaidh* élimé.

— Tu es différente, ma Caiti. J'ai bien failli ne pas te reconnaître. Que t'est-il arrivé ?

— J'ai changé.

— C'est ce que je vois. Ces maudits Campbell ont fait de nous tous des mendiants !

Devant son air amer, elle regretta de ne pas avoir acheté un nouveau tissu, comme Jamie le lui avait demandé. D'un autre côté, il n'était sans doute pas opportun d'indiquer à Niall que Jamie et lui partageaient le même avis sur ses tenues. Elle lui demanda plutôt :

— Où étais-tu ?

— Je vais tout t'expliquer mais d'abord, suis-moi.

Il se leva et lui tendit la main. En regardant autour d'elle, elle se rendit compte qu'ils n'étaient plus dans la forêt mais dans une grotte. La galerie de pierre était sombre et humide.

— Où sommes-nous ? Comment suis-je arrivée ici ?

— Nous sommes dans une grotte, près d'Ascog, et c'est moi qui t'ai portée. Pour une fille aussi menue, tu es sacrément lourde ! Quand tu t'es évanouie…

— Je ne me suis pas évanouie ! protesta-t-elle.

— Alors disons que tu t'es pâmée en me voyant.

Il arborait une moue moqueuse et, si elle n'avait pas été aussi heureuse de le voir, elle l'aurait volontiers étranglé. Elle ouvrit la bouche pour lui asséner une réplique bien sentie mais il la coupa dans son élan.

— Vues les circonstances, c'était compréhensible. N'est-ce pas, Seamus ?

Le vieux garde, qui faisait le guet à l'entrée de la grotte, se tourna vers eux et répondit :

— Oui, chef, très compréhensible.

Chef. Caitrina croisa le regard de Seamus et comprit soudain. Naturellement, Niall était désormais le chef des Lamont, ou le serait lorsqu'on saurait qu'il était vivant. Le comportement de Seamus prenait un nouveau sens.

Niall luit prit la main et l'entraîna vers le fond de la grotte.

— Viens, il faut que tu voies ce pour quoi je t'ai amenée ici.

Ils avancèrent de quelques mètres, puis arrivèrent devant une fourche.

— Souviens-toi bien du chemin, la prévint-il. On se perd vite dans ce dédale.

Caitrina serra sa main un peu plus fort et baissa la tête tandis qu'ils pénétraient dans une petite salle basse. Quelques torches étaient suspendues aux parois. Sur le sol en terre se trouvait une paillasse de fortune au pied de laquelle était couché un grand chien. Il ressemblait à Boru. L'un des gardes de son père était penché sur une silhouette.

Là, à la lueur vacillante des torches, Caitrina eut un second choc.

— Brian !

Elle se précipita, tomba à genoux et le prit dans ses bras.

— Caiti ! dit-il d'une voix faible. Je savais que tu viendrais. Tout comme Boru. Il m'attendait sagement à mon retour.

Il dut s'interrompre, pris d'une quinte de toux. Se rendant compte qu'il était très mal en point, elle le libéra et l'examina. Son visage était émacié et crasseux. Il avait un bras éclissé et bandage souillé de sang autour du crâne. Elle se tourna vers Niall.

— Que lui est-il arrivé ? Nous devons le faire soigner.

Niall lui fit signe qu'il ne voulait pas parler devant le garçon. Quand elle se tourna de nouveau vers Brian, il avait fermé les paupières. La joie des retrouvailles l'avait vidé de ses forces. Rabattant le châle autour de ses épaules, elle déposa un baiser sur son front.

Elle laissa couler ses larmes, profondément bouleversée. Niall et Brian étaient tous deux en vie ! Elle regarda autour d'elle, s'attendant presque à voir...

Son regard croisa celui de Niall.

— Hélas ! non, ma Caiti ! Malcom est tombé peu après père.

Ses traits se durcirent, le rendant méconnaissable. Il reprit :

— Il a été tué par Campbell d'Auchinbreck, le frère de ton mari.

Son frère la dévisageait d'un air de défi et elle tressaillit devant cette accusation silencieuse.

— Niall, je peux expliquer...

— J'y compte bien, mais pas ici.

Elle resta encore quelques minutes au chevet de Brian, savourant le simple plaisir de le regarder. Bien que faible et gravement malade, il était vivant. Elle passa la main sur son front moite et brûlant. Seigneur, comme ils lui avaient manqué !

Elle ne pouvait pas faire grand-chose pour lui pour l'heure. Elle l'embrassa une dernière fois et se leva pour suivre Niall dans la salle située près de l'entrée de la grotte.

Son frère tira à lui un gros morceau de bois sec qui faisait office de tabouret.

— Assieds-toi.

Elle s'exécuta et il prit place à ses côtés.

— Je sais que tu as une foule de questions à me poser et je ferai de mon mieux pour y répondre, commença-t-il. Mais ensuite, tu répondras à quelques-unes des miennes.

228

Elle déglutit, son ton ne lui disant rien qui vaille. Puis elle releva fièrement le menton. Il avait lui aussi quelques comptes à rendre. Pourquoi ne lui avait-il pas envoyé un message ? Elle les avait pleurés durant des mois, les croyant morts.

Niall s'éclaircit la gorge et commença son récit des événements ayant suivi le raid.

— Après la première vague de combats, nous avons vécu le chaos. Les Campbell avaient pris le château ; les femmes et les enfants fuyaient le donjon. Père et Malcom étaient morts et je m'efforçais d'organiser la lutte des hommes encore debout. Quand j'ai compris que nous n'avions aucune chance de reprendre Ascog, ma principale préoccupation a été de sauver le plus de nos gens possible, de les conduire en lieu sûr dans les montagnes, puis de nous organiser avant de reprendre les combats. Mais avant que j'aie pu venir te chercher, nous avons été de nouveau attaqués et j'ai encore perdu des hommes. Entretemps, ils avaient incendié le château. Tu n'imagines pas ce que j'ai ressenti quand j'ai appris que Brian et toi étiez encore à l'intérieur.

Caitrina sentit les larmes lui monter aux yeux. Elle aussi, elle se souvenait. Niall poursuivit :

— C'était l'enfer. Je n'avais jamais vu autant de sang. Mes hommes se faisaient massacrer. Auchinbreck ne faisait pas de quartier. Comprenant que nous allions tous mourir, j'ai ordonné aux hommes de se retrancher dans les montagnes et ai décidé de venir vous chercher moi-même, Brian et toi. Je me suis faufilé, essayant de ne pas me faire remarquer. J'ai vu deux soldats balancer Brian sur une pile de cadavres qu'ils avaient l'intention de brûler. Ils riaient et plaisantaient, ces chiens ! À un moment, je les ai entendus prononcer ton nom. L'un d'eux disait que c'était dommage qu'ils n'aient pas eu l'occasion de...

Elle poussa un petit cri étranglé. Le regard de Niall se durcit encore.

— Ce sont les dernières paroles qu'ils ont prononcées avant que je leur tranche la gorge.

Après quelques instants de silence, Caitrina déclara :

— Alors tu me croyais morte, toi aussi ?

— Bien sûr, autrement je ne serais jamais parti sans toi. La tour était en flammes. Je n'aurais jamais imaginé que quelqu'un ait pu en sortir vivant.

Pourtant, Jamie avait réussi à la sauver.

— Brian était en piteux état, poursuivit Niall. Il respirait à peine. Le coup sur la tête l'avait presque tué.

— Vous vous êtes cachés dans les montagnes avec les MacGregor ?

— Non, je savais que ces ordures de Campbell allaient nous traquer et j'ai aperçu l'Exécuteur sur son cheval, juste avant de m'enfuir. En filant vers les grottes, nous les aurions menés droit sur les MacGregor. Avec ce qu'il me restait d'hommes, nous avons donc embarqué dans des *birlinns* et avons mis le cap sur l'Irlande. Nous ne voulions pas que ceux qui restaient courent un risque en nous cachant.

Caitrina était stupéfaite.

— Pendant tout ce temps, vous étiez en Irlande ?

— Nous y sommes restés jusqu'à ce que Brian et les autres blessés soient suffisamment rétablis pour rentrer. Mes hommes étaient inquiets pour leur famille. Beaucoup d'entre eux n'avaient même pas eu le temps de prévenir les leurs avant de prendre la fuite.

— Quand êtes-vous rentrés ?

— Il y a quelques semaines, quand nous avons appris qu'Alasdair MacGregor se rendait. Nous nous sommes réfugiés dans les collines près du loch Lomond.

Sur le territoire des MacGregor…

— Mais pourquoi n'être pas rentrés chez vous, ici, sur l'île de Bute ?

— J'ignorais ce que nous allions y trouver. Je soupçonnais les Campbell d'occuper les lieux.

Il adressa à sa sœur un regard lourd de reproche avant d'ajouter :

— J'avais raison. Comment as-tu pu l'épouser, Caiti ? Comment as-tu pu te marier avec l'homme qui a tué ton père et ton frère ?

— Jamie n'est pas responsable du raid, répondit-elle.

— Tu le crois vraiment ? Lorsqu'il est venu à Ascog lors des jeux, c'était pour débusquer les MacGregor, rien d'autre !

— Comment pouvais-je le savoir puisque personne n'a daigné m'informer que nous cachions des hors-la-loi ? Père devait pourtant être conscient du danger, non ? Il devait bien savoir ce qu'il se passerait s'ils étaient découverts.

— Il n'avait pas le choix. L'obligation d'hospitalité est un devoir sacré. Tu connais notre dette envers les MacGregor, l'histoire qui lie nos deux familles. Notre honneur exigeait que nous les abritions.

— Je sais, soupira-t-elle. Mais tu te trompes au sujet de Jamie. Ce n'est pas lui qui a lancé l'attaque, mais son frère. Jamie n'était pas au courant. Il a accouru à Ascog dès qu'il l'a appris. C'est lui qui m'a tirée des flammes et qui a empêché un des soldats de son frère de me violer.

Niall scruta ses traits.

— Tu en es sûre ?

— Je me souviens qu'il m'a portée dans ses bras.

— Dans ce cas, je lui en suis reconnaissant mais ce n'était pas une raison pour l'épouser. Ce n'est pas simplement un Campbell, c'est aussi l'Exécuteur d'Argyll !

— Il n'est pas l'homme que tu crois. Et puis, je n'avais pas le choix.

Elle lui raconta les événements qui avaient conduit à sa demande en mariage, y compris sa fuite à Toward et ses tentatives pour communiquer avec les autres membres du clan depuis son retour à Ascog.

— Cela m'a paru la meilleure solution. Notre oncle et lui ont organisé la reddition d'Alasdair MacGregor et

Jamie a proposé ce mariage pour que je puisse récupérer Ascog. Non seulement notre oncle était d'accord, mais c'est lui qui a négocié les termes de notre union. J'ignorais que Brian et toi aviez survécu. Il s'était écoulé si longtemps ! Pourquoi ne m'as-tu pas prévenue ?

— Je l'aurais fait, mais je n'ai appris que tu étais vivante que lorsque la nouvelle de votre mariage nous est parvenue, près de Balquhidder. Il était alors trop tard pour s'y opposer. Seamus essaie de te parler depuis que tu es arrivée à Rothesay, mais tu es rarement seule. En outre, personne ne doit savoir que nous avons survécu. C'est trop dangereux.

— Comment as-tu échappé à la capture avec Seamus et les autres ?

— Je n'ai rien à voir avec ça. Brian et moi ne sommes arrivés qu'hier. Le reste de mes hommes est resté à Lomond. Seamus est venu pour te prévenir que nous étions en vie. Si j'ai pris le risque d'amener Brian ici, c'est uniquement à cause de sa blessure.

— Que lui est-il arrivé ?

— Cet idiot n'obéit pas. Je lui avais dit de ne pas se mêler aux combats, qu'il était encore trop jeune, mais il est aussi fier que Malcom. Il a de nouveau été blessé à la tête.

— Au cours de quels combats ?

Elle avait peur d'entendre la réponse. Si ses frères se battaient sur les terres MacGregor, cela signifiait qu'ils s'étaient de nouveau alliés avec des proscrits.

Niall la dévisagea, surpris.

— Tu n'es pas au courant ?

Elle fit non de la tête.

— Alasdair MacGregor a été pendu et écartelé avec onze de ses hommes, expliqua-t-il. C'était il y a quelques jours, à Édimbourg. Parmi eux, il y avait également six hommes qui s'étaient rendus comme otages et qui n'ont même pas été jugés. D'autres exécutions sont prévues la semaine prochaine.

232

Caitrina était interloquée.

— Non, tu te trompes, Niall. L'accord que Jamie a négocié stipulait que, s'il se rendait, MacGregor serait conduit en Angleterre. C'était l'une des clauses de notre mariage, comme un gage de bonne foi. Argyll s'est engagé.

— Il a tenu sa promesse, répliqua Niall avec une moue caustique. Argyll a conduit le chef MacGregor à la frontière, l'a fait descendre de sa monture pour que ses pieds touchent la terre anglaise, puis l'a ramené à Édimbourg pour y être jugé. Il a respecté la lettre de l'accord, mais pas son esprit. Grâce aux négociations de ton futé de mari, Alasdair MacGregor est maintenant mort.

Non, ce n'était pas possible ! Jamie ne l'aurait pas dupée à ce point. Il ne l'aurait pas piégée pour qu'elle l'épouse tout en sachant depuis le début que MacGregor était condamné… Y était-il pour quelque chose ? Elle étouffa bien vite cette pointe de suspicion. Non, le Jamie qu'elle connaissait n'aurait pas fait une chose pareille. Il n'était pas simplement le bras armé d'Argyll, c'était un homme juste et honnête.

— Si ce que tu dis est vrai, mon mari n'a rien à voir là-dedans, répondit-elle avec fermeté.

— Oh, je peux t'assurer que c'est vrai. La trahison d'Argyll a déclenché des soulèvements un peu partout, de Callander à Glenorchy en passant par Rannoch Mor. Ton mari est un homme traqué.

Elle frissonna. Niall la dévisagea comme s'il ne la reconnaissait pas. Il jura avant de lâcher :

— Tu es amoureuse de lui !

Caitrina n'eut pas besoin de le confirmer, ses joues écarlates le firent pour elle.

— Enfin, Caiti ! Tu ne sais donc pas quel genre d'homme c'est ?

— Si, justement. Il n'est pas du tout comme on le décrit.

— Tu parles ! Même une pierre a plus de compassion que lui. L'Exécuteur applique le plan d'Argyll pour asseoir la domination des Campbell.

Caitrina releva le menton.

— Tu ne le connais pas comme moi.

Niall émit un rire sarcastique.

— Tu es une sotte, Caiti Rose.

L'insulte lui infligea une douleur cuisante. La situation ne faisait qu'empirer. Ses frères étaient revenus d'entre les morts et ils étaient déjà en train de se disputer. Elle préféra revenir sur un terrain plus neutre.

— Que puis-je faire pour Brian ?

Niall, aussi contrarié qu'elle par la tournure que prenait leur conversation, lui fut reconnaissant de changer de sujet.

— Nous ne savons plus comment le soigner. Il a besoin d'un guérisseur. Tu peux en faire venir un ?

— Ici ? s'exclama-t-elle, effarée. Il ne peut pas rester dans cette grotte !

Il devait venir avec elle, à Rothesay. Niall pinça les lèvres.

— Que veux-tu que je fasse ? On ne peut pas retourner en Irlande, il ne survivrait pas à une nouvelle traversée. Ici, aucun endroit n'est sûr.

Ils étaient hors la loi, désormais, tout comme les Mac-Gregor qu'ils avaient voulu protéger. Mais il y avait peut-être une solution…

— Laisse-moi en parler à Jamie quand il rentrera. Il peut nous aider. Vous êtes mes frères et tu es le chef des Lamont d'Ascog de droit. Il pourra obtenir un pardon…

— Tu es tombée sur la tête ? Tu crois sincèrement qu'il ne nous jettera pas au cachot ?

— Il a bien libéré Seamus et les autres, non ?

— Parce qu'ils ne pouvaient prétendre à nos terres. C'est un Campbell, il ne nous rendra jamais Ascog de son plein gré. En outre, il n'aura pas besoin de prétexte car nous sommes des proscrits.

— Mais cela peut s'arranger. L'attaque du château, la mort de père... Jamie n'a jamais voulu ça. Je suis sûre qu'il se montrera juste.

— Tu remettrais ma vie entre ses mains ? Celle de Brian ?

Caitrina se mordit la lèvre, honteuse du petit doute qui s'était immiscé dans sa conscience. La nouvelle de l'exécution du chef MacGregor l'avait ébranlée mais n'avait pas entamé sa confiance en son mari.

— Oui, répondit-elle.

Niall la dévisagea un long moment d'un air songeur, puis demanda :

— Et si tu te trompais ?

— Je ne me trompe pas.

— Soit, mais moi, je ne peux pas me fier à lui ; du moins, pas pour le moment. Tu dois me promettre de ne rien dire de notre présence, Caiti.

— Mais...

— Sinon, nous repartons tout de suite, la menaça-t-il.

— Non ! Brian ne peut pas être déplacé.

— C'est vrai, c'est dangereux, mais pas plus que de dépendre de l'Exécuteur.

Caitrina se sentait perdue, tiraillée entre sa loyauté envers son mari et celle envers ses frères. Mais elle ne pouvait pas courir le risque de perdre à nouveau ces derniers. La nouvelle de l'exécution de MacGregor était très perturbante. Si Niall avait raison ? Si ses sentiments pour Jamie l'empêchaient de voir son côté sombre ? Dans le doute, elle se conformerait au souhait de son frère... dans un premier temps.

— Soit, annonça-t-elle. Mais, au retour de Jamie, tu constateras par toi-même qu'il n'est pas responsable de la traîtrise d'Argyll. Tu verras que c'est un homme juste.

Sur ce point, du moins, elle était sûre d'elle. Jamie était la voix de la raison qui tentait de mettre un terme aux guerres incessantes entre clans.

Niall la regarda tristement, avec l'air de penser qu'elle se berçait de douces illusions, mais n'insista pas. Ils se concentrèrent de nouveau sur Brian et la nécessité de faire venir un guérisseur. Caitrina viendrait leur rendre visite dès qu'elle le pourrait, sachant qu'elle devrait se montrer très prudente. Si on remarquait son absence, les hommes de Jamie risquaient de la suivre et de découvrir la cachette de ses frères. Une fois Jamie rentré, ce serait encore plus difficile.

Pour l'instant, elle se satisfaisait du fait qu'une partie de sa famille lui avait été rendue, mais elle savait aussi que Jamie serait furieux s'il apprenait qu'elle lui avait caché quelque chose. Elle risquait de faire voler en éclats la vie fragile qu'elle avait construite sur un tas de cendres.

17

Tout au long du trajet entre Rothesay et Dunoon, Jamie ressassa le contenu de la missive d'Argyll : « Opération réussie. La Flèche de Glen Lyon a été pendue à Édimbourg il y a trois jours. »

Alasdair MacGregor exécuté à Édimbourg ? Le chef MacGregor aurait dû se trouver à Londres. Jamie avait donné sa parole. Il ne voyait qu'une explication : Argyll était revenu sur sa promesse de le conduire en Angleterre. Si c'était vraiment le cas, il avait noirci le nom de Jamie et déclenché une nouvelle vague de violence incontrôlable : les hors-la-loi avaient désormais leur martyr et une raison de plus de se rebeller. Jamie ne pouvait imaginer que son cousin se soit montré aussi imprudent mais, dès qu'il s'agissait des MacGregor…

Il gravit quatre à quatre les marches du donjon. Après avoir chevauché toute la journée, il était épuisé et crasseux, sans parler de la douleur considérable dans son épaule. Il ne prit pas le temps de se reposer ni de se laver et marcha droit vers le bureau du laird. Sans se donner la peine de frapper ou de se faire annoncer, il ouvrit la porte et entra.

L'homme le plus puissant des Highlands était assis derrière une grande table, entouré d'un groupe de gardes penchés sur des documents et des cartes. Le comte d'Argyll releva la tête d'un air agacé. En apercevant la mine sombre de Jamie, il congédia rapidement les autres hommes, leur demandant d'emporter les piles de parchemins avec eux. Puis, il arqua un sourcil racé et lança un regard vers la tenue de Highlander de son cousin.

— J'espère que tu as une bonne excuse pour te présenter dans ces hardes poussiéreuses.

Argyll se targuait d'être un être raffiné et portait toujours les plus beaux habits de cour. Il ne voulait pas qu'on le prenne pour un de ces « barbares » des Highlands.

Jamie ne releva pas la pique ; il avait d'autres chats à fouetter. Il connaissait Argyll depuis trop longtemps pour se laisser intimider par ces démonstrations d'autorité. Bien qu'il n'ait que quelques années de plus que lui, Argyll s'était comporté comme un père avec lui après la mort de son propre père et la disgrâce de son frère Duncani. Ils étaient liés non seulement par le sang, mais aussi par des valeurs plus fortes encore : l'honneur, le devoir et le sacrifice.

Le père de Jamie avait suffisamment cru en Argyll pour sacrifier sa vie pour lui, ce que Jamie ne prenait pas à la légère. Jusqu'à ce jour, Argyll s'était montré digne d'un tel sacrifice, faisant des Campbell le clan le plus puissant des Highlands. Cependant, son pouvoir ne devait pas devenir absolu au risque de faire de lui un despote. Jamie croyait davantage encore en la justice qu'en son cousin.

Il déposa la missive sur la table.

— Si ceci est vrai, j'ai besoin d'une excuse, et une bonne !

Argyll jeta un regard au papier froissé, s'enfonça dans son fauteuil et croisa les doigts. Il n'avait pas l'air décontenancé le moins du monde.

— Bien sûr que c'est vrai, répondit-il triomphalement. Alasdair MacGregor a été éliminé. Le roi sera ravi.

Jamie était conscient de l'énorme pression exercée sur son cousin pour rétablir la paix dans les Highlands – et les débarrasser du chef des MacGregor –, mais ce n'était pas une excuse. Il s'efforça de contrôler sa colère et regarda Argyll dans les yeux.

— Pourquoi a-t-il été exécuté à Édimbourg ? Il était censé être escorté en Angleterre.

Argyll esquissa un petit sourire.

— Mais il est allé en Angleterre ! Mes hommes l'ont conduit de l'autre côté de la frontière, l'ont déposé sur le sol anglais, puis l'ont ramené aussitôt à Édimbourg.

L'incrédulité de Jamie se mêla à un profond sentiment de trahison. L'homme pour lequel il s'était battu, qu'il avait aidé, en qui il avait cru, venait de lui planter un couteau dans le dos. Combien de fois avait-il défendu son cousin ? Il connaissait ses défauts mieux que quiconque, parmi lesquels comptait la fourberie. Mais jamais Argyll n'avait ainsi piétiné son honneur.

— Bon sang, Archie ! Comment as-tu pu faire une chose pareille ? Mais tu ne t'en tireras pas comme ça. Je ne te laisserai pas bafouer notre accord et ma réputation par la même occasion !

Il tremblait de rage. Il se souvenait encore des longues heures de négociation avec le chef des MacGregor et des promesses qu'il lui avait faites.

— J'avais donné ma parole ! insista-t-il.

Argyll ne sourcilla pas mais, à sa façon de s'agiter dans son fauteuil, il était mal à l'aise.

— Ta parole a été respectée, répondit le comte. Nous avons fait ce qui était écrit dans l'accord.

Jamie planta ses mains sur la table et se pencha vers son cousin. Ils s'étaient souvent disputés, mais il n'avait encore jamais été aussi furieux contre lui.

— Vous avez respecté la lettre, peut-être, mais pas l'esprit ! Cette tricherie est indigne de toi. Tu es le représentant de la loi, le procureur du roi. Si les gens n'ont pas confiance en leur justice, cela fait de toi un vulgaire tyran !

Il le fusilla du regard avant d'achever :

— Je ne soutiendrai pas un despote.

Pour la première fois, une lueur d'incertitude traversa le regard de son cousin.

— Que veux-tu dire ?

— Tu m'as parfaitement compris. Si c'est ça la manière dont tu entends ramener le calme dans les Highlands, il faudra te passer de moi. Trouve quelqu'un d'autre pour exécuter tes sales besognes.

Argyll plissa les yeux.

— Je suis ton chef de clan, tu feras ce que je te dis.

Jamie lui rit au nez. Son cousin était un opportuniste ; il n'hésitait pas à invoquer son héritage de Highlander quand cela pouvait le servir.

— Je t'en prie, ne joue pas à ça avec moi. Tu peux peut-être intimider les autres, mais je te connais trop bien pour me laisser fléchir. Je ne me battrai pas pour un homme en qui je ne crois pas et je ne servirai pas un chef ou un comte qui n'a pas d'honneur.

Les traits d'Argyll se durcirent.

— Prends garde, mon garçon. Tu dépasses les bornes.

— Non, c'est toi qui les as dépassées. Pendant toutes ces années, je me suis tenu à tes côtés envers et contre tous parce que j'étais convaincu que tu étais le meilleur choix pour les Highlands. Jusqu'à aujourd'hui, je croyais que nous voulions la même chose : restaurer la loi et l'ordre dans le chaos créé par les querelles et les hors-la-loi, assurer la prospérité de notre clan et protéger les Highlands contre un roi qui veut voler nos terres, écraser notre peuple et détruire nos coutumes.

Il dut reprendre son souffle avant de conclure :

— Mais il n'est pas question que tu te serves de moi pour exercer tes vengeances personnelles.

— J'ai fait ce qu'il fallait pour traîner un criminel devant la justice ! se défendit Argyll.

Jamie frappa du poing sur la table.

— Alasdair MacGregor n'a pas été jugé, il a été dupé et bafoué. Autant reprendre notre bon vieux système et régler nos comptes à coups de glaive, comme pour mieux mériter le surnom de barbares dont le roi nous affuble. Nous sommes responsables. Nous devons montrer la voie. C'est précisément contre ce genre d'attitude que je me bats. Si c'est là ta solution pour établir la loi et l'ordre dans les Highlands, alors je ne veux pas y être mêlé !

— Rien de ceci ne serait arrivé si tu m'avais livré les hors-la-loi tout de suite, comme ton devoir te le dictait, répliqua Argyll.

— Je t'ai expliqué pourquoi il m'a semblé nécessaire de négocier avec MacGregor... après ce qui s'était passé avec les Lamont.

Argyll écarta d'un geste de la main le sujet de la destruction du clan de Caitrina. Jamie serra les dents. Parfois, l'insensibilité de son cousin le hérissait.

— Ton frère a agi sans réfléchir, concéda Argyll.

— C'est le moins qu'on puisse dire ! Et il l'a fait en ton nom. Si nous n'avions pas fait un geste, tu perdais le soutien de plusieurs autres chefs de clan. En livrant MacGregor au roi, tu ne pouvais être tenu responsable de sa mort. Au lieu de cela, tu as aggravé la situation. Enfin, Archie, tu ne te rends pas compte de ce que tu as fait ?

— Je me suis débarrassé d'un proscrit notoire, d'un assassin et d'un rebelle.

— En effet et en recourant à la traîtrise, tu en as fait un martyr. Rien de tel pour unir tous les hors-la-loi. Les combats reprendront de plus belle.

— Il est inévitable qu'un peu de sang soit versé. Ton frère est parti aider notre parent, le chef Campbell de Glenorchy, à mater les insurgés.

C'était enfin une bonne nouvelle. Au moins, Jamie ne verrait pas Colin à Dunoon. Lors de leur dernière rencontre, ils s'étaient violemment disputés à cause du raid sur Ascog.

— Tous les hors-la-loi seront débusqués et mis à mort, poursuivit Argyll, une lueur de satisfaction dans le regard.

Son zèle irrationnel à détruire les MacGregor mettait en péril l'espoir de Jamie de voir un jour une société de droit émerger dans les Highlands. Il se demanda ce qu'il se cachait derrière la haine de son cousin. Elle semblait un peu trop personnelle.

— Ta vindicte contre les MacGregor t'a rendu aveugle, répliqua-t-il. À cause de ce geste imprudent, tu risques de perdre le soutien que nous avons eu tant de mal à obtenir au cours de ces dernières années. Il n'y a pas que les MacGregor qui vont se rebeller, mais aussi d'autres chefs qui verront dans ton comportement la manifestation de ta personnalité... et de la mienne.

Argyll parut légèrement surpris. Peut-être commençait-il à entrevoir la vérité ?

— Je ne comprends pas pourquoi tu te mets dans un tel état. Après tout, ce n'est pas comme si tu avais une réputation d'ange dans les Highlands. Ce n'est pas la première fois que ton nom est vilipendé.

— C'est vrai, pour mener notre mission à bien, j'ai accepté d'endosser le rôle de l'exécuteur sans pitié, mais je ne passerai pas pour un homme fourbe et déloyal. Jusqu'à présent, je n'ai jamais eu honte de ce que je faisais. En jouant avec les mots, tu as foulé aux pieds ma parole et mon honneur. Je m'attendais à mieux de ta part.

La déception manifeste de Jamie abattit enfin les défenses d'Argyll. Il s'affaissa sur son siège.

— Cela faisait trop longtemps qu'Alasdair MacGregor me narguait. J'ai peut-être été imprudent dans ma hâte de me débarrasser de lui, mais je ne suis pas fâché qu'il soit mort. Cela étant, je regrette que cela ait nui à ta réputation. Ce n'était pas mon intention, j'espère que tu en es conscient.

Jamie fut stupéfait d'entendre son cousin s'excuser. Cela n'arrivait presque jamais et cela adoucit sa colère.

— Ce n'était peut-être pas ton intention mais le résultat est le même, déclara-t-il.

— Tu as toujours été d'une intégrité effroyable.

Dans sa bouche, cela sonnait comme un défaut scandaleux, mais Jamie savait que son intégrité et sa loyauté étaient ce qu'Argyll admirait le plus en lui. Contrairement à l'opinion populaire, son cousin, surnommé « Archibald le sinistre », avait le sens de l'humour.

— Elle t'a toujours bien servi, lui rappela Jamie.

— C'est vrai. Nous en avons vu de toutes les couleurs tous les deux. Quand ton frère...

Il s'interrompit, cherchant le mot juste.

— ... est parti, poursuivit Argyll, je ne me suis jamais vengé sur toi, pas plus que sur Colin et Lizzie, même si beaucoup me poussaient à le faire.

Jamie acquiesça. Son cousin disait vrai : bon nombre des jeunes conseillers du comte auraient aimé voir les Campbell d'Auchinbreck tomber en disgrâce. Au lieu de cela, Archie les avait accueillis chez lui, leur témoignant la même loyauté que leur père avait montrée à son égard.

— Je t'ai toujours été reconnaissant, pour tout ce que tu as fait pour nous, répondit Jamie. Et je t'ai payé avec des années de bons et loyaux services... mais ma fidélité n'est pas aveugle.

— Tu n'as pas vraiment l'intention de partir, déclara son cousin. Pas après tout ce que nous avons vécu ensemble...

Ce n'était pas une question, mais Jamie perçut son angoisse. S'il se séparait de lui et déposait les armes, Argyll serait en difficulté avec les autres chefs. Bon nombre d'entre eux considéraient que « l'Exécuteur » tempérait son tyrannique cousin.

— Donne-moi une bonne raison de ne pas le faire.

— J'ai besoin de toi.

C'était si sincère que Jamie ne put s'empêcher d'être touché.

— Plus de coups bas, Archie. Plus de vengeances. Si jamais tu…

— Plus jamais, l'interrompit son cousin. Tu as ma parole.

Le comte se leva et s'approcha d'une console sur laquelle était posée une carafe de vin. Il en servit deux verres et en tendit un à Jamie.

— Je ne t'avais jamais vu aussi furieux, Jamie. Cela n'aurait-il pas un rapport avec ta nouvelle épouse ?

Jamie agita le liquide dans le verre.

— Bien sûr. Elle a accepté ma demande en mariage sur les bases de l'accord de reddition de MacGregor.

Argyll caressa la pointe de sa barbe tout en le dévisageant d'un air songeur.

— Elle t'avait d'abord éconduit, si je ne m'abuse ?

En voyant Jamie se rembrunir, son cousin éclata de rire. N'étant pas particulièrement beau, Argyll avait toujours envié le succès de Jamie et de ses frères auprès des femmes.

— J'aimerais la rencontrer, déclara-t-il.

— Je crains que ce ne soit pas réciproque. Elle te tient pour responsable de la mort de sa famille, au même titre que Colin.

— Elle devrait peut-être s'en prendre aussi à son père, répondit Argyll avec un haussement d'épaules. Ce raid sur Ascog est regrettable, mais il l'avait cherché.

Jamie sentit qu'Argyll lui cachait quelque chose.

— Que se passe-t-il ? demanda-t-il.

Le comte fit glisser un doigt sur le bord de son verre avec une fausse nonchalance.

— Une rumeur, répondit-il vaguement.

— Quel genre de rumeur ?

— Il semblerait que toute la progéniture de Lamont n'ait pas péri dans le carnage.

— Quoi ?

— On dit qu'au moins un des fils a survécu.

Jamie scruta le visage de son cousin, mais celui-ci ne plaisantait pas. « Seigneur, si c'est vrai... » Il sentit l'excitation monter en lui. Il pourrait rendre à Caitrina une partie de sa famille.

— Quelqu'un l'a vu ?

Argyll acquiesça.

— Qui ?

— Je ne sais pas.

— Où ?

— D'après ce que l'on dit, quelque part vers les montagnes de Lomond.

— Il se battait ?

— Il faut croire.

Bigre, si un Lamont se battait aux côtés des MacGregor, il serait considéré comme hors la loi. Il avait hâte de retrouver Caitrina pour lui expliquer qu'il n'était pour rien dans l'exécution de MacGregor avant que la nouvelle de sa prétendue perfidie ne lui parvienne ! Mais cela devrait attendre.

— Je pars pour Lomond, annonça-t-il.

Son cousin ne parut pas surpris outre mesure.

— Cette femme compte-t-elle autant pour toi ?

— Oui.

— À quoi ressemble-t-elle ?

Jamie réfléchit quelques instants. Comment décrire une créature aussi complexe ? Expliquer que, dès l'instant où il l'avait vue, il avait su qu'elle n'était comme aucune autre femme ?

— Elle est forte. Loyale. Aimante. Courageuse... C'est la plus belle femme que j'aie jamais vue.

— Je n'aurais jamais cru voir le jour où tu serais entiché à ce point. Même quand tu m'as demandé d'intercéder en faveur d'Alex MacLeod, il y a quelques années, j'ai eu l'impression que c'était moins pour Meg Mackimmon que pour toi. Mais cette fois, c'est différent, non ?

— Oui, ça l'est.

— Et que feras-tu si tu retrouves l'un de ses frères ?

Sa question était chargée de sous-entendus. C'était une manière indirecte de vérifier si Jamie lui était toujours loyal.

Il l'était. Jamie n'avait pas pardonné à son cousin de l'avoir utilisé pour piéger le chef MacGregor mais, bien qu'il se soit senti trahi, il continuait à penser que s'il le quittait, Argyll serait affaibli et ses deux principaux rivaux, Mackenzie et Huntly, en profiteraient. Il devait également songer à son clan et à Caitrina. Sans Argyll, il lui serait beaucoup plus difficile de les aider. Il avait besoin de l'influence de son cousin autant que son cousin de la sienne.

— Ce que mon devoir me commandera de faire, finit-il par répondre.

— Et s'il se bat aux côtés des proscrits ?

— Alors je l'arrêterai.

Argyll sourit, satisfait.

Jamie lui retourna son sourire avant d'ajouter :

— Après tout, j'ai entendu dire que tu comptais te montrer clément envers les Lamont. Très clément.

Argyll comprit qu'il s'agissait là de la condition de son pardon après avoir mis en péril tout ce pour quoi ils avaient œuvré et avoir sali l'honneur de Jamie. Il fit une moue cynique.

— En effet. C'est vrai qu'on m'a souvent loué pour ma clémence.

— Dire qu'on prétend que tu manques d'humour !

— Et… si tu ne trouves rien ?

— Si un des frères de Caitrina est encore en vie, je le trouverai.

Ils savaient tous les deux que ce n'était qu'une question de temps.

— Tâche de le trouver rapidement, conseilla Argyll. Avant qu'il ne commette une bêtise pour laquelle je ne pourrai rien. Ma clémence a ses limites. N'oublie pas que tu as été chargé de débarrasser l'île de Bute de ses proscrits et que tu t'es porté garant pour les Lamont. Tu seras tenu pour responsable de leurs actes.

Jamie acquiesça. Il n'avait pas de temps à perdre. Il fallait qu'il retrouve le ou les frères de Caitrina avant qu'ils ne les mettent tous en danger. Son pouvoir sur Argyll n'était pas infini.

18

Une semaine plus tard, Jamie franchit le portail de Rothesay épuisé et déçu. Il avait quadrillé toute la région au nord de Loch Lomond en vain. Si un des fils Lamont avait survécu, il s'était retranché trop loin dans les montagnes pour qu'on le retrouve. L'hiver était à leurs portes et il faudrait désormais attendre le retour du printemps pour reprendre ses recherches. En espérant qu'il ne poursuivait pas un fantôme, car il était possible que les rumeurs soient infondées.

Tout au long du chemin du retour, il s'était demandé ce qu'il devait dire à Caitrina. Devait-il attendre d'avoir des preuves ou lui rapporter ce qu'il savait, même s'il n'avait aucune certitude ? Devait-il prendre le risque de lui donner de faux espoirs ? Elle était encore si vulnérable !

Diantre, il ne savait que faire, ce qui était déroutant pour un homme qui se targuait de posséder un esprit de décision. Peut-être que la réponse lui viendrait d'elle-même quand il la verrait. Il n'était pas non plus ravi de devoir lui annoncer la mort de MacGregor, en supposant que la nouvelle ne l'avait pas précédé. Après plus d'une semaine de séparation, l'intimité qu'ils avaient partagée avant son départ semblait ténue et fragile.

Il lança un regard vers la barbacane, s'attendant à la voir. Elle lui avait beaucoup manqué.

Personne... Il espérait qu'il lui avait manqué aussi mais, apparemment, elle n'était pas si pressée de le voir.

Il descendit de sa monture et lança les rênes à un jeune palefrenier. Ses hommes le suivaient.

— Où est ma femme ? demanda-t-il au garçon.

Le palefrenier paraissait terrifié. Jamie avait l'habitude de ce genre de réaction. Sa réputation de monstre ne s'était pas affaiblie avec son mariage. Il refréna son impatience et demanda :

— Mon messager n'est pas arrivé pour vous annoncer notre retour ?

— Si, mon laird. Il... il... il y a environ une heure.

Préférant abréger le supplice du garçon, Jamie le congédia, puis ordonna à ses hommes de s'occuper de leurs chevaux avant d'aller se restaurer. Lui-même n'avait pas avalé un vrai repas depuis des jours. Avant de déjeuner, il devait parler à Will, le garde à qui il avait confié la responsabilité du château. Mais surtout, il fallait qu'il trouve sa femme.

Il entra dans le donjon, traversa la grande salle déserte et grimpa l'escalier menant à leur chambre. Il ouvrit la porte et regarda à l'intérieur. Toujours personne.

Où était-elle donc passée ?

Caitrina grimpa l'escalier quatre à quatre en haletant. Elle essuya son front moite du revers de la main. Quand Mor était entrée dans la grotte pour lui annoncer l'arrivée imminente de Jamie, elle avait couru tout le long du chemin sans s'arrêter. Ce retour soudain la prenait au dépourvu. Il était parti depuis si longtemps qu'elle commençait à se demander s'il reviendrait un jour. Pour comble de malchance, il s'était décidé à réapparaître juste au moment où elle était avec ses frères !

Brian présentait quelques signes d'amélioration, mais elle voulait coûte que coûte le faire venir à Rothesay. Naturellement, Niall ne voulait rien entendre. Elle avait eu beau discuter, elle n'avait pu le convaincre que Jamie ne les jetterait pas dans un cachot, ou pire, qu'il ne les servirait pas à Argyll sur un plateau.

Ses souliers claquaient sur les marches en pierre de l'étroit escalier en colimaçon. Une fois sur le palier, elle s'arrêta un instant pour reprendre son souffle et marmonner une brève prière pour qu'il n'ait pas eu le temps de fouiller tout le donjon.

Elle entra dans leur chambre et fut envahie par un flot d'émotions en apercevant la silhouette familière. Même si elle craignait ses questions, elle était soulagée de le retrouver entier et indemne. Les dangers de son métier occupaient toujours son esprit, tout comme le fait que la haine des Campbell, répandue dans la région, faisait de lui une cible de choix.

— Tu es rentré ! s'exclama-t-elle d'un ton joyeux.

Il se retourna et la contempla, englobant dans un même regard ses cheveux ébouriffés, sa tenue froissée et les taches de boue fraîches sur ses jupes. Elle sentit son pouls s'accélérer en lisant la suspicion dans ses yeux.

Il paraissait épuisé et était dans un piteux état après avoir voyagé dans le froid et sous la pluie. Pourtant, il n'avait jamais été aussi séduisant. Dieu qu'il lui avait manqué ! Mais quelque chose avait changé...

Sa barbe ! Un chaume épais et dru couvrait ses joues. Il ne s'était pas rasé depuis son départ. Caitrina n'appréciait pas particulièrement les barbes, mais devait reconnaître que la sienne lui conférait un indéniable attrait. Elle lui donnait une allure d'aventurier qui allait de pair avec sa réputation. Elle avança vers lui mais son ton sec l'arrêta net dans son élan.

— Où étais-tu ?

Elle afficha son plus beau sourire.

— Dans les cuisines, m'occupant des préparatifs pour votre arrivée.

250

Elle était elle-même surprise de la facilité avec laquelle le mensonge lui était venu. Elle maudit intérieurement Niall de l'avoir placée dans une telle situation.

— J'ai pensé que tes hommes et toi auriez faim.

Il ne se laissa pas amadouer.

— Tu as les joues toutes rouges, dit-il.

— C'est à cause des fourneaux.

— Tu es essoufflée.

Elle devait faire quelque chose pour qu'il cesse de l'interroger ainsi. Elle se mit à rire et glissa les bras autour de son cou.

— J'ai couru dans l'escalier.

Avant qu'il n'ait le temps de lui poser d'autres questions, elle battit des paupières et se blottit contre lui, déclarant sur un ton de reproche :

— C'est ainsi que tu célèbres nos retrouvailles ? Tu vas m'interroger toute la journée ou me diras-tu bonjour convenablement ?

Elle lui tendit ses lèvres. Il la dévisagea avec une tendresse infinie, puis se décida enfin à l'embrasser. Son odeur masculine épicée était enivrante, tel un aphrodisiaque. Elle répondit à son baiser avec fougue, le titillant de la langue.

Seul lui importait désormais le feu qui se déclenchait dès que leurs bouches se rencontraient. Il suffisait qu'il la touche pour que son corps tout entier s'embrase.

Sa force, qui aurait pu lui paraître écrasante, lui donnait désormais un sentiment de sécurité et de sérénité qu'elle n'aurait jamais cru accessible. Mais cela allait plus loin : elle avait l'impression que, si elle ne le touchait pas, elle deviendrait folle. Elle avait besoin de poser les mains sur sa peau brûlante et de sentir ses muscles saillir sous ses doigts. Jamais elle n'aurait pensé que la vue et la sensation d'un corps d'homme pouvait faire naître en elle des pulsions aussi charnelles. L'attrait qu'il exerçait sur elle était viscéral, affectant la moindre parcelle de son corps.

Il s'écarta à contrecœur, aussi essoufflé qu'elle. Il lui caressa la joue d'un doigt.

— Tu m'as manqué.

— Toi aussi.

Elle tira sur les poils de sa barbe pour le taquiner.

— J'ai bien failli ne pas te reconnaître.

Il parut gêné.

— Je me raserai plus tard, en prenant mon bain.

— Non, garde-la encore un peu. Elle te va bien.

Il n'avait plus l'air d'un courtisan raffiné mais d'un vrai Highlander, ce qui représentait un atout indéniable. Comme s'il avait lu dans ses pensées, il s'excusa :

— Nos vraies retrouvailles devront attendre encore un peu. Je dois régler quelques affaires et parler à mes hommes. Mais j'avais surtout hâte de te retrouver. Quand je ne t'ai pas vue dans la cour, je me suis inquiété.

Caitrina se reprocha sa négligence. Elle aurait dû savoir qu'il ne se laisserait pas distraire aussi facilement !

— Je suis désolée. Comme je te l'ai expliqué, j'étais dans les cuisines et ne t'ai pas entendu arriver.

— Du moins le prétends-tu !

N'aimant pas être sur la défensive, Caitrina décida de retourner la situation. Après tout, en dépit de leur baiser passionné, elle ne lui avait pas encore pardonné son départ précipité, pas plus que les « instructions » qu'il avait laissées. Elle lui adressa un sourire charmant… un peu trop, peut-être.

— Où diable voulais-tu que je sois ? N'as-tu pas ordonné que je reste cloîtrée au château ?

Il haussa les épaules.

— C'était une précaution nécessaire pour assurer ta protection.

— Il ne t'est pas venu à l'esprit que tu pouvais me consulter ?

— Pour quoi faire ? Tu es sous ma responsabilité.

Il paraissait sincèrement surpris par sa question. Dieu que les hommes étaient obtus ! Il ne comprenait même pas qu'elle puisse contester ses mesures autoritaires.

— Je suis ta femme, tout de même !

— Oui, je sais…, répondit-il d'un ton vague, pressé de changer de sujet.

— Je ne fais pas partie des meubles ! Si tu croyais avoir épousé une poupée de porcelaine, tu vas être déçu.

Elle le défia du regard et répéta :

— Très déçu.

Une lueur amusée s'alluma dans ses yeux. S'il se mettait à rire, il le regretterait !

— Je ne me fais aucune illusion à cet égard…

— Bien !

— Cela t'a vraiment contrariée ?

— Oui.

— Mais pourquoi ? Je ne pensais qu'à ta sécurité.

— C'est la manière dont tu t'y prends qui me déplaît. Puisqu'il s'agissait de ma liberté, tu aurais dû en discuter avec moi avant de donner tes ordres.

— Mais… donner des ordres est mon métier, se défendit-il. Je ne demande jamais l'avis de personne !

Caitrina pinça les lèvres, s'efforçant de rester calme.

— Avec tes hommes, peut-être, répliqua-t-il. Mais qu'en est-il de ton cousin ou de ton frère ? Tu ne les consultes jamais ?

Il réfléchit.

— Cela arrive, concéda-t-il.

— Et pourquoi pas ta femme, alors ?

Cette idée lui parut surprenante mais il ne semblait pas la trouver incongrue.

— Oui, pourquoi pas…

— La prochaine fois, aie l'amabilité de m'informer de tes souhaits *avant* ton départ. Et si cela ne me plaît pas, je ferai mon possible pour te faire changer d'avis.

Cette fois, il se mit à rire.

— J'ai hâte de relever ce défi, mais je ne me laisse pas dissuader facilement, surtout quand il s'agit de protéger ce qui m'est cher.

Cette déclaration lui réchauffa le cœur, mais elle ne voulait en aucun cas sombrer de nouveau dans l'état d'ignorance où la laissaient jadis son père et ses frères. Elle refusait d'être tenue à l'écart pendant que d'autres prenaient des décisions à sa place.

— Et moi, je peux me montrer très persuasive.

— Je le sais ! Y a-t-il autre chose qui te chagrine, mon cœur, avant que j'aille retrouver mes hommes ?

— Puisque tu le demandes, oui.

— Tiens donc ! Pourquoi ne suis-je pas surpris ?

Elle ne releva pas son sarcasme, poursuivant :

— La manière dont tu es parti... C'était si brusque !

— Je regrette de ne pas avoir pu t'expliquer mais, cette fois-ci, c'était nécessaire.

— Tu aurais pu me consacrer cinq minutes, non ?

— Mes explications auraient nécessité bien plus de temps que cela.

— Soit, mais la prochaine fois que tu pars sans même me dire au revoir, je serai moins compréhensive.

— Je m'en souviendrai.

— Qu'y avait-il de si important pour que tu files comme un voleur ?

Il soupira, lissa ses cheveux en arrière, puis esquissa un sourire résigné.

— Je crois que mes affaires devront attendre.

Il attira un siège près du feu et lui fit signe de s'y asseoir. Elle s'exécuta et il prit place en face d'elle. À sa mine grave, elle devina que le problème était sérieux.

— Ce que je vais te dire ne te plaira pas, commença-t-il. Mais je t'en prie, écoute-moi jusqu'au bout avant de monter sur tes grands chevaux.

Le cœur de Caitrina se mit à battre plus fort. Elle soupçonnait ce qu'il allait lui annoncer.

— Alasdair MacGregor est mort.

Seigneur, c'était donc vrai ! Niall ne s'était pas trompé. Elle resta immobile tandis qu'il lui racontait l'histoire de la traîtrise d'Argyll exactement telle que son frère la lui avait décrite.

Quand il eut fini, elle demanda d'une voix hésitante :

— Et quel a été ton rôle dans cette histoire ? En plus de négocier les termes de la reddition de MacGregor.

Il lui prit les mains et la regarda dans les yeux.

— Je te jure que j'ignorais tout des plans de mon cousin, Caitrina. Je croyais qu'il avait l'intention de livrer MacGregor au roi. Quand j'ai reçu son message, j'ai compris que la situation était grave et je soupçonnais pourquoi. C'est la raison pour laquelle je suis parti sans explication : je n'en avais pas et devais d'abord parler à mon cousin. J'étais hors de moi.

Caitrina le dévisageait avec attention. Il paraissait si sincère et elle voulait le croire. Pouvait-elle se le permettre ? Jamie n'avait pas caché qu'il avait voué son existence à la cause d'Argyll. Serait-il jamais à elle alors que sa loyauté l'attachait à son cousin ? Niall avait-il raison ? Était-elle folle de lui faire confiance ?

Il s'inquiéta de son silence.

— Dis-moi que tu me crois.

Son ton était insistant mais pas implorant. Elle comprenait pourquoi. C'était un homme fier et honnête. Il avait répondu à ses questions avec sincérité et ne s'abaisserait pas à la supplier.

— Oui, je te crois, mais cela ne change rien. C'est toi qui as négocié sa reddition et c'est toi qu'on tiendra responsable de cette trahison. Tout le monde pensera que tu connaissais les véritables intentions d'Argyll.

Il grimaça.

— Oui, c'est ce que j'ai dit à mon cousin.

Son ressentiment n'était pas feint. Peut-être cette triste affaire aurait-elle un aspect positif en l'incitant à rompre ses liens avec Argyll...

— Comment a-t-il justifié sa fourberie ? demanda-t-elle.

— Je ne crois pas qu'il ait réfléchi au fait que cela me nuirait. Le roi exerçait sur lui une terrible pression pour qu'il pacifie les Highlands et, surtout, pour qu'il le débarrasse d'Alasdair MacGregor. Au cours des derniers mois, il ne pensait qu'à ça. Cependant, même si l'exécution de MacGregor était justifiée, la manière dont il s'y est pris est indigne de lui.

— Et tu lui es toujours fidèle ? s'indigna Caitrina.

Il reçut sans broncher cette critique implicite.

— Oui. Ma première réaction a été de lui rendre mon épée, puis je me suis rendu compte que c'était une erreur. Je suis parfaitement conscient des défauts de mon cousin. Argyll n'est pas parfait, mais je continue de croire qu'il représente le meilleur espoir pour les Highlands. Aucun camp n'est bon à cent pour cent, Caitrina, mais, au bout du compte, nous devons tous en choisir un.

Cette remarque fit mouche. Ce n'était pas qu'une question de savoir qui avait tort ou raison. Même si elle aurait aimé que ses décisions coulent de source, elle devrait choisir. C'était cela, être adulte. Dans sa jeunesse, elle avait été trop ignorante pour voir la vie telle qu'elle était.

— Pour moi, poursuivit Jamie, la balance penche toujours du côté de mon cousin. Il a le pouvoir d'apporter de vrais changements et veut les mêmes choses que moi.

— C'est-à-dire ?

— La paix. La sécurité. Une terre pour notre peuple. Argyll a une dent contre les MacGregor, mais il est profondément loyal à ses amis et c'est un chef juste.

— Juste ? Après ce qu'il t'a fait ?

— Ce n'était pas contre moi. Tu ne le connais pas comme je le connais.

Il se tut quelques instants, l'air songeur, puis reprit :

— Mon cousin a toujours veillé sur Elizabeth et moi. J'avais à peine dix-huit ans quand il m'a nommé capitaine et guère plus quand il m'a envoyé le représenter auprès du Conseil Privé. C'est en grande partie à lui que je dois mon rang et ma fortune ; il m'a offert de nombreuses opportunités de m'élever dans la société. Même si ses actes m'ont fait remettre en question ma loyauté, je lui reste fidèle. Il m'a fait beaucoup de tort, c'est vrai. Mais il a fait amende honorable et cela ne se produira plus.

— Comment peux-tu en être sûr ?

— Je le sais, c'est tout. Mon cousin n'est pas parfait mais je crois en lui et en sa mission. Fais-moi confiance.

Caitrina se demanda si elle y parviendrait. Pouvait-elle concilier son amour pour Jamie et sa haine de l'homme à qui ce dernier était dévoué ?

— Alors, l'affaire est close ? demanda-t-elle. Tu lui as pardonné ?

— Non. Ce n'est pas si simple. Le moment venu, il devra se racheter.

— Comment ? Pourra-t-il blanchir ton nom et t'absoudre publiquement de toute responsabilité dans le piège qu'il a tendu au chef MacGregor ?

Jamie fit une moue ironique.

— Non, personne ne le croirait.

La discussion avec Caitrina s'était déroulée mieux qu'il ne l'avait cru. Jamie fut tenté de lui raconter le marché conclu avec son cousin, mais cela impliquait de lui parler des rumeurs concernant son frère et il n'était pas certain que ce soit une bonne idée.

Même si d'apprendre l'exécution de MacGregor l'avait affectée, elle n'avait pas paru choquée outre mesure, au point qu'il se demandait si elle n'était pas déjà informée. Il en aurait bientôt le cœur net...

Il descendit l'escalier et traversa la grande salle en direction du bureau du laird, où ses hommes l'attendaient.

Il avait surtout envie d'un bain chaud et d'un repas mais cela devrait attendre, tout comme les véritables retrouvailles avec sa femme. Il se sentit durcir au souvenir de leur baiser fougueux et du plaisir qu'il avait ressenti en la serrant dans ses bras. S'il n'avait pas été en si piteux état, il lui aurait montré à quel point elle lui avait manqué. Non pas que son allure d'ours ait semblé la rebuter. Il sourit en lui-même. Apparemment, sa petite princesse avait un faible pour les sauvages...

Sa princesse... Il se demanda pourquoi ce surnom lui était revenu en tête. En tout cas, ce n'était sans doute pas à cause de sa garde-robe ! À cause de l'accident sur le chantier, puis, en son absence, du confinement de Caitrina au château, elle n'avait pas pu s'acheter de nouvelles robes. Maintenant qu'il était rentré, elle pourrait bientôt s'en occuper.

Non, c'était autre chose. Un changement subtil, qu'il ne parvenait pas à identifier.

Il se souvint de son apparition soudaine et de la manière dont son soulagement s'était mué en soupçon. Il aurait juré avoir senti le vent dans sa chevelure et la fraîcheur du grand air sur ses joues rouges. Puis il y avait ces taches de boue sur ses jupes. Il était convaincu qu'elle venait de l'extérieur et non pas des cuisines. Pourtant, elle avait paru si sincère... Peut-être s'était-il trompé ?

Quoi qu'il en soit, sa fougue et sa joie de le revoir n'étaient pas feintes et cela lui mettait du baume au cœur.

À moins que... Oui, voilà ce qui était différent : elle avait l'air heureux. Le voile de chagrin qui l'avait enveloppée depuis la mort des siens semblait s'être levé. Même s'il aurait aimé être l'unique responsable de cette transformation, il ne pouvait s'empêcher de se demander s'il n'y avait pas une autre raison.

Il ouvrit la porte du bureau et entra. Will, le capitaine de ses gardes, et une poignée d'autres hommes l'attendaient.

Ils se levèrent en le voyant et Will s'avança vers lui.

— Mon laird, nous sommes ravis de vous savoir de retour sain et sauf.

Jamie leur fit signe de s'asseoir et prit place en tête de la table.

— Avez-vous reçu ma lettre ? demanda-t-il.

Il leur avait envoyé une missive pour les informer de l'exécution de MacGregor et leur ordonner de redoubler de vigilance, sans toutefois leur parler des Lamont.

— Oui, mon laird. Nous avons augmenté nos rondes dans les environs mais nous n'avons noté aucune activité inhabituelle ni aucune trace de hors-la-loi.

— La nouvelle de la mort de MacGregor s'est-elle propagée ?

— Pas à ce que l'on sache, même si les Lamont ne nous mettent pas dans la confidence. Les conversations se taisent dès qu'on nous voit approcher.

Cela n'avait rien de surprenant compte tenu des tensions entre les deux clans. D'un autre côté, la communication était mauvaise dans les îles de l'Ouest et il fallait parfois des semaines avant que des informations parviennent d'Édimbourg.

— Avez-vous remarqué des signes de tension ou de discorde ?

— Pas plus qu'à l'accoutumée.

Ils discutèrent ensuite de l'avancée des travaux à Ascog avant de revenir sur la question des Lamont.

— Vous avez surveillé Seamus et ses hommes ? demanda Jamie.

— Oui. Il s'est tenu tranquille. Très tranquille.

Jamie fronça les sourcils. Ce comportement ne lui disait rien qui vaille. Les serpents étaient plus dangereux quand on ne les entendait pas siffler.

— Il passe le plus clair de son temps à Ascog, à travailler sur le toit, poursuivit Will. Il se charge aussi d'abattre les arbres lui-même.

— Dans la forêt ? demanda Jamie, suspicieux.

— Oui, cela nous a d'abord inquiétés aussi, mais nous l'avons suivi et n'avons rien vu d'anormal. Il ne s'absente jamais plus de quelques heures.

— Je vois.

— Ai-je bien compris vos instructions, mon laird ? Les anciens gardes de Lamont ne sont pas nos prisonniers ?

— Oui, ils sont libres. Ils peuvent aller et venir à leur guise… tant qu'on les a à l'œil.

Néanmoins, son instinct lui disait que le vieux Seamus mijotait quelque chose et il avait la ferme intention de découvrir quoi.

19

Caitrina retint son souffle en regardant la dernière poutre, que les hommes étaient en train de hisser sur la charpente. Les travaux du château d'Ascog avaient bien progressé durant l'absence de Jamie mais, au cours des deux jours qui s'étaient écoulés depuis son retour, ils avaient avancé à pas de géant. Le toit n'était pas encore étanche mais ne tarderait plus à l'être.

Les lourdes pluies du continent s'étaient abattues sur le détroit, apportant un brouillard dense et de la bruine mais, par chance, pas assez pour empêcher de travailler. Caitrina avait respecté sa promesse de ne pas gêner des ouvriers, ne voulant pas mettre à l'épreuve les nerfs de son mari. Il n'aimait pas la voir près d'Ascog, mais elle évitait le danger en se cantonnant aux cuisines, où elle supervisait les tâches des servantes sans y participer directement. Il y avait beaucoup de décisions à prendre : quels plats et marmites étaient récupérables, quels meubles devaient être fabriqués, quels ustensiles acheter ou encore où construire les réserves.

Elle était montée dans la grande salle pour parler à Seamus des nouveaux comptoirs et étagères à confectionner dans les celliers et s'était attardée pour assister à la pose du dernier madrier. Quand celui-ci fut mis en place, des hourras retentirent dans la salle et elle s'y joignit avec enthousiasme.

Elle chercha machinalement Jamie des yeux et, comme toujours, ressentit une pointe de plaisir en l'apercevant. Avec sa grande taille, il n'était pas difficile à repérer dans la foule, mais c'était surtout son air détendu et son sourire qui la faisaient fondre.

Se sentant observé, il se retourna. Leurs regards se rencontrèrent et un profond sentiment de plénitude les envahit tous les deux. Elle lui sourit, savourant cet instant. Puis un homme venu poser une question à Jamie rompit le charme.

Elle soupira. L'espace d'un instant, elle avait retrouvé cette sérénité qu'ils avaient avant son départ. Depuis qu'il était rentré de Dunoon, quelque chose avait changé mais elle ne parvenait pas à mettre le doigt dessus. En surface, tout était comme avant : la nuit, il la tenait dans ses bras et lui faisait l'amour avec passion ; le jour, il se montrait plus prévenant et attentionné que jamais.

Sauf qu'il la surveillait.

Soupçonnait-il quelque chose ? Avait-elle commis une erreur qui lui aurait mis la puce à l'oreille ?

Peut-être n'était-ce que son imagination, ou son sentiment de culpabilité, qui lui jouait des tours ?

Cacher la survie de ses frères à son mari la déchirait. Elle aurait voulu lui faire partager sa joie ; au lieu de cela, elle devait lui mentir.

Pour aggraver la situation, elle n'avait pas osé retourner dans la grotte pour voir Niall et Brian depuis le retour de Jamie ; c'était trop risqué. Les comptes rendus de Mor ne lui suffisaient pas. Les siens lui manquaient et elle s'inquiétait pour leur sécurité. Jamie avait été chargé de débarrasser la région des hors-la-loi. Que se passerait-il s'il les découvrait ou s'il découvrait qu'elle lui avait menti ?

Ne trouvant Seamus nulle part, elle s'apprêtait à retourner aux cuisines quand elle aperçut Mor qui tentait d'attirer son attention depuis l'autre côté de la salle.

À son expression anxieuse, elle comprit que quelque chose n'allait pas.

Son cœur se serra et elle pensa aussitôt à Brian. Non, ce n'était possible ; son état n'avait cessé de s'améliorer…

Caitrina rejoignit Mor le plus rapidement possible en s'efforçant de ne rien montrer de son angoisse. Elle prit les mains glacées de sa nourrice entre les siennes.

— Que se passe-t-il ?

Mor lança un regard furtif à la ronde, puis chuchota :

— Pas ici.

L'angoisse de Caitrina s'accentua encore. Sachant que Jamie l'observait peut-être, elle afficha un large sourire et conduisit Mor hors de la grande salle, l'entraînant dans l'escalier menant aux celliers. Il y avait trop de monde dans les cuisines. Elles les traversèrent, empruntèrent un couloir et se rendirent dans la laiterie. Il y faisait froid et humide ; Caitrina resserra son *arisaidh* autour de son cou, se préparant au pire.

— C'est Brian ? Il lui est arrivé quelque chose ?

— Non, non. Ma pauvre chérie, je ne voulais pas t'effrayer. Brian va aussi bien qu'il le peut.

Il y avait un ton de reproche dans sa voix. Comme Caitrina, Mor estimait que Brian devait être soigné à Rothesay. La nourrice reprit :

— C'est cet entêté de Niall. Ton frère cherche à se faire tuer.

— Niall ? Je ne comprends pas.

— Je lui ai pourtant dit de ne pas y aller…

Caitrina sentit son sang se glacer.

— Y aller ? Mais où ?

Les traits de Mor s'affaissèrent.

— Je n'en sais rien. Il est parti avec Seamus et les autres et je suis sûre qu'ils préparent un mauvais coup. Ce matin, quand je suis arrivée, il y avait un homme étrange avec eux. Il avait une allure de sauvage et un regard plein de haine.

— Cet homme… tu sais comment il s'appelle ?

— Non, mais de toute évidence, c'est un homme traqué. Je suis prête à parier que c'est un MacGregor.

Même si elle doutait que son frère puisse se montrer aussi imprudent, Caitrina comprenait aisément qu'il s'identifie aux MacGregor : il avait vu sa maison détruite, son père et son frère tués ; il était à présent un hors-la-loi. Il avait changé. En apparence, c'était toujours le même jeune homme taquin, mais il y avait désormais en lui une certaine froideur. Elle sentait son amertume et sa haine percer sous son apparente bonhomie. Mais il y avait encore autre chose. À plusieurs reprises, elle avait surpris une lueur étrange dans son regard, comme s'il était à des milliers de lieux de là... comme s'il désirait ardemment quelque chose, ou quelqu'un.

— Tu dis que Seamus et d'autres hommes sont partis eux aussi ? demanda-t-elle.

— Oui. Le laird ne va pas tarder à remarquer leur absence.

Elle avait raison. Jamie devait être en train de les chercher. Soudain, Caitrina pensa à un autre détail.

— Et Brian ? Qui veille sur lui ?

— Niall a dit qu'il reviendrait dans un jour ou deux. Jusque-là, Brian sera en sécurité dans la grotte. Une fille du village s'occupe de lui.

Anticipant la question de Caitrina, elle confirma :

— Oui, on peut lui faire confiance.

Caitrina réfléchit. Où pouvaient-ils bien être allés ? Qui était cet homme et qu'avait-il pu dire à Niall pour qu'il abandonne son petit frère, ne serait-ce que pour une courte période ?

Il y avait une question plus préoccupante encore : que ferait Jamie quand il s'apercevrait que Seamus et les autres gardes avaient disparu ?

La nuit ne tarderait plus à tomber. La brume était descendue comme un épais manteau, les enveloppant dans ses doigts glacés. Jamie se tenait dans la cour, la mine sombre. Seamus et les autres gardes Lamont étaient partis depuis le matin et les hommes qu'il avait envoyés à leur recherche venaient de rentrer... bredouilles.

— Je suis navré, mon laird, s'excusa Will. Nous n'avons trouvé aucune trace d'eux.

Jamie jura, puis demanda :

— Pourquoi n'ont-ils pas été suivis ?

— Ils l'étaient. L'homme que j'avais chargé de cette tâche n'a rien remarqué d'anormal. Il les a laissés en train de couper du bois ce matin.

— Et personne n'a remarqué leur absence jusqu'à l'heure du déjeuner ?

— D'ordinaire, ils ne rentrent pas avant le repas. Je suis désolé, nous aurions dû mieux les surveiller. Mais le vieil homme avait cessé de se plaindre, ces derniers temps. Il était loyal à votre épouse et nous avons pensé qu'il avait fini par s'adapter aux nouvelles circonstances.

— Ce n'est pas votre faute, le rassura Jamie. J'ai cru cet homme sur parole.

Si quelqu'un devait être tenu pour responsable, c'était lui. Il avait trouvé la soumission de Seamus trop belle pour être vraie.

— Où peuvent-ils être allés ? demanda Will.

— Compte tenu des soulèvements provoqués par l'exécution de MacGregor, je dirais, à première vue, dans les montagnes de Lomond.

Qu'est-ce qui avait pu pousser les hommes de Lomont à risquer leur vie ? Étaient-ils vraiment prêts à mourir pour les MacGregor ? Peut-être, mais il pouvait y avoir une autre explication : ils ne reculeraient devant rien pour un Lamont.

— Mais pourquoi maintenant ? insista Will.

— Je l'ignore, mais je vais le découvrir.

Il pivota sur ses talons et se dirigea vers le donjon.

Il priait pour que ses soupçons soient infondés. Il ne voulait pas croire que Caitrina puisse être mêlée à cette folie mais elle lui cachait quelque chose, il en était convaincu. Il s'efforça de se calmer, ne voulait pas tirer des conclusions trop vite.

Comme il restait du temps avant le dîner, il commença à la chercher dans leur chambre. Elle était rentrée d'Ascog plus tôt que d'habitude avec sa nourrice. Il se souvint que la vieille femme avait eu l'air désemparé mais, comme Caitrina semblait de bonne humeur, il n'y avait pas prêté trop d'attention.

S'il avait survécu aussi longtemps, c'était parce qu'il ne croyait pas aux coïncidences.

Il ouvrit la porte sans frapper et s'immobilisa, découvrant sa femme qui venait de sortir de son bain.

En l'entendant entrer, elle sursauta et se retourna brusquement. Il aurait juré avoir aperçu une lueur d'appréhension dans son regard insondable... presque comme si elle avait deviné la raison de sa visite.

L'air humide et lourd était chargé d'effluves de lavande. Elle était assise sur un tabouret, enveloppée dans un châle. Une servante brossait sa longue chevelure d'ébène, brillante et soyeuse comme de la martre. Sa nourrice se tenait à ses côtés d'un air protecteur, raide comme un soldat de la garde royale.

Jamie agita une main en direction des domestiques.

— Laissez-nous, je veux parler à votre maîtresse.

Mor fit un pas vers lui, lui cachant Caitrina.

— Comme vous pouvez le constater, nous n'avons pas encore terminé.

— Sortez tout de suite ! tonna Jamie.

Mor ne broncha pas mais la jeune servante terrifiée lâcha son peigne en corne. Il tomba sur le parquet avec un bruit sourd qui résonna dans le silence.

Caitrina se leva et contourna sa nourrice. Son peignoir en soie ne cachait rien de ses courbes sensuelles. Son châle croisé sur sa poitrine laissait voir la peau diaphane entre ses seins ronds. Ses mamelons étaient dus et tendus, clairement visibles sous la fine étoffe. Jamie déglutit, décidé à ne pas se laisser distraire.

Caitrina affichait un sourire accueillant qui ne se reflétait pas dans ses yeux.

— Tu as froid, dit-elle. Viens donc t'asseoir près du feu.

Elle se tourna vers Mor et la jeune fille tremblante qui fixait le parquet.

— Vous pouvez nous laisser, merci.

La servante détala aussitôt mais Mor hésitait, l'air buté. Caitrina l'implora du regard et la vieille femme grommela dans sa barbe avant de se décider enfin à sortir, refermant la porte en la claquant.

— Cette vieille sorcière va devoir apprendre à rester à sa place, grogna Jamie.

— Sa place est à mes côtés, répondit calmement Caitrina. Il faut que tu comprennes… quand ma mère est morte, c'est Mor qui s'est occupée de moi. Elle ne pense pas à mal, mais considère que son devoir est de me protéger.

— Contre qui ?

— Contre toi, répondit-elle du tac au tac.

— Tu sais bien que je ne te ferais jamais de mal.

— Oui mais, quand tu es en colère…

— Ai-je une raison d'être en colère ?

— À toi de me le dire. Ce n'est pas moi qui ai fait irruption dans notre chambre en ordonnant à tout le monde de sortir.

— Un homme n'a pas le droit de rester seul avec son épouse ?

Elle arqua un sourcil.

— Mais il s'agit d'autre chose, n'est-ce pas ?

Elle s'avança vers lui, l'ondulation sensuelle de ses hanches rendue encore plus séduisante du fait qu'elle en était inconsciente. Elle glissa les bras autour de son cou et caressa les muscles noués de ses épaules, sentant sa tension. Elle était si chaude et douce qu'il avait envie de la serrer contre lui et d'oublier le monde extérieur, envie qu'ils ne soient plus que tous les deux, seuls, là où rien ne pouvait se mettre entre eux.

Incapable de réfléchir quand il se tenait si près d'elle, il s'écarta.

— Les hommes de ton père ont disparu, annonça-t-il.

— Disparu ? Que veux-tu dire, disparu ?

Elle avait l'air surpris, mais sa voix n'était-elle pas un peu trop haut perchée ?

— Je veux dire qu'ils ne sont pas revenus de la forêt où ils étaient censés abattre des arbres.

— Il fait froid et le brouillard est dense. Peut-être se sont-ils abrités quelque part ?

— Non, ils sont bel et bien partis. Mes hommes ont fouillé les environs.

— Et ont-ils trouvé quelque chose ?

Elle avait parlé avec une fausse nonchalance. Elle était angoissée, il le sentait.

— Ils ont bien effacé leurs traces mais mes hommes pensent qu'ils ont traversé le détroit pour se rendre sur le continent. En faisant cela, ils ont rompu leur serment qui les liait à moi. Je veux savoir pourquoi.

— Si c'est vrai, et j'espère que ce n'est pas le cas, cela me dépasse.

Il étudia son visage. Elle ressemblait à un ange avec sa peau de pêche, ses grands yeux bleus et ses lèvres rouges. Sa beauté innocente semblait le narguer. Il lui prit le bras.

— Tu ne sais vraiment pas ?

— Puisque je te le dis.

Elle tenta de se libérer mais il la retint.

— Seamus et les autres ne me font pas de confidences, se défendit-elle.

Elle semblait si catégorique qu'il fut obligé de la croire. Soulagé, il la lâcha.

— Tant mieux, dit-il. Je n'aurais pas aimé que tu me caches des choses. Tu ne me caches rien, n'est-ce pas ?

Elle détourna les yeux pendant une fraction de seconde et, de nouveau, il se sentit gagné par une étrange sensation de malaise.

— Que pourrais-je te cacher ? demanda-t-elle. Et puis, pourquoi me questionnes-tu ainsi ? Je t'ai déjà dit que je ne savais rien des plans de Seamus. Que cherches-tu à savoir, au juste ?

Jamie comprit ce qui lui restait à faire. Il détestait courir le risque de lui faire du mal mais elle avait le droit de savoir. Si elle ne l'apprenait pas de sa bouche, elle finirait par le savoir d'une manière ou d'une autre. Il la prit par la main et l'entraîna vers un fauteuil.

— Assieds-toi.

Devant son air grave, elle obtempéra sans discuter. Il vint se placer devant elle, dos à la cheminée. Il tenait à voir son visage quand il le lui annoncerait.

— J'ai quelque chose à te dire. Cela te fera peut-être de la peine mais tu dois le savoir.

Il la vit se tendre. Il n'était pas très doué pour prendre des gants, aussi valait-il mieux ne pas tergiverser.

— Des bruits courent. On raconte qu'un ou plusieurs de tes frères seraient toujours vivants.

Elle se figea, le visage dénué d'émotions. Était-ce l'expression d'une personne qui venait de subir un choc... ou l'attitude de quelqu'un qui avait peur ?

Elle serra l'accoudoir en bois sculpté de son siège jusqu'à ce que ses doigts blanchissent. Elle semblait soudain incroyablement fragile... tel un bibelot en verre menaçant de se briser en mille morceaux.

— Tu le crois ? demanda-t-elle.

— Je ne sais pas.

— Dis-moi ce que tu as entendu...

Elle était trop calme, trop rationnelle. Il s'était attendu à ce qu'elle se précipite hors de la chambre et dans la cour, hurlant qu'on lui prépare un cheval. Il s'était attendu à des larmes, à une réaction violente. Il savait à quel point elle avait aimé les membres de sa famille, à quel point leur mort l'avait détruite.

Elle savait...

Il lui répéta ce que son cousin lui avait dit et lui raconta ses recherches infructueuses à Lomond.

Au lieu de l'assaillir de questions, elle le dévisagea d'un air accusateur.

— Cela fait plus d'une semaine que tu étais au courant et tu ne me le dis que maintenant ?

— Je ne voulais pas te donner de faux espoirs avant d'en savoir plus.

— Tu me considères comme une enfant.

— Non, comme une personne qui a assez souffert et que je veux protéger. Peux-tu me reprocher de ne pas avoir voulu t'infliger une nouvelle douleur ? Tu commences juste à te remettre.

— Je ne me remets pas, je m'adapte, corrigea-t-elle d'un ton froid.

— Je sais que cela a été dur pour toi, mais reconnais que tu étais plus heureuse ces dernières semaines.

— C'est vrai. Je ne le nie pas.

— Tu comprends alors ma réticence.

Cela n'avait pas l'air d'être le cas.

— Et tu as décidé de me le dire maintenant à cause de la disparition de Seamus ?

Il acquiesça.

— Je vois.

Elle se leva et vint se placer devant la cheminée. Le dos raide, elle contemplait les braises de tourbe. Était-elle vraiment fâchée ou voulait-elle seulement éviter son regard ? Il détestait cette suspicion qui le torturait, mais chaque fibre de son corps lui indiquait qu'elle en savait plus qu'elle ne le disait.

Elle se tendit quand il s'approcha d'elle. Il lui prit le menton, la forçant à le regarder dans les yeux.

— Le savais-tu, Caitrina ? As-tu eu des nouvelles de tes frères ?

Il voyait le pouls dans son cou battre frénétiquement, comme les ailes d'un oiseau piégé. Il aurait suffi à Jamie de poser le pouce dessus pour qu'il s'apaise.

Elle hésita.

— Non, répondit-elle enfin. J'ignorais tout de ces rumeurs.

Ce déni l'atteignit comme une gifle. Le visage de Caitrina reflétait une foule d'émotions tumultueuses. Si elle lui mentait, ce n'était pas sans remords... une maigre consolation pour sa trahison. Et lui qui avait cru qu'elle l'aimait ! Le sot !

Elle l'implorait du regard alors même que sa bouche prononçait son mensonge. Cette bouche pleine et rouge, aux courbes sensuelles, qui lui avait donné tant de plaisir. Sa chevelure parfumée était en train de sécher et de petites boucles s'enroulaient autour de ses tempes. Qu'elle était belle ! Pourtant, pour la première fois, il n'était pas tenté de la prendre dans ses bras et de la réconforter. Elle avait choisi d'être loyale à sa famille plutôt qu'à lui. Sans doute aurait-il dû s'y attendre, mais ce qu'il n'avait pas prévu, c'était cette douleur cuisante dans sa poitrine. S'il n'avait pas eu si mal, il aurait peut-être compris ce conflit de loyauté, ce tiraillement entre deux forces opposées. Mais cette fois, c'était trop.

Il laissa retomber sa main. Peut-être avait-il espéré l'impossible.

Alors, serrant les dents, il tourna les talons.

— Attends ! Où vas-tu ?

Sur le pas de la porte, il la dévisagea froidement.

— Chercher les hommes de ton clan.

— Que va-t-il leur arriver ?

Il perçut l'angoisse dans sa voix mais n'était pas d'humeur à apaiser ses craintes.

— Je n'en sais rien.

De fait, l'avenir de ses frères était aussi incertain que le leur.

Jamie était parti depuis deux jours et elle n'avait toujours pas de nouvelles de Niall. Caitrina avait à peine fermé l'œil depuis son départ. Elle se repassait sans cesse la scène qui s'était déroulée dans leur chambre, sachant qu'elle avait commis une erreur. Elle aurait voulu se confier à lui, mais la promesse faite à son frère avait étouffé son instinct.

Elle aurait dû écouter son cœur.

La vérité était sous ses yeux depuis un certain temps, mais elle avait eu trop peur de la voir : elle aimait Jamie. Elle aimait sa force, son autorité tranquille, son honneur, le sourire insouciant qu'il ne montrait qu'à elle, sa manière tendre de la serrer dans ses bras et de lui faire l'amour… Et celle, moins tendre, de la prendre avec fougue, ivre de passion pour elle. Elle aimait sa façon de la forcer à regarder au-delà des apparences. Sa façon de l'accepter telle qu'elle était.

Elle avait cru son cœur brisé à jamais, enfoui dans le sable avec le lambeau de tartan de son père. Il était simplement caché derrière un rideau de peur, car aimer signifiait aussi que l'on pouvait perdre l'objet de son amour. Il lui semblait à présent qu'elle avait passé toute sa vie à fermer les yeux. D'abord sur ce qu'il se passait autour d'elle, puis sur les secrets de son cœur. Mais Jamie n'avait jamais hésité à lui dire la vérité, aussi brutale ou désagréable soit-elle. Par sa détermination, sa compréhension et sa force, il lui avait donné le courage de regarder les choses en face et l'avait aidée à panser les plaies du passé.

Comment ne l'avait-elle pas compris plus tôt ? Elle avait besoin de lui exprimer ses sentiments, de lui dire combien elle l'aimait avant qu'il ne découvre la vérité. L'avait-il crue quand elle avait prétendu ne rien savoir au sujet de Niall ou savait-il qu'elle avait menti ?

272

Tôt le matin du troisième jour, elle entendit enfin le cri du guet : des cavaliers approchaient.

Elle regarda par la fenêtre mais ne vit qu'un épais brouillard gris. Le temps semblait avoir empiré, comme pour mieux refléter son humeur.

Elle noua à la hâte son *arisaidh* autour d'elle et dévala l'escalier. Elle parvint dans la grande salle au même moment que les hommes.

À leur tête marchait un guerrier en tenue de combat. Elle se précipita vers lui.

— Jamie, je suis dés...

Le reste de sa phrase resta coincé dans sa gorge quand il ôta son heaume.

Ce n'était pas Jamie, mais son frère.

20

Colin Campbell d'Auchinbreck, l'homme responsable de la mort de son père et de son frère, se tenait à quelques mètres d'elle.

Sa révulsion fut rapidement surmontée par un sentiment de haine. Elle se souvenait avec précision de leur dernière rencontre : il se tenait dans sa chambre durant le raid, frappant Brian, avant de laisser un de ses gardes tenter de la violer. Il arborait toujours la même expression froide et suffisante.

Pourtant, cette fois, elle ne pouvait faire abstraction du fait qu'il était aussi le frère de l'homme qu'elle aimait. Maintenant qu'elle connaissait son identité, sa ressemblance avec Jamie lui apparaissait comme plus frappante encore, surtout au niveau de la bouche et des yeux. Ses cheveux étaient plus sombres et il était moins grand que Jamie mais ils avaient la même stature et dégageaient la même autorité régalienne. À ceci près que ce qui était de l'assurance chez Jamie devenait de l'arrogance chez son frère.

Elle serra les poings, ses doigts se crispant sur la laine de ses jupes plutôt que sur le manche du poignard qu'elle aurait aimé tenir. Jamais elle n'avait ressenti une telle envie de tuer. Colin Campbell avait de la chance qu'elle ne soit pas armée.

Lui-même paraissait revenir d'un combat, car ses mains et son visage étaient maculés de terre et de sang.

Il avait une entaille séchée sur le front et une autre sur le poignet droit. Mais c'était surtout son regard plein de hargne qu'elle trouvait inquiétant.

La prudence conseillait à Caitrina de reculer mais elle ne voulait pas avoir l'air de le craindre. Elle puisa son courage dans le fait qu'elle était l'épouse de son frère et que Jamie le tuerait s'il portait la main sur elle.

Il regarda autour de lui dans la grande salle et demanda sans préambule :

— Où est mon frère ?

Sa voix monotone résonna dans la mémoire de Caitrina, faisait ressurgir d'horribles images. Elle le regarda néanmoins droit dans les yeux. Elle se souvint non sans satisfaction du coup de poing qu'elle lui avait envoyé en pleine figure. Visiblement, il ne l'avait pas oublié non plus.

— Comme vous le voyez, il n'est pas ici.

Il ne parut guère apprécier son insolence.

— Quand reviendra-t-il ?

— Je ne sais pas.

— Où est-il allé ?

Comment ce malotru se permettait-il de faire irruption chez elle et de la questionner comme si elle était un de ses laquais ?

— Mon mari ne m'a pas informée des détails de son voyage, répondit-elle d'un ton sec.

— Surveille ta langue, ma fille. Contrairement à mon frère, je ne tolère pas qu'une femme me manque de respect. Même s'il s'agit d'un membre de ma famille.

— Vous ne faites pas partie de ma famille.

Il eut l'impudence de sourire, ce qui acheva de la mettre hors d'elle.

— Je vous rappelle que vous êtes ici chez moi. Estimez-vous heureux que je ne vous fasse pas jeter hors de mon château après ce que vous avez fait !

S'il avait des remords, il ne le montra pas, mais il modéra son ton et se montra plus courtois.

— Votre père abritait des proscrits et savait ce que cela pouvait lui coûter.

Il s'interrompit brièvement, la regardant de haut en bas, puis ajouta :

— Cela dit, j'ignorais alors ce que vous représentiez pour mon frère.

— Cela aurait changé quelque chose ?

— Je n'en sais rien, répondit-il avec un haussement d'épaules. Ce qui est fait est fait, je ne peux pas changer le passé.

De fait, elle non plus. Si Jamie et elle devaient avoir un avenir ensemble, elle devrait trouver un moyen de composer avec cet individu, même si elle espérait ne pas avoir à supporter sa compagnie trop longtemps.

— Pourquoi êtes-vous ici ? Que voulez-vous ?

— Mes gardes et moi-même avons été attaqués sur la route de Dunoon. Sans l'arrivée fortuite d'un groupe d'hommes de mon cousin, nous aurions été écrasés.

— Quel rapport avec Jamie ?

— J'ai de bonnes raisons de croire qu'il sait qui nous a attaqués.

— Qu'est-ce qui vous fait penser cela ?

— Il se trouve que nous avons suivi plusieurs des hors-la-loi jusqu'à Bute.

Les pires craintes de Caitrina se concrétisaient ; Niall était sans doute responsable. Elle n'osa pas poser la question qui lui brûlait les lèvres : combien de morts y avait-il eus dans les rangs des agresseurs ?

— Pourquoi mon mari serait-il au courant ?

— Parce que Bute est sous sa responsabilité. Il a été chargé d'en chasser les proscrits. S'il n'en est pas capable, je m'en occuperai à sa place.

— Vous vous trompez, répondit-elle calmement. Il n'y a plus de hors-la-loi sur l'île.

— Ah ? lâcha-t-il d'un ton caustique.

— Je vous l'assure.

276

— C'est étrange, car j'aurais juré reconnaître votre frère parmi nos assaillants. Votre frère qu'on donnait pour mort.

Elle se figea, luttant pour maîtriser sa réaction alors qu'elle tremblait comme une feuille.

— Mes frères sont morts, répliqua-t-elle. Vous êtes bien placé pour le savoir, puisque c'est vous qui les avez tués.

— Sans doute pas vraiment, chère *sœur*. Une erreur que je vais m'empresser de corriger...

Trop bouleversée pour pouvoir conserver plus long-temps son calme de façade, Caitrina se retrancha dans sa chambre, attendant avec impatience le retour de Jamie. Colin s'apprêtait sûrement à fouiller les collines et les grottes des environs. S'il trouvait ses frères et les hommes de son père avant Jamie, ils n'auraient aucune chance.

Quel gâchis ! Si elle avait fait confiance à Jamie, tout ceci aurait pu être évité. Qu'il ait de bonnes raisons ou pas, Niall venait de tenter d'assassiner l'un des hommes les plus puissants des Highlands. Elle pouvait comprendre sa soif de vengeance, mais se demandait si l'attaque soudaine n'avait pas été motivée par une autre raison, liée à l'homme étrange dont Mor lui avait parlé. Cela ne changeait rien : si Auchinbreck lui mettait la main dessus, Niall était un homme mort.

Vers midi, ses prières furent exaucées. Dès qu'elle entendit le guet annoncer une arrivée, elle se précipita à la fenêtre, juste à temps pour voir Jamie franchir le portail. Préférant éviter une nouvelle confrontation avec Colin, elle attendit nerveusement dans la chambre qu'il vienne à elle.

Les minutes s'éternisèrent. Enfin, près d'une demi-heure plus tard, elle entendit son pas dans l'escalier...

Quand il ouvrit la porte, il vibrait d'une colère sourde. Elle leva les yeux vers lui. Son visage portait les traces de son voyage. Ses lèvres étaient gercées par le froid et ses yeux plissés comme s'il cherchait encore à se protéger de la bruine glacée. Il était trempé et semblait avoir chevauché dans les intempéries trois jours durant.

Elle voulut aller vers lui mais son regard froid l'arrêta dans son élan.

— Jamie, je...

— Tu as déjà appris ce qu'il s'est passé, déclara-t-il d'une voix cinglante.

Jamais il ne l'avait dévisagée aussi froidement. Elle comprit qu'il savait qu'elle lui avait menti et sentit la peur monter en elle. Pourrait-il la comprendre ? Elle s'était trouvée dans une situation impossible, tiraillée entre deux devoirs contradictoires. « Oui, mais tu as choisi tes frères et non lui », lui souffla une petite voix intérieure.

Il paraissait inaccessible, lointain. Elle l'avait blessé. Comment lui expliquer ?

Il attendait sa réponse.

— Oui, ton frère m'a exposé la raison de sa visite.

— Je regrette que tu te sois trouvée seule avec lui. Je suis sûr que cela a été difficile pour toi.

— En effet.

— Il m'a dit que tu avais menacé de le faire jeter dehors.

Elle hésita, ne sachant pas de quelle manière il allait réagir. Colin était peut-être le diable incarné, mais c'était aussi son frère.

— C'est vrai, admit-elle.

— J'aurais voulu voir ça.

Détectait-elle l'ombre d'un sourire ? Hélas ! l'instant suivant, le regard de Jamie se durcit à nouveau.

— Tu sais ce que cela signifie, n'est-ce pas ? demanda-t-il. Si les hommes de ton clan sont responsables de l'attaque contre mon frère, non seulement ils auront rompu la trêve mais, en outre, ils seront recherchés pour tentative de meurtre. Colin veut soulager sa

278

colère en faisant tomber des têtes. Leur geste nous met tous en péril.

— Que veux-tu dire ?

— Quand nous nous sommes mariés, je me suis porté garant pour les Lamont. Mon frère me le fera payer. Il n'a pas accepté qu'Argyll m'ait donné Ascog alors qu'il estimait que le domaine lui revenait de droit.

Elle sentit son sang se glacer. L'imprudence de Niall pouvait leur faire perdre Ascog. Son rêve de restituer les terres aux Lamont lui glissait entre les doigts. Et qu'arriverait-il à Niall, Brian et les autres ? Elle implora son mari :

— Tu dois faire quelque chose !

— Il est un peu tard pour me demander mon aide, Caitrina.

Tard. Voulait-il dire qu'il était trop tard… pour eux ?

— Je suis désolée. Crois-moi quand je te dis que je ne voulais rien de tout cela.

— Ce que m'a dit Colin est vrai ? Ton frère Niall était avec eux ?

La question implicite était : « M'as-tu menti ? » Elle le regarda en face et acquiesça. Il poussa un juron d'une obscénité inattendue, une perte de maîtrise de lui-même qui en disait long sur l'ampleur de sa colère.

— Quand l'as-tu appris ? demanda-t-il.

— Il n'y a pas longtemps. J'ai découvert qu'ils étaient vivants pendant que tu étais à Dunoon.

— « Ils » ?

— Brian a survécu lui aussi.

Elle lui expliqua comment ils s'étaient échappés et ce qu'il s'était passé après la bataille, leur fuite en Irlande et leur retour quand ils avaient appris la reddition de MacGregor. Elle évita de lui dire qu'ils s'étaient battus auprès des MacGregor, mais lorsqu'elle lui parla de la blessure de Brian, il le comprit de lui-même.

Pendant qu'elle parlait, il l'étudiait avec attention.

— Je suis heureux pour toi, Caitrina. Je sais à quel point tu les aimes. Tu as dû être folle de joie.

Elle refoula les larmes.

— C'est vrai. Je ne peux toujours pas le croire.

— Si tu m'avais dit la vérité, j'aurais peut-être pu les empêcher de commettre une telle erreur.

— Je voulais tout te dire mais Niall m'a fait jurer le secret.

— Je n'en doute pas. Cependant tu n'aurais pas dû accepter, sachant que cela t'obligerait à me mentir.

— Ce n'est pas si simple. Niall a menacé de partir si je ne jurais pas. Brian était si mal en point, j'ai eu peur qu'il n'y survive pas. Il a dit que tu les jetterais tous les deux au cachot.

— Et tu l'as cru ?

Le ton de Jamie était dangereusement neutre.

— Non.

Il la dévisagea d'un air insistant, la défiant.

— Enfin..., reprit-elle. J'espérais que tu ne le ferais pas. Mais je connais ton opinion sur les proscrits et ton devoir envers la loi.

— Tu es ma femme.

— Je sais. Mais il y a également ton cousin. Je craignais sa réaction s'il découvrait qu'ils étaient en vie.

— Tes craintes étaient injustifiées.

— Que veux-tu dire ?

— Argyll a promis que, si tes frères étaient vivants, il se montrerait clément.

— Mais pourquoi le serait-il ?

— Il a un compte à régler.

Caitrina comprit qu'il avait accordé son pardon à Argyll pour le tort qu'il lui avait causé en échange de sa magnanimité envers ses frères.

— Tu as fait ça pour moi ?

Il acquiesça.

— Pourquoi ne m'as-tu rien dit ?

— Tu ne m'en as pas laissé l'occasion.

« Parce que je ne t'ai pas dit la vérité. »

— Où sont-ils, Caitrina ?

Elle hésita une seconde de trop.

— Bon sang ! explosa-t-il. Tu veux mon aide mais tu ne me fais toujours pas confiance.

— Si, j'ai confiance, je t'assure.

Elle le sentit se retrancher et s'accrocha à son bras. Elle devait faire quelque chose. Elle regarda dans le fond de ses yeux et trouva les mots qu'elle n'avait pas encore pu formuler.

— Je t'aime…, murmura-t-elle.

Elle sentit les muscles du bras de Jamie se contracter sous ses doigts.

— Si seulement je pouvais te croire !

— C'est la vérité.

— Et elle ne sort de ta bouche que maintenant, Caitrina ? Je sais à quel point tu tiens à tes frères et je comprends que tu sois prête à tout pour les sauver. Ce n'était pas la peine de te donner autant de mal, je les aurais aidés de toute manière.

Caitrina resta interdite. Elle avait enfin trouvé le courage de lui dire ses sentiments et il refusait de les entendre !

— Tu ne me crois pas ?

— L'amour et la confiance vont de pair. Il ne peut y avoir l'un sans l'autre.

— Tu ne comprends pas. J'ai promis…

— Au diable avec tes promesses !

Il lui prit le coude et la secoua.

— Dis-moi où ils se cachent ou je ne pourrai plus rien pour eux.

— Mais… Colin ?

— Prie pour que je les trouve avant lui.

Il avait raison. D'ici à une heure, les collines grouille-raient de Campbell. Si Colin découvrait ses frères, il n'aurait aucune pitié. Naturellement, il y avait une possibilité qu'on ne les trouve pas mais c'était un risque qu'elle n'était pas prête à prendre.

Elle hésita encore un instant mais elle n'avait pas le choix. Niall serait furieux contre elle mais que pouvait-elle faire ? Elle le préférait en colère que mort.

Devinant son dilemme, Jamie déclara d'un ton radouci :

— Je peux les protéger, Caitrina.

Elle regarda dans ses yeux et n'y vit que de la sincérité.

— Promets-moi que tu ne laisseras pas Colin leur faire du mal.

— Je ferai tout ce qui est en mon pouvoir pour leur venir en aide mais pour cela, il faut d'abord que je sache où les trouver.

Il n'était plus temps de tergiverser. Les joues ruisselantes de larmes, elle acquiesça. Elle aurait confié sa vie à Jamie les yeux fermés. À présent, elle lui confiait celle de ses frères.

— Très bien, dit-elle. Je vais t'y conduire.

— Non, c'est trop dangereux.

— C'est la seule solution. T'indiquer le chemin serait trop compliqué. En outre, mon frère et ses hommes surveillent l'entrée. S'ils te voient, ils risquent de te transpercer d'une flèche avant que tu n'aies pu ouvrir la bouche. Je passerai la première et leur expliquerai.

« Dieu seul sait ce que je vais leur raconter... », pensa-t-elle.

Jamie pinça les lèvres.

— J'ai dit que c'était trop dangereux. Il doit y avoir quelqu'un d'autre qui connaisse le chemin. Ta vieille nourrice, par exemple ?

Caitrina refusa de se laisser dissuader.

— J'y vais. Il faut que ce soit moi qui leur parle.

Il allait répliquer mais elle l'en empêcha :

— Jamie, il faut que je le fasse. Je te promets d'être prudente. Et puis, tu seras avec moi.

— Non, je ne veux pas que tu te retrouves au milieu de…

— J'y suis déjà, le coupa-t-elle.

Il resta silencieux un moment.

— Je t'en prie.

Il hésita encore un peu.

— Soit, mais tu dois me jurer de faire exactement ce que je te dis.

— De t'obéir au doigt et à l'œil, en somme ?

Il ne fut pas amusé.

— Oui. Je suis sérieux, Caitrina. Pas de discussions. Pas de questions. Nous sommes d'accord ?

Sachant qu'il ne la laisserait pas venir si elle n'obéissait pas, elle accepta.

— Qu'en est-il de ton frère ? demanda-t-elle.

— Il est parti à leur recherche avec ses hommes tout à l'heure. Espérons qu'ils ont pris la mauvaise direction !

— Dans ce cas, il n'y a plus de temps à perdre.

Elle ouvrit un placard et en sortit une épaisse cape en laine. La jetant sur ses épaules, elle courut vers la porte que Jamie lui tenait ouverte. Ils étaient tout près l'un de l'autre et, pourtant, la distance entre eux n'avait jamais semblé si grande. L'espace d'un instant, le temps s'arrêta. Ils se frôlaient sur le seuil de la chambre, les yeux dans les yeux. Elle eut envie de se hisser sur la pointe des pieds et de l'embrasser, de l'enlacer et de puiser dans leur étreinte la certitude que tout se passerait bien, qu'ensemble, ils déplaceraient des montagnes.

Si seulement elle avait pu en être sûre !

Pour Jamie, il y avait le mal et le bien. En lui mentant, elle l'avait trahi. Peu importait qu'elle n'ait pas eu le choix. Il n'avait pas cru non plus à sa déclaration d'amour. Une fois ses frères en sécurité, elle ferait tout pour le convaincre de sa sincérité.

Il abaissa les yeux et s'effaça pour la laisser passer. Déçue, elle s'engagea dans l'escalier.

— Caitrina ?

Elle s'arrêta et se retourna. Il se tenait toujours sur le seuil, l'observant.

— Oui ?

— Ne me mens plus jamais.

Avec l'approche de l'hiver, les jours s'étaient considérablement raccourcis et le crépuscule s'immisçait déjà entre les arbres alors que ce n'était que la fin d'après-midi. Dans l'épaisse forêt, déjà sombre en plein jour, la pénombre revêtait une atmosphère surréelle encore accentuée par la brume spectrale. De nombreux Highlanders évitaient les montagnes et les bois, les considérant comme le domaine des fées.

Ce n'étaient pas les fées qui préoccupaient Jamie, mais sa femme.

Caitrina les avait conduits sur une hauteur, face à la grotte. De là, ils avaient une bonne vue sur les environs tout en étant suffisamment loin pour ne pas attirer l'attention des Lamont. Jamie scruta les arbres et aperçut deux guetteurs postés près de l'entrée. Ils en avaient déjà capturé un autre placé plus en avant et les hommes de Jamie encerclaient ces deux-là, n'attendant qu'un signal de leur chef pour leur sauter dessus.

Jamie était à cran. Il avait chevauché pendant deux jours sans interruption entre Cowal et Argyll, cherchant des traces des hommes du clan de Caitrina dans l'espoir d'éviter un désastre. Lorsqu'il avait appris l'attaque dont son frère avait été victime, il se trouvait à Dumbarton, à l'ouest du loch Lomond. Il avait alors galopé à bride abattue jusqu'à Rothesay. Y trouver Colin n'avait guère arrangé la situation. Son frère exigerait d'être vengé et n'apprécierait pas que les Lamont soient épargnés. Toutefois, Jamie savait qu'Argyll tiendrait sa parole, quelles que soient les revendications de Colin.

Pendant tout le temps qu'il avait passé à chercher, s'efforçant d'éviter ce qui était en train de se produire, sa femme lui avait menti !

Il voulait comprendre mais, au bout du compte, le résultat était le même : elle ne lui avait pas fait confiance. Il aurait peut-être mis Niall et les autres gardes derrière des barreaux pour les empêcher de commettre l'irréparable, mais il n'aurait jamais rien fait qui pût blesser Caitrina. Comment pouvait-elle imaginer qu'il ferait du mal à un enfant ? Brian avait à peine l'âge de tenir une épée.

En l'épousant, il avait fait un vœu : les Lamont seraient sous sa responsabilité, les membres du clan seraient ses gens autant que ceux de Caitrina. Pourtant, elle n'avait jamais cessé de le considérer comme un étranger. Maintenant qu'elle avait retrouvé ses frères, elle n'avait sans doute plus besoin, ni envie, de lui.

Il sentit soudain un picotement sur la nuque. Quelqu'un l'observait, il en était sûr. Ne voulant pas courir le risque que les guets des Lamont ne donnent l'alerte, il fit signe à ses hommes de capturer les deux hommes postés dans la forêt. Dans l'obscurité, il pouvait tout juste distinguer leurs silhouettes derrière les troncs noirs, sur sa gauche. Puis il déclara d'une voix calme :

— Je sais que tu es là, Colin. Tu peux te montrer.

Son frère sortit de derrière un arbre, à une dizaine de mètres de lui.

— Tu as toujours cette faculté incroyable de sentir le danger, déclara-t-il.

— Pourquoi, je suis en danger, mon frère ?

— Pas tant que tu accomplis ton devoir convenablement, répliqua Colin avec un regard menaçant.

Ses tentatives d'intimidation fonctionnaient peut-être quand ils étaient enfants, mais ce temps était révolu depuis longtemps.

— Ne me dis pas ce que j'ai à faire, répliqua Jamie. Je suis chef autant que toi. Je n'ai pas d'ordres à recevoir de toi.

— Non, mais tu prends tes ordres d'Argyll et je veillerai à ce que ces hommes soient pendus, éviscérés et écartelés pour ce qu'ils ont osé faire.

— Peut-être, mais cela ne se passera pas ici. Ce sont mes terres et je suis responsable de ces gens. Si cela te pose un problème, parles-en à notre cousin.

— Je n'y manquerai pas.

— En attendant, je te demande de quitter mes terres. Maintenant.

Colin en resta bouche bée.

— Tu n'es pas sérieux ?

— Si.

Les deux frères se toisèrent tandis que leurs hommes se rassemblaient derrière leurs chefs. Ceux de Colin étaient plus nombreux mais ceux de Jamie étaient meilleurs guerriers et, en cas d'affrontement, ils auraient sans doute le dessus. Colin ne tenait pas à subir cette humiliation.

Jamie donna à son frère l'occasion de se retirer la tête haute.

— Si nous nous battons entre nous, les autres s'enfuiront.

— N'est-ce pas ton intention, de toute façon ? Comment puis-je être sûr que tu ne les laisseras pas partir ?

— Tu ne peux pas, rétorqua Jamie. Comme je te l'ai déjà dit, ce sont mes terres et mes gens.

Colin lui adressa un regard haineux d'une intensité qui le surprit. Il n'était pas près d'oublier ce qu'il considérait comme une trahison.

Colin ordonna à ses hommes d'aller récupérer leurs chevaux attachés à une certaine distance pour ne pas attirer l'attention. Puis il s'éloigna à son tour. Au bout de quelques mètres, il se retourna pour lancer une dernière flèche :

— Je n'aurais jamais cru que mon frère se prendrait pour l'incarnation de la loi et se retournerait contre les siens. Tu ressembles chaque jour à ce bâtard de Duncan. On dirait que ta jolie petite femme t'a châtré.

Jamie serra les poings. Il se croyait immunisé contre les railleries de son frère, mais celle-ci avait atteint sa cible.

— Tu mets en doute ma loyauté, Colin ?

— Laquelle ? Celle envers ta femme ou celle envers ton clan ? Tu ne peux être loyal aux deux.

« Si, je le peux. » Colin avait touché une corde sensible. Depuis la traîtrise de Duncan, Jamie avait toujours considéré la loi comme absolue, avec le bien d'un côté, le mal de l'autre. Pour la première fois, il ne lui était plus si facile de distinguer l'un de l'autre.

Il attendit que le bruit de sabots s'éloigne, puis que revienne le garde qu'il avait envoyé suivre Colin et ses hommes pour s'assurer qu'ils étaient bien partis. Ensuite il donna le signal du départ. Tous s'avancèrent vers la grotte dans l'obscurité. Si tout se passait comme prévu, ce ne serait l'affaire que de quelques minutes.

Caitrina était une boule de nerfs quand elle pénétra dans la grotte. Le fait de savoir qu'elle avait pris la bonne décision ne l'aidait pas. Cela ne soulageait pas non plus sa conscience.

Il faisait sombre et froid. L'humidité pénétrait les couches de laine et lui glaçait la peau. Il y aurait au moins un point positif à cette opération : Brian serait mis en sécurité et au chaud. Ses yeux mirent quelques instants à s'accoutumer à la pénombre. Il n'y avait qu'une seule torche allumée au fond de la première salle. Ils étaient prudents et craignaient que trop de lumière ne trahisse leur présence.

Niall s'avança vers elle. Il avait une mine affreuse et était sale et dépenaillé, à l'image du proscrit qu'il était devenu. Il semblait avoir vieilli de dix ans depuis leur dernière rencontre. Il avait toujours son expression dure et rageuse mais il y avait aussi autre chose, cette fois : une tristesse indéfinissable.

— Que fais-tu ici, Caiti Rose ? demanda-t-il nerveusement. C'est dangereux.

— Je sais, mais il fallait que je vienne.

Malgré son irritation, il l'étreignit avec chaleur.

— Je suis content de te voir, mais tu dois être plus prudente. Il y a des Campbell partout dans les collines.

Elle se libéra et le regarda dans les yeux.

— Ils sont ici pour une bonne raison. Qu'as-tu fait, Niall ?

— Ce qu'il fallait faire. Sauf que j'ai échoué.

— Mais pourquoi ? Pourquoi avoir tout risqué ? Tu nous as tous mis en danger de mort. Si Auchinbreck te trouve, il te tuera.

— Il ne me trouvera pas.

— Même si c'est le cas, tu es désormais un hors-la-loi au lieu de prendre ta juste place de chef. Tes hommes auraient pu être libres. À présent, vous êtes condamnés à vivre cachés dans la nature comme des sauvages. As-tu pensé au reste du clan ? Il n'y a pas que toi qui subiras les conséquences de tes actes. Tout ce que j'ai fait pour que nous récupérions Ascog n'aura servi à rien.

Le visage de Niall était un masque de pierre sur le point de se fissurer.

— Je suis désolé, Caiti, mais je n'avais pas le choix. Il le fallait.

Sa voix se brisa.

— Ils l'ont violée…

— Qui ? demanda Caitrina, interdite.

— Annie MacGregor.

Elle scruta son visage, essayant de comprendre, puis demanda doucement :

— Que représente Annie MacGregor pour toi, Niall ?

— C'est la femme que j'aime, même si j'étais trop fier pour l'admettre.

— Niall, je suis désolée, dit-elle en le serrant dans ses bras.

Il était raide comme un piquet mais elle sentait les émotions bouillonner en lui, sa douleur et son impuissance. Pour un homme comme Niall, dont la raison d'être était de protéger les autres, ne pas avoir pu aider celle qui l'aimait était le plus grave des échecs.

— C'était Auchinbreck et ses hommes, expliqua-t-il. Ils l'ont laissée pour morte. La pauvre était comme une poupée brisée. Elle avait même peur de moi, Caiti, tu te rends compte ?

Caitrina compatit aux souffrances d'Annie, sachant qu'elle avait échappé de peu au même sort. Lors de guerres entre clans, il n'était pas rare qu'un camp humilie l'ennemi en violant ses femmes, mais un homme d'honneur ne se serait jamais abaissé à une telle infamie.

Elle comprenait la réaction de Niall, mais cela ne rendait pas leur situation moins précaire.

— Laisse-lui du temps, Niall. Elle finira par comprendre que tu n'es pas ce genre d'homme. Mais tu ne lui seras d'aucune utilité si tu vas en prison ou si tu te fais tuer.

— Dans ce cas, prie pour que ton mari et son frère ne nous trouvent pas.

Il lut le malaise sur le visage de sa sœur.

— Que se passe-t-il, Caiti ? Tu es toute pâle.

— Niall, je…

Un bruit près de l'entrée attira leur attention. Elle entendit une série de cris tandis que Jamie et ses hommes faisaient irruption dans la grotte. Niall la regarda, incrédule, puis lui agrippa les épaules.

— Qu'as-tu fait, malheureuse ? s'écria-t-il.

— Tu ne comprends pas ! Jamie est là pour t'aider.

— Il me fera exécuter avant demain matin, oui !

— Non, il a promis de te protéger.

— Comment ? En me livrant à son cousin pour être soumis à sa fameuse justice ?

— Il ne ferait jamais ça.

Niall l'écarta pour affronter les gardes qui avaient envahi la grotte. Il dégaina son coutelas en lançant derrière lui :

— Tu es une idiote ! Caiti Rose.

— J'essaie de vous aider ! protesta-t-elle.

Il ne l'entendait plus. Elle se plaqua contre la paroi rocheuse tandis que le chaos éclatait autour d'elle. Avec le peu de lumière et les guerriers qui occupaient tout l'espace, il était difficile de comprendre ce qu'il se passait. Il n'y avait pas assez de place pour sortir les épées ou les claymores et les combats se déroulaient à mains nues ou au coutelas. Partout où elle regardait, des hommes se battaient.

Jamie et ses hommes maîtrisèrent rapidement les deux gardes postés à l'entrée et se frayèrent un chemin vers l'endroit où Niall, Seamus et les autres les attendaient, prêts à repousser les intrus. Caitrina aurait voulu fermer les yeux et ne plus entendre les bruits horribles : les cris de douleur, les coups de poing, les grognements. Il fallait à tout prix que cela se termine dans un bain de sang.

Dieu soit loué, Brian était à l'abri dans la salle du fond, protégé par son fidèle Boru.

Bien qu'inférieurs en nombre, Niall et les Lamont étaient avantagés par l'exiguïté de la grotte, du moins pour un temps. Acculés au fond de la première salle, ils n'avaient pas d'issue et finiraient tôt ou tard par être pris.

Jamie faisait son possible pour ne tuer personne mais si Niall se lançait dans un corps à corps, il ne pourrait pas éviter le pire.

Il restait une demi-douzaine de Lamont autour de Niall. Les deux camps se firent face, leurs coutelas brandis devant eux, chacun attendant.

Caitrina retint son souffle, voyant son pire cauche-mar en train de se réaliser.

Niall refusait d'abaisser son arme. Elle avança vers lui et s'accrocha à son bras, le suppliant :

— Niall, je t'en prie, ne fais pas ça.

— Caitrina, écarte-toi, dirent en même temps son frère et Jamie.

— Mais..., fit-elle entre deux sanglots.

— Caitrina, tu m'as promis, lança Jamie. Je veux que tu sortes d'ici... tout de suite.

Elle ne pouvait pas bouger, ses pieds refusant de lui obéir. Elle avait la terrible impression que seule sa présence pouvait empêcher un désastre. Elle lança un regard vers Jamie mais il ne bougeait pas. Son instinct lui criait de tenter de les raisonner mais elle avait donné sa parole. Elle laissa retomber sa main et recula, le regard fixé sur Niall qui regardait droit devant lui. Elle se tourna vers Jamie.

— Je t'en supplie, ne leur fais pas de mal.

— Je n'ai aucune intention de...

Jamie s'interrompit soudain, écarquillant les yeux d'effroi.

— Caitrina, attention !

Il bondit vers elle, mais trop tard.

21

Caitrina fut soulevée de terre, un bras enroulé autour de sa taille et une longue lame tranchante pressée contre sa gorge.

— Encore un pas et elle est morte.

« Doux Jésus, c'était Seamus. » Le bord de la lame entailla la peau délicate sous sa mâchoire et elle poussa un petit cri, plus de surprise que de douleur. Jamie s'immobilisa.

Le regard de Niall allait de Jamie à son vieil ami.

— Par tous les saints, qu'est-ce que tu fais, Seamus ?

— J'essaie de nous sortir de là, grogna le vieux garde.

— En utilisant ma sœur ?

— Elle nous a trahis ! C'est elle qui a conduit l'Exécuteur jusqu'ici.

— Je voulais vous aider…, commença Caitrina.

— Tais-toi !

Seamus pressa la lame un peu plus fort contre sa gorge. Elle sentit une douleur cuisante et un filet de sang chaud lui couler dans le cou. Seamus ne bluffait pas.

Jamie lâcha un son d'une telle bestialité qu'elle le sentit résonner dans ses os. Apparemment, il avait aussi ébranlé Seamus car sa main se mit à trembler.

— Laisse-la partir, ordonna Niall.

— Non, il ne nous fera rien tant qu'on tiendra sa femme.

Niall laissa tomber son arme et la poussa du pied en direction de Jamie. Puis il leva les mains en signe de reddition.

— C'est fini, dit-il à Seamus. Lâche-la.

— Non !

Caitrina sentait le cœur du vieil homme battre fort contre son dos et comprit qu'il paniquait ; son plan de derniers recours était en train d'échouer. Il resserra son bras autour de sa taille. Elle sentit ce qu'il allait faire mais n'avait aucun moyen de l'arrêter. Jusque-là, tout lui avait paru irréel, mais la peur commença à s'emparer d'elle. D'une main tremblante, il entama un peu plus sa peau, s'apprêtant à l'égorger. Il se tourna vers Niall et déclara d'une voix lourde de désespoir :

— Cette fille est une traîtresse. Tout est sa fau...

Il n'acheva pas sa phrase. Il y eut le sifflement d'une arme volant dans l'obscurité, suivi d'un bruit sourd. Seamus se raidit et partit à la renverse, la libérant. Le coutelas s'effondra sur le sol, à ses pieds. Caitrina baissa les yeux, horrifiée. Le vieux garde de son père gisait à terre, le regard vitreux. Le coutelas de Jamie était planté dans sa gorge.

Un silence de mort s'abattit dans la grotte tandis qu'elle comprenait enfin ce qu'il venait de se passer. Sans l'adresse remarquable de Jamie, elle serait étendue morte à la place de Seamus.

Un profond regret serra son cœur. Jamie l'avait tué, mais c'était elle qui avait du sang sur les mains.

Jamie se précipita vers elle et la prit dans ses bras.

— Mon Dieu, tu n'as rien ?

Elle fit non de la tête et il la serra contre lui. Elle huma son odeur mâle, savourant la chaleur de son étreinte. Il avait paru si calme quelques instants plus tôt, mais elle sentait désormais les battements frénétiques de son cœur contre sa poitrine. Il embrassa sa chevelure et la tint ainsi un long moment, comme s'il ne voulait plus la lâcher. Elle voulait le remercier de lui avoir sauvé la vie mais était incapable de parler.

Il la libéra et prit tendrement son visage entre ses mains. L'espace d'un instant, elle lut dans ses yeux toutes les émotions qu'il cachait d'ordinaire. Il lui pencha la tête en arrière et examina son cou.

— Apportez-moi de la lumière, s'écria-t-il.

Un homme se précipita avec une torche.

— Elle va bien ? demanda Niall.

— Oui, Dieu merci, l'entaille n'est pas profonde.

Elle entendit la colère dans sa voix et sut qu'il se reprochait de l'avoir laissée venir. Il saisit un pan de sa cape et la pressa contre la plaie pour arrêter le saignement.

— Tiens-la comme ça, l'instruisit-il. Ça ira ?

Elle acquiesça.

Il appela un de ses gardes.

— Conduis-la au château. Il faut panser sa blessure sur-le-champ. Et ne la quitte pas des yeux !

Puis il se tourna vers elle et promit :

— Je te rejoins au plus vite.

— Oui, parvint-elle à articuler avant de lancer un regard inquiet à Niall.

— Vas-y, Caiti, lui dit ce dernier. Fais-toi soigner.

Hébétée, elle suivit le garde de Jamie hors de la grotte, ne souhaitant pas voir le visage de son frère contraint de rendre les armes devant Jamie.

Elle ne pouvait plus rien faire pour lui ; elle craignait d'en avoir déjà trop fait.

Le ventre noué, Jamie regarda Will conduire Caitrina en sécurité. Maintenant que le danger était passé, la peur le tenaillait car il se rendait compte qu'il avait été à deux doigts de la perdre. Tout s'était passé si vite qu'il n'avait pas eu le temps de réfléchir. Des années de guerre avaient affûté son instinct. À peine avait-il vu le vieux guerrier tourner la tête qu'il avait lancé son coutelas avec une précision redoutable, née d'années d'entraînement.

— Vous tenez vraiment à elle ?

Il se tourna d'un mouvement brusque, ne s'étant pas rendu compte que Niall l'observait. Les mains du jeune homme avaient été attachées dans son dos pendant que les gardes faisaient sortir les proscrits de la grotte.

— Cela vous surprend ? demanda Jamie. Vous doutez des charmes de votre sœur ?

— Pas du tout. Je l'ai vue séduire même les cœurs les plus endurcis. C'est juste que je ne pensais pas que vous en aviez un.

Jamie esquissa un sourire et préféra changer de sujet :

— Elle vous a dit la vérité. Je compte faire mon possible pour vous aider.

— Pourquoi ?

— Vous avez besoin de le demander ?

— Mais... Auchinbreck est votre frère.

— En effet. Si Caitrina s'était confiée à moi plus tôt, j'aurais peut-être pu éviter que nous en arrivions là. Je n'ai jamais voulu la mort de votre père. Je comprends votre colère, mais mon frère avait une raison d'attaquer votre château.

Devant l'air outré de Niall, il ajouta :

— Je désapprouve son action, cependant il n'est pas l'unique responsable. Si j'avais été présent, j'aurais sans doute pu éviter une bataille mais vous savez comme moi que, dans les Highlands, les hommes règlent leurs conflits en se faisant la guerre.

— C'est vrai, admit Niall. Mon père n'a jamais reculé devant le combat. Mais ce n'est pas uniquement sa mort et celle de mon frère que je voulais venger. Auchinbreck a ordonné le viol d'une femme. La femme que j'aime.

Jamie jura entre ses dents. Il ne voulait pas croire que son frère soit capable d'un acte aussi odieux mais il ne doutait pas non plus de la sincérité du jeune homme.

— Je suis navré.

Niall parut surpris, puis hocha la tête. Au bout d'un moment, il demanda :

— Que comptez-vous faire de nous ?

— Ce que je peux. Nous passerons la nuit à Rothesay et nous partirons demain pour Dunoon.

Niall cracha par terre :

— J'en étais sûr. Nous ne mourrons pas par votre main mais par celle d'Argyll.

— Vous ne mourrez pas. Mon cousin m'a promis de se montrer clément.

— Je vois ça d'ici, rétorqua Niall avec une moue cynique. Nous serons éviscérés au lieu d'être écartelés ?

— J'espère avoir plus d'influence que ça.

Au même instant, les hommes sortirent de la salle du fond en portant un brancard de fortune suivi par un chien énorme. L'attitude de Niall changea aussitôt.

— Faites attention ! Il est blessé.

— Niall, que se passe-t-il ? demanda Brian d'une voix faible.

— Tout va bien, lui dit son frère. On nous conduit au château.

— Mais... l'Exécuteur ? protesta Brian.

Il tenta de redresser la tête mais ne pouvait voir Jamie. Ce dernier fut peiné en percevant la peur dans sa voix. Niall se tourna vers lui tout en s'adressant à son petit frère :

— Ne t'inquiète pas. Caiti veillera sur toi.

Brian se détendit et se rallongea sur le brancard tandis que les hommes l'emmenaient à l'extérieur.

— J'espère que vous ne faites pas de moi un menteur, déclara Niall à Jamie.

— Il ne lui arrivera rien, l'assura celui-ci. Il n'était pas impliqué dans l'attaque contre mon frère. En revanche, quand il ira mieux, il devra répondre de sa participation à des combats aux côtés des MacGregor. Je

296

paierai toutes ses amendes s'il le faut afin qu'il ne soit plus inquiété.

Ils sortirent les derniers de la grotte. Jamie confia son prisonnier à ses hommes avant d'aller chercher son cheval. Alors qu'il s'éloignait, Niall le rappela :

— Campbell ?

Jamie se retourna.

— Je sais que je ne suis pas en droit de vous le demander mais...

Il hésita et Jamie lui fit signe de parler sans crainte.

— S'il m'arrivait quelque chose, veillerez-vous à ce que Brian devienne chef du clan quand il en aura l'âge ?

Cette étrange requête surprit Jamie.

— C'est un titre qui vous revient de droit. Pourquoi ne pas le revendiquer pour vous-même ?

— Vous croyez vraiment pouvoir convaincre votre cousin ?

— Oui.

Niall hésita encore, puis reprit :

— Néanmoins, je préférerais que vous me le promettiez, si vous acceptez.

— Je vous le promets.

Pour la première fois depuis que Jamie et ses hommes avaient fait irruption dans la grotte – et peut-être depuis des mois –, une lueur d'espoir illumina le regard du jeune homme.

Caitrina se soumit aux soins frénétiques de sa nourrice affolée tout en se faisant un sang d'encre pour ses frères. Elle entendit les chevaux des hommes entrer dans la cour peu après son retour, puis, grâce aux allées et venues des domestiques qui se précipitaient avec des herbes, des onguents, de l'eau et du linge propre sur les ordres de Mor, elle apprit que ses frères avaient été conduits dans la vieille tour au sud du château. Jamie avait tenu parole et ne les avait pas mis au cachot. Elle avait eu raison de lui faire confiance.

Alors que Mor envoyait une servante chercher des oreillers supplémentaires, Caitrina se redressa dans son lit, n'en pouvant plus.

— Ce n'est qu'une égratignure, Mor. Je t'assure que je vais bien.

La lame lui avait laissé une entaille de cinq centimètres sous le menton. Sa nourrice posa ses mains sur les hanches et fronça les lèvres d'un air réprobateur.

— C'est assez profond pour laisser une marque.

— Tu l'as enduite de ton baume et bandée. La cicatrice disparaîtra.

— Moi, je saurai qu'elle est là, s'entêta Mor.

« Moi aussi. Elle me rappellera toujours que j'ai trahi mon clan. » C'était toutefois une marque qu'elle porterait avec fierté si ses frères étaient épargnés.

La porte s'ouvrit sur une jeune servante qui entra au pas de charge.

— Il était temps ! grogna Mor. Cela fait des heures que je t'ai demandé de m'apporter mes simples.

En réalité, cela ne faisait que quelques minutes. La jeune fille se confondit en excuses.

— Je suis désolée, madame. C'est que les cuisines sont sens dessus dessous. Le laird a demandé que tout soit prêt pour demain matin.

Caitrina sursauta.

— Demain matin ? Que se passera-t-il demain matin ?

La servante baissa les yeux.

— Je croyais que vous le saviez, madame. Le laird emmène les prisonniers à Dunoon.

Caitrina sentit son sang se glacer. « Non ! Il devait y avoir une erreur. »

Peu après, Caitrina resta assise le dos droit devant la cheminée, fixant les braises mourantes du feu de tourbe. Elle avait déjà oublié la scène dans la grotte qui avait failli lui coûter la vie et se préparait à subir un

298

choc encore plus douloureux. Elle avait congédié Mor et les autres servantes, sachant qu'il ne tarderait pas à venir.

Elle refoula son indignation. Cette fois, elle écouterait ses explications d'abord.

Elle entendit enfin ses pas dans le couloir. Elle se tourna vers lui dès qu'il entra.

— Ta blessure…, commença-t-il.

— Dis-moi que ce n'est pas vrai !

Il parut perplexe un instant, puis demanda :

— Qu'est-ce qui n'est pas vrai ?

— Dis-moi que tu n'as pas arrêté mon frère et ses hommes, que tu n'as pas l'intention de les livrer à ton cousin.

— Je croyais que tu comprenais. C'est mon devoir de…

— Ton devoir ? Je me fiche de ton devoir ! Je ne t'aurais jamais révélé leur cachette si j'avais su ce que tu comptais faire. Tu m'avais juré de les aider.

Il pinça les lèvres, une grimace qu'elle connaissait et qui signifiait qu'il s'efforçait de rester calme. Elle avait décidément l'art de le mettre hors de lui.

— Je les aiderai, répondit-il. Brian restera ici jusqu'à ce qu'il soit rétabli, mais Niall et les autres doivent se rendre à Dunoon pour répondre des charges qui pèsent contre eux.

Elle était si furieuse qu'elle pouvait à peine respirer.

— Tu prétends les aider en les livrant à un bourreau ? Par Dieu, Jamie, tu sais très bien qu'ils seront exécutés !

— Je t'ai déjà dit que mon cousin avait promis de les traiter équitablement et de se montrer clément.

— On connaît les promesses d'Argyll, s'esclaffa-t-elle. Va-t-il se montrer aussi équitable qu'avec Alasdair MacGregor ? Tu m'as persuadée de les trahir pour que ton cousin puisse les tuer eux aussi ?

Il lui agrippa le bras et la força à se mettre debout, son visage à quelques centimètres du sien. Elle sentait la colère qui vibrait dans ses muscles et la chaleur que dégageait son corps. Ses traits frémissaient de fureur contenue.

— Bon sang, Caitrina, tu sais très bien que je n'étais pour rien dans cette trahison.

Elle détourna la tête, refusant de le regarder dans les yeux.

— Vraiment ? Je ne suis plus sûre de rien.

Il la dévisageait d'un regard assassin. Caitrina le sentait au bord de l'explosion, mais peu lui importait. Elle voulait qu'il se sente aussi blessé et trahi qu'elle.

Il reprit d'une voix basse et menaçante :

— Je t'ai déjà dit de ne pas te mêler de mon travail.

En effet, elle s'en souvenait. C'était lorsqu'il avait emprisonné les gardes de son père.

— Ce n'était pas la même chose. Aujourd'hui, il s'agit de mes proches.

— Ah non ? Tu m'as dit que tu me faisais confiance. Si je me souviens bien, il y a à peine quelques heures tu m'as aussi dit que tu m'aimais.

Comment osait-il lui renvoyer sa déclaration à la figure vu ce qu'il s'apprêtait à faire !

— Ce n'est pas si simple.

— En vérité, si, ça l'est. Il n'y a pas de demi-mesure en amour. C'est tout ou rien. Soit tu me fais confiance et tu te fies à mon jugement, soit tu te défies de moi.

Il lui demandait trop. Elle répliqua :

— Qu'en sais-tu ? Toi qui te tiens à l'écart de tout ? Toi qui n'as besoin de personne ? Que sais-tu de l'amour ?

— Beaucoup plus que tu ne l'imagines, rétorqua-t-il d'une voix cinglante. Même si je préférerais ne rien savoir.

Elle se tut un instant, scrutant son visage à la recherche d'une faille dans ce masque implacable.

— Que veux-tu dire ?

— Par tous les saints, Caitrina, ne vois-tu pas à quel point je t'aime ? Je t'aime tant que je ferais presque n'importe quoi pour toi. Mais je ne peux pas changer l'homme que je suis.

L'espace d'un instant, elle fut envahie par une joie intense. « Il m'aime. » Les mots qu'elle voulait tant entendre...

Mais cela n'était pas censé se passer ainsi. Le moment où ils se professaient leur amour devait être parfait, empreint d'une intimité sans pareille. Ils ne pouvaient pas se jeter leurs sentiments à la figure dans un élan de colère et de frustration.

Refoulant ses larmes, elle se détourna.

— J'aimerais pouvoir te croire.

— Tu le peux.

Il examina le bandage de son cou et s'assura que la blessure ne saignait plus.

— Tu n'imagines pas ce que j'ai ressenti quand je t'ai vue avec cette lame sur la gorge. Je n'ai jamais eu aussi peur de ma vie. J'aurais pu te perdre.

— Ce n'est rien. Juste une égratignure.

— Je n'aurais jamais dû te laisser venir. C'était trop dangereux.

— Il fallait que j'y sois. Je devais leur expliquer.

— Tes frères comprendront.

— Comment peux-tu le savoir ?

— Parce que j'ai la certitude que tout va finir par s'arranger.

— J'aimerais être aussi optimiste.

La voix de Caitrina tremblait d'émotion quand elle poursuivit :

— Je viens juste de les retrouver. Je t'en prie, ne me les reprends pas !

Il commençait à perdre patience et répondit en articulant lentement, insistant sur chaque mot :

— Je ne te prends rien. J'essaie de les protéger.

— En les arrêtant ?

— Tant qu'ils sont sous ma responsabilité, mon frère ne peut rien contre eux. Si je parviens à les blanchir, ils

301

seront définitivement hors de la portée de Colin. Tu préférerais que mon cousin envoie des soldats les chercher ? Ton frère et ses hommes sont des proscrits, ils ne peuvent pas rester ici. Tôt ou tard, ils devront répondre de leurs actes.

Caitrina avait l'impression de se frapper la tête contre un mur. La loi. Le devoir. Toujours la même histoire !

— C'est tout ce qui compte, pour toi ? La loi ? Tu n'es pas ton frère, Jamie. Ne détruis pas le mien pour enterrer le souvenir du tien.

Il blêmit à l'évocation de Duncan. Ses yeux brillèrent et elle craignit d'être allée trop loin.

— Tu ne sais rien de Duncan. Cette histoire n'a rien à voir avec lui, uniquement avec ton frère. Je croyais que tu voulais qu'Ascog lui soit rendu.

— Oui.

— Cela ne pourra se faire qu'avec l'aide de mon cousin.

Elle ne voulait pas entendre ses justifications, même si elles recélaient une part de vérité.

— C'est trop tôt, s'obstina-t-elle.

— Fais-moi confiance.

— Je te fais confiance, c'est de ton cousin que je me méfie. D'ailleurs, je ne comprends pas comment tu peux le croire après ce qu'il t'a fait. Et si tu te trompais ?

— Je ne me trompe pas.

Il avait beau être sûr de lui, cela ne lui suffisait pas.

— C'est un risque que je ne suis pas prête à courir.

Il la dévisagea avec froideur.

— Cette décision ne t'appartient pas.

Jamie savait que ses paroles étaient dures mais il fallait qu'elle comprenne. Dès qu'il s'agissait d'Argyll, Caitrina devenait sourde. C'était peut-être compréhensible mais, s'ils vivaient ensemble, elle devrait accepter sa loyauté envers son cousin. Comment pouvait-elle prétendre l'aimer et lui faire confiance et néanmoins croire qu'il était fidèle à un monstre ?

Son allusion à Duncan était déplacée mais elle n'en faisait pas moins très mal.

Il fallait qu'il sorte de cette chambre. Personne ne savait percer ses défenses comme Caitrina. Elle avait la faculté de le mettre à nu, de le faire se sentir vulnérable, de lui faire perdre son sang-froid. Elle attisait sa colère avec ses accusations et sa défiance. Que pouvait-il faire de plus pour la convaincre ? Il lui avait dit qu'il l'aimait mais elle avait à peine semblé l'entendre.

Même s'il comprenait ses réticences, il était convaincu d'avoir pris la bonne décision. Il ne savait tout simplement pas comment le lui expliquer.

— Je t'en prie, le supplia-t-elle. Si tu as des sentiments pour moi, ne fais pas ça.

Jamie la dévisagea, le cœur déchiré. L'envie de lui complaire le rongeait. Il brûlait de la prendre dans ses bras et de lui faire l'amour jusqu'à ce que le sourire lui revienne et que son regard se voile de tendresse.

Elle se pencha vers lui. Il sentit un feu dévastateur se répandre en lui, le bouillonnement intérieur engendré par leur dispute se muant en lave dans ses veines. Il aurait pu mettre un terme à leur querelle en la prenant là, sur-le-champ, mais cela n'aurait rien résolu. Pourtant, Dieu que c'était tentant !

Qu'essayait-elle de faire de lui ? C'était cela, l'amour ? Était-ce censé lui faire perdre toute retenue ? L'écarteler en le tirant dans deux directions opposées ? Lui donner envie de s'arracher les cheveux ? Si c'était le cas, il n'en avait pas besoin.

— Si j'ai des sentiments pour toi ? répéta-t-il. Tu n'as donc rien écouté ? Je viens de te dire que je t'aimais. Tu crois que je cherche à te faire du mal ?

— Je crois que tu te fiches du mal que tu fais et à qui. Ils ont peut-être raison, ceux qui disent que tu n'es qu'un exécuteur sans cœur.

Cette fois, elle dépassait les bornes. Il n'en pouvait plus. Il l'attira à lui, sans trop savoir ce qu'il comptait faire.

— Après tous ces mois... tu le penses toujours ?

— Ce n'est pas que je le veuille, mais comment ne pas douter quand tu refuses d'entendre raison ?

— J'entends bien ; c'est toi qui refuses de comprendre mes devoirs et mes responsabilités.

— Et tes devoirs et tes responsabilités envers moi, ils ne comptent pas ?

Tout était toujours trop simple avec elle et ce, depuis le début. Elle n'essayait jamais de voir au-delà des apparences.

— Bien sûr que si, répondit-il.

Il recula d'un pas. Cette discussion ne les menait nulle part. Il se demanda s'ils parviendraient jamais à surmonter cette barrière entre eux. Il voulait croire que l'amour suffirait mais commençait à craindre le contraire.

— Tu as dit que tu ne voulais plus être traitée comme une enfant, Caitrina. Tu voulais voir le monde réel dans toute sa complexité, un monde où les choix ne sont pas aussi simples et où les loyautés peuvent être divisées. Le voici. Je sais que tu ne comprends pas pour le moment, cependant sache que je fais tout ça pour toi.

Elle secoua la tête.

— Pour moi ? Tu cherches à t'en convaincre toi-même, mais tu n'agis que pour ton propre compte et ton sacro-saint devoir envers ton cousin. Pas étonnant que tu sois toujours si seul ! Rien ne peut t'atteindre. Je ne comprends pas comment tu peux agir de cette manière et prétendre m'aimer.

Il serra les dents, luttant pour rester calme, mais c'était une bataille perdue.

— Les deux choses n'ont rien à voir l'une avec l'autre.

— Bien sûr que si. Tu fais passer ton devoir envers Argyll avant ton amour pour moi.

— Par tous les saints ! Qu'attends-tu de moi ?

— Tout. Et si je te demandais de choisir entre les deux ? Est-ce moi que tu choisirais, Jamie ?

Il la dévisagea longuement, scandalisé par ce petit jeu.

— Et toi, n'as-tu pas choisi ton hors-la-loi de frère, peut-être ? Si je te demandais de faire le même choix : ton frère ou moi ?

Comme il s'y était attendu, elle se tut. C'était un choix impossible pour l'un comme pour l'autre. La vie et l'amour n'étaient pas si simples.

Si elle ne pouvait le comprendre, qu'elle aille au diable ! Il avait espéré qu'ils n'en arriveraient pas là, qu'elle ne lui demanderait pas ce qu'il ne pouvait lui donner ; qu'elle l'aimerait assez pour lui faire confiance. Il en avait plus qu'assez de la supplier de le croire.

Il était tendu comme la corde d'un arc. Préférant ne pas rester une minute de plus de peur de prononcer des paroles définitives, il conclut :

— Il semblerait, madame mon épouse, que nous soyons dans une impasse.

Puis, après un dernier regard soutenu, il tourna les talons et se dirigea vers la porte.

22

Caitrina fut prise de panique. Il allait la quitter ! En proie au désespoir, elle chercha un moyen de le retenir.

— Jamie !

Il s'arrêta sur le pas de la porte mais ne se retourna pas.

Caitrina triturait nerveusement ses jupes, se sentant désarmée. Mais, très vite, elle se ressaisit. Elle n'était pas impuissante. Elle n'avait pas survécu à ces derniers mois pour tout laisser tomber maintenant. Elle ne voulait pas perdre Jamie, pas plus qu'elle n'abandonnerait ses frères. Il y avait sûrement un moyen de parvenir à un compromis.

— S'il te plaît. Ne pars pas. Pas comme ça.

Il se retourna.

— Je suis fatigué de me battre contre toi, Caitrina. Laissons tomber, avant que nous disions tous les deux des choses que nous regretterions plus tard.

Elle s'avança vers lui, s'arrêtant à quelques centimètres, suffisamment proche pour sentir son souffle brûlant l'envelopper. Tous ses sens étaient en éveil, comme chaque fois qu'elle se tenait si près de lui. Elle avait envie de passer ses mains sur son torse puissant, de sentir sa peau douce et chaude, ses muscles durs comme pierre.

Elle avait besoin de retrouver cette intimité, de trouver refuge dans ce lien profond qu'ils ne pouvaient nier.

— Moi non plus, je ne veux pas me disputer avec toi.

« Je veux que tu me prennes dans tes bras, que tu me dises que tout va s'arranger. » Elle se pencha vers lui, s'enivrant de son odeur masculine et sensuelle.

Il se tenait raide devant elle mais elle sentait son corps réagir à sa présence. La passion, la retenue et la colère crépitaient entre eux.

— Cela ne devrait pas se passer comme ça entre nous, dit-elle.

— Ah non ?

— Je t'aime et si tu m'aimes aussi...

— Bien sûr que je t'aime, grogna-t-il. Si seulement tu savais à quel point !

Quand elle approcha sa bouche de la sienne, il eut un mouvement de recul. Elle détestait quand il se comportait ainsi : en guerrier froid et impitoyable, en homme qui n'avait besoin de personne.

Elle voulait qu'il ait besoin d'elle autant qu'elle avait besoin de lui.

Elle voulait promener ses lèvres sur ses mâchoires crispées jusqu'à ce que le désir les détende. Caresser son ventre musclé, enrouler ses doigts autour de son membre viril et le faire gémir. Au lieu de cela, elle lissa la laine douce de son *breacan feile*, remarquant l'harmonie des carreaux bleus et gris du tartan et de ses yeux. Son regard s'arrêta sur la broche portant l'insigne de chef des Campbell... la tête de sanglier qui symbolisait tout ce qui se dressait entre eux.

Pourquoi fallait-il que ce soit aussi compliqué ?

Peut-être pas. Peut-être que, dans ses bras, tout deviendrait clair : il verrait que rien ne devait les séparer.

Parfois, les mots ne suffisaient pas.

— Montre-le-moi, murmura-t-elle. S'il te plaît.

Elle se lova contre lui, les seins pressés contre son torse. Il poussa un soupir, puis sa bouche se posa sur la sienne et la passion explosa entre eux avec la vitesse et la force de l'éclair. Cela faisait trop longtemps. Leurs gestes étaient saccadés, urgents, comme s'ils tentaient tous deux de rattraper quelque chose qui leur filait entre les doigts.

Elle lui rendit son baiser avec la même ferveur, s'ouvrant à lui. Son goût délicieux l'inonda de chaleur et d'envie, et bientôt, la force du désir qui l'envahissait tout entier chassa son angoisse et sa colère. Glissant une main le long de son dos, il la souleva et l'attira à lui tandis qu'il enfonçait plus profondément sa langue dans sa bouche.

Caitrina sentit une onde de chaleur se répandre entre ses cuisses quand elle sentit son membre épais pressé contre son ventre. Comme elle nouait ses bras autour de son cou, leur baiser se fit plus fougueux encore. Elle dardait sa langue autour de la sienne, s'abandonnait...

Elle le sentait palpiter contre elle. La tension était si forte qu'elle en était presque insoutenable. Elle aurait fait n'importe quoi pour calmer cette ardeur dévorante.

Comme pour répondre à sa prière muette, il glissa les lèvres dans son cou en veillant à ne pas toucher son bandage. Ses lèvres humides, son souffle chaud, les mouvements de sa langue faisaient fourmiller sa peau et déclenchaient des frissons qui fusaient dans tout son corps. Tous ses nerfs étaient en éveil, rendant chaque caresse plus intense.

Quand il glissa la langue sous son corsage et décrivit des cercles autour de son mamelon, elle crut défaillir.

Elle renversa la tête en arrière, s'abandonnant tandis qu'il prenait son sein dans sa bouche. Elle poussa un cri de plaisir en sentant les spasmes la parcourir, puis s'affaissa contre lui, aussi molle qu'une poupée de chiffon.

Il la souleva et la porta délicatement jusqu'au lit. Glissant une main dans sa nuque, elle appuya sa joue contre son épaule et tenta de reprendre son souffle.

— Tu le veux vraiment ? demanda-t-il.

Comment pouvait-il poser une telle question ? Elle prit son visage entre ses mains et l'embrassa sur les lèvres.

— Ne doute plus jamais de mon amour, murmura-t-elle. Rien ne doit nous séparer.

— Rien ne nous séparera, mon cœur, répondit-il avec un sourire.

Le bonheur déferla sur elle avec la puissance d'une lame de fond quand elle entendit exactement ce qu'elle voulait entendre. Enfin, ils parvenaient à un accord. Dans le secret de son âme, elle avait toujours su qu'il en serait ainsi.

Il se déshabilla à la hâte, puis lui ôta ses vêtements. Quand ils furent tous deux nus, elle ne le laissa pas la contempler comme il aurait aimé le faire mais l'attira aussitôt à elle.

Il voulut rouler sur le côté mais elle le retint.

— Non, je veux te sentir. Te sentir tout entier.

Ses vieilles peurs n'avaient plus leur place dans leur lit.

Il l'embrassa tendrement et scruta son visage.

— Tu es sûre ?

En guise de réponse, elle saisit ses larges épaules et l'attira sur elle, peau contre peau. La sensation de son poids était merveilleuse, la pression exquise. Il était lourd et chaud. Leurs deux corps se fondirent en une coulée de lave.

Il l'embrassa avec un gémissement sourd. C'était un son de plaisir brut et d'émotion profonde qui résonna en elle, réveillant ses pulsions les plus primitives. Tandis qu'une douce moiteur naissait entre ses cuisses, elle sentit son sexe durci contre son ventre.

Incapable de se contenir, elle s'agrippa à ses épaules, à son dos, aux muscles bandés de ses fesses, le voulant plus près, le voulant en elle.

Rien n'aurait fait plus plaisir à Jamie que de la péné-trer pour soulager cette frénésie, mais il ne voulait pas se précipiter. Il voulait goûter chaque instant de cette union de leurs corps.

Grâce à ses paroles, Caitrina avait apaisé ses appré-hensions. Elle avait compris, enfin, que leur amour était plus important que tout. Elle avait confiance en lui et il était heureux qu'elle ait reconnu la vérité avant qu'il ne soit trop tard.

Il baisa ses lèvres, son menton, son cou. Ses mains caressaient la peau douce de ses seins et de ses han-ches. Il adorait la sentir sous lui, la sensation de ses mamelons durcis contre son torse, celle de son membre dressé frottant contre son mont de Vénus.

C'était ironique : ils avaient fait l'amour maintes fois mais jamais dans la position la plus classique. C'était comme le signe d'une confiance mutuelle absolue.

Elle paraissait tellement menue et vulnérable ! Comme pour dissiper ses craintes, elle souleva ses han-ches, l'invitant. Le sang afflua vers son sexe déjà dur comme pierre quand il se posa sur sa fente humide.

Il prit un de ses mamelons dans sa bouche et le suça jusqu'à ce qu'elle ondule de plaisir sous lui. Sa peau avait un goût de miel. Il glissa ses mains sur son ventre, entre ses cuisses... Elle frémit quand ses doigts effleu-rèrent le cœur moite de sa féminité.

Elle était si chaude et douce, avide de ses caresses. Elle se tendit, anticipant sa venue. Il glissa un doigt en elle jusqu'à ce qu'elle s'ouvre davantage encore. Elle avait le regard embué par le désir et le souffle court. Il glissa ses mains sous ses hanches et, les yeux levés vers elle, il pressa ses lèvres contre son sexe.

Elle cria de plaisir quand il titilla de ses lèvres la peau rose et délicate entre ses cuisses. Puis, quand il goûta sa saveur. Puis, enfin, quand sa langue la pénétra et l'explora.

Rien n'était plus beau que de contempler l'extase qui s'emparait d'elle. La tête renversée en arrière, elle cambra les reins et laissa échapper un long soupir.

Elle pressa sa vulve contre sa bouche, son corps tout entier secoué par des vagues de plaisir qui déferlaient en elle en succession rapide.

Lentement, il se redressa et s'étendit sur elle. Il regarda leurs corps, le sien dur et raide, celui de Caitrina doux et souple, puis la pénétra avec douceur, avant de commencer à donner de longs coups de reins profonds.

Elle enroula ses jambes autour de sa taille, soulevant les hanches afin de l'accueillir plus profondément. Leur cadence s'accéléra jusqu'à atteindre un rythme frénétique, à l'unisson des battements de son cœur.

Il s'abandonna alors à sa passion. Son corps brûlant ruisselait de sueur et le sang martelait ses tympans. Il ferma les yeux tandis que la tension en lui atteignait son paroxysme. Soudain, dans un cri, tout l'amour qu'il portait à Caitrina jaillit hors de lui, dans un tourbillon d'émotions venu des profondeurs de son âme.

Lorsque le dernier spasme fut passé, il s'effondra à ses côtés, essayant de retrouver son souffle et les mots pour exprimer son bonheur.

Il roula sur le flanc afin de pouvoir la contempler, béat d'amour. Elle respirait de façon irrégulière, ses joues roses, ses lèvres gonflées par ses baisers. Il dégagea une fine mèche de cheveux qui s'était prise dans ses longs cils noirs. Elle esquissa un petit sourire et rouvrit les yeux avant de murmurer :

— Je suis si heureuse que tu aies décidé d'abandonner ton projet insensé.

Elle sombra dans un sommeil serein et comblé, sans se douter qu'elle venait de le poignarder en plein cœur.

23

Caitrina se réveilla en sursaut en entendant du bruit sous ses fenêtres.

« Seigneur, quelle heure peut-il être ? » Elle roula sur le côté et pressa un oreiller sur sa tête, essayant d'étouffer le vacarme. Elle aurait bien dormi un peu plus mais une inquiétude indéfinissable s'empara d'elle, achevant de la réveiller.

Elle rouvrit les yeux. La chambre était encore plongée dans l'obscurité, mais elle n'avait pas besoin de lumière pour savoir qu'elle était seule dans le lit. Parfois, elle était tellement imprégnée de la présence de Jamie qu'il semblait constituer une partie d'elle-même, aussi vital que l'air ou la nourriture. À d'autres moments, elle ressentait son absence comme celle d'un membre amputé.

Elle se demanda ce qui l'avait tiré du lit de si bonne heure. Elle étira ses bras au-dessus de sa tête, puis les rabaissa aussitôt, se retranchant dans la chaleur douillette de la courtepointe. L'aube glacée avait pénétré les étroites murailles de la tour. Elle lança un regard vers la cheminée. Le feu était complètement éteint.

Cela signifiait que Jamie était parti depuis longtemps.

Un sourire satisfait apparut sur son visage au souvenir de leurs ébats de la veille. D'ordinaire, Jamie se montrait inflexible ! Elle avait cru qu'elle ne parviendrait jamais à le convaincre de ne pas conduire Niall à Dunoon. Mais l'amour avait fini par l'emporter.

Les claquements de sabots et les éclats de voix lui rappelèrent ce qui l'avait réveillée. Il se passait quelque chose dans la cour.

Elle se rallongea et contempla les poutres du plafond un moment, mais la curiosité finit par l'emporter : rassemblant son courage, elle repoussa les couvertures et posa ses pieds nus sur le parquet.

Elle poussa un petit cri, saisit sa chemise au vol et sautilla vers ses pantoufles sur les lattes de bois glacées.

Elle s'habilla à la hâte et noua les lacets de sa robe de son mieux avec ses doigts engourdis, avant de se saisir d'un tartan qu'elle drapa autour de ses épaules.

Elle courut à la fenêtre. Les premières lueurs de l'aube qui commençaient à poindre à l'horizon perçaient difficilement le ciel gris et pluvieux. Des lambeaux de brume flottaient dans la cour où des hommes en tenue de combat s'étaient rassemblés, prêts à partir. Son mari se trouvait à la tête de la procession, monté sur son grand étalon noir ; son armure luisait sur sa veste de guerre jaune. La garde incrustée de pierreries de sa claymore qu'il portait en bandoulière lançait des éclats ternes dans la lumière blafarde.

Son cœur fit un bond quand elle comprit. Ses craintes se confirmèrent quelques minutes plus tard lorsque Niall et les gardes de son père furent conduits hors de la tour.

L'espace d'un instant, elle resta interdite. Elle ne pouvait le croire. Jamie l'avait trahie ! Il exécutait son plan. Après ce qu'ils avaient partagé. Il avait pourtant promis...

Sans perdre une seconde, elle bondit hors de la chambre, dévala l'escalier, traversa la grande salle et jaillit dans la cour à l'instant même où les guerriers commençaient à y entrer deux par deux.

— Attendez ! cria-t-elle.

Jamie tira sur ses rênes en entendant sa voix mais ordonna aux hommes de poursuivre leur route. Elle

313

courut vers lui, des gouttes de pluie coulant sur son visage. Comme elle atteignait le portail, Niall le franchit. Elle s'agrippa à sa jambe, forçant l'homme qui tirait sa monture à s'arrêter de peur de l'écraser.

— Niall…, lança-t-elle d'une voix étranglée par l'émotion. Je suis profondément navrée. Il faut que tu me croies, ce n'était pas du tout ce que je voulais.

— Caitrina, lâche-le, ordonna Jamie.

— Tout ira bien, Caiti, lui dit Niall.

Il dénoua avec précaution ses doigts de sa jambe et de son étrier. Il lui prit la main et la serra mais fut contraint de la lâcher quand sa monture fut entraînée en avant.

— Prends bien soin de Brian, lança-t-il par-dessus son épaule.

Le visage baigné de larmes, elle se tourna vers son mari qui avait approché son cheval à sa hauteur. Son expression était froide et implacable. L'Exécuteur en personne.

— Comment peux-tu faire ça ? s'écria-t-elle. Je croyais que nous avions conclu un accord. Tu m'as dit que tu m'aimais…

Il soutint son regard sans sourciller.

— Je croyais moi aussi que nous étions tombés d'accord, mais il semblerait que nous nous soyons trompés tous les deux. Tu as pensé que mon amour pour toi signifiait que tu pouvais me plier à ta volonté, tandis que je prenais tes efforts de persuasion pour une émotion sincère.

Elle écarquilla les yeux.

— Ce n'est pas vrai ! Je ne ferais pas une chose pareille.

Elle ne l'avait pas séduit pour le convaincre. Cependant, tout en le niant avec véhémence, elle se demandait s'il n'avait pas un peu raison. Elle était désespérée, prête à se raccrocher à n'importe quoi.

Il la dévisagea avant de répondre :

— Peu importe. Comme tu peux le constater, cela n'a pas marché.

314

Elle regarda au-delà du portail. La file de chevaux galopant vers la mer soulevait un nuage de boue et de feuilles mortes. Quand elle se tourna à nouveau vers Jamie, elle vit la détermination gravée sur ses traits.

Ses pires craintes se concrétisaient en cet instant même et son bonheur patiemment reconstruit s'effondrait autour d'elle. De nouveau, elle allait perdre son frère adoré !

Une rage impuissante s'empara d'elle. Elle ne réfléchissait plus : tout ce qu'elle voulait, c'était arrêter ce qui était en train de se produire. D'une voix tremblante, elle lança :

— Je ne te le pardonnerai jamais. Si tu pars à présent, en emmenant mon frère avec toi, je ne veux plus jamais te revoir.

Avant même de prononcer ces mots, elle les regrettait déjà.

Le regard glacé de Jamie la cloua sur place tandis que son ultimatum imprudent restait en suspens entre eux. Il lui avait déjà demandé de ne plus se mettre entre lui et son devoir, ce qu'elle venait pourtant de faire une nouvelle fois.

Ils se défiaient du regard. Il ne reculait pas. Elle non plus. Finalement, il inclina la tête et répondit :

— Comme tu voudras.

Là-dessus, sans un mot de plus, il fit faire demi-tour à sa monture et partit au galop sans se retourner.

C'était sans doute ce qui faisait le plus mal. Après ce qu'ils avaient vécu, il lui tournait le dos sans hésiter alors qu'elle voyait son univers tout entier s'effondrer. Il ne reviendrait pas. Pour sauver ses frères, elle avait misé son cœur et elle avait perdu.

Il n'y avait plus rien à faire. Niall était parti, désormais, ainsi que le seul homme qu'elle aimerait jamais.

Elle sombra dans un profond abattement, saisie d'une angoisse intolérable. Elle avait l'impression que son cœur était déchiré en deux. Elle aurait voulu

315

pleurer, mais elle était au-delà des larmes. Les yeux secs, elle regarda sa silhouette droite et fière disparaître au loin.

Une fois de plus, il était parti ! Elle ne pourrait le supporter. Jamais elle n'aurait pensé éprouver de nouveau cette douleur. Jamais elle n'aurait cru se sentir si seule.

L'amour l'avait abandonnée, définitivement.

Elle tomba à genoux dans la boue et baissa la tête. Puis un remords lancinant pénétra son chagrin.

Était-ce elle qui avait trahi son amour ?

Jamie s'efforça de regarder droit devant tandis qu'il s'éloignait de Rothesay, sachant qu'il n'était pas près d'y retourner.

Il lui avait fallu user de toute sa force de volonté pour partir et il ignorait quand il oserait tenter de revoir sa femme. Être près d'elle serait impossible, l'attirance entre eux était trop puissante. Il serait plus facile de couper tous les ponts.

Comme s'il était facile de s'arracher le cœur ! Le vide dans sa poitrine était plus douloureux que toutes les blessures qu'il avait reçues au combat. Il serra les dents, se barricadant contre l'assaut du chagrin et du sentiment de perte qui l'envahissait.

Quelle ironie ! Un homme tel que lui, réputé invincible sur le champ de bataille, avait été terrassé par une simple émotion ! Par quelques paroles ! Il aurait dû éviter de s'engager dans cette relation, tout comme il avait rompu certaines amitiés. Quand on occupait une position comme la sienne, il valait mieux rester seul. Il avait pris un risque avec Caitrina en espérant que ce serait différent. Il avait commis une erreur.

La désillusion était comme un acide qui lui rongeait l'estomac. Il avait tant voulu croire qu'ils parviendraient à s'entendre, mais il avait confondu le désir avec l'amour et la confiance.

316

Il avait fallu cet ultimatum pour qu'il comprenne qu'il ne parviendrait jamais à la convaincre de croire en lui. Il avait espéré que, quand elle le connaîtrait mieux...

Il se leurrait. Leurs clans respectifs se dresseraient toujours entre eux. Elle ne verrait jamais au-delà de son nom de Campbell et de sa réputation. Il était mieux seul.

L'amour, finalement, ne suffisait pas.

Pour un homme qui n'acceptait pas la défaite, cet échec était cuisant.

— Ma sœur peut se montrer très têtue, vous savez.

Jamie se tourna vers Niall Lamont qui l'observait, assis à ses côtés dans l'embarcation. À son air contemplatif, il en avait sans doute vu davantage que Jamie n'aurait voulu. Il plongea sa rame dans l'eau et l'attira vers lui.

— Je ne vous le fais pas dire.

Niall ayant les mains liées, il ne pouvait ramer. Il s'était donc installé confortablement, adossé au banc, les jambes étirées. Son attitude nonchalante ne ressemblait guère à celle d'un prisonnier.

— Elle a peur, reprit-il. Je suis sûr qu'elle ne pensait pas tout ce qu'elle a dit.

— Et moi je suis convaincu du contraire. Elle croit que je l'ai trahie en vous conduisant à Dunoon pour y être jugés.

Niall arqua un sourcil.

— Pouvez-vous le lui reprocher ? Votre cousin n'est pas connu pour sa compassion à l'égard des proscrits. Vous non plus, d'ailleurs.

Jamie ne pouvait le nier. Toutefois, le seul fait qu'il ait demandé à son cousin d'intercéder en faveur de Niall aurait dû lui prouver à quel point elle comptait pour lui. Colin exercerait des pressions sur Argyll, mais Jamie était convaincu que Niall Lamont et ses hommes ne seraient pas envoyés au gibet. Même en traînant les pieds, son cousin tiendrait parole.

— Ce n'est pas à mon cousin que je lui ai demandé de faire confiance.

— Ah non ?

— Vous, vous m'avez bien cru quand je vous ai dit qu'il se montrerait clément.

— Avais-je le choix ? D'un autre côté, si c'était la vie de ma sœur ou de mon frère qui était en jeu, j'aurais sans doute été moins conciliant.

À contrecœur, Jamie admit qu'il n'avait peut-être pas tort. Caitrina ne connaissait pas Argyll comme lui et le peu qu'elle savait à son sujet n'incitait pas à la confiance.

Mais il y avait autre chose dans les paroles de Niall qui le troublait. Il parlait comme un homme qui se souciait peu de savoir s'il vivrait ou mourrait. Comme un homme qui a perdu foi dans le monde. Jamie se souvint de ce qu'il lui avait dit au sujet du viol de sa bien-aimée. Il ne pouvait imaginer ce qu'il avait ressenti. Si quelqu'un s'en prenait à Caitrina...

Il étudia les traits stoïques du jeune homme, devinant la rage qui bouillonnait sous son masque d'indifférence. Une rage qui pouvait vous conduire à s'écarter du droit chemin. Pour la première fois, il comprit ce qui pouvait pousser un être à exercer sa propre justice... en dehors de la loi. Or, c'était son propre frère qui l'y avait poussé. Par deux fois.

Il avait du mal à croire Colin capable d'une telle brutalité envers une femme. D'un autre côté, Colin ne le voyait sans doute pas du même œil. Pour lui, ce n'était qu'un butin de guerre, une manière d'humilier son ennemi. Beaucoup d'hommes pensaient comme lui.

Jamie eut une moue de dégoût, puis se tourna de nouveau vers Niall.

— Je comprends votre colère. Mais pourquoi vous être allié aux MacGregor ? Vous savez qu'ils sont condamnés. Le roi ne leur pardonnera jamais le massacre de Glenfruin.

— Cette femme dont je vous ai parlé…

— Oui ?

— Elle s'appelle Annie MacGregor.

Jamie lâcha un juron.

— Je sais que certains MacGregor ont commis… euh… des excès, reprit Niall. Mais avaient-ils le choix ? Chassés de leurs terres, ils n'ont nulle part où aller. Moi aussi je me suis retrouvé face à l'épée d'un Campbell.

Jamie crispa les mâchoires. La terre était au cœur des querelles entre les MacGregor et les Campbell depuis des siècles… depuis que le roi Robert Bruce avait accordé la baronnie de Lochawe, qui incluait une bonne partie des terres des MacGregor, aux Campbell.

— Les MacGregor s'accrochent à des revendications territoriales vieilles de trois cents ans. Il faudra bien qu'ils acceptent un jour qu'ils ne récupéreront pas leurs terres. Je comprends leur problème, mais ce n'est pas en faisant la guerre, en incendiant et en pillant qu'ils le régleront.

— Comment voulez-vous qu'ils réagissent ? Si vous asticotez un serpent, ne soyez pas surpris qu'il tente de vous mordre.

— Que vous ayez tort ou raison, cela ne changera pas grand-chose. Même la loi ne peut plus les aider. Ils devront payer pour Glenfruin.

— Tout comme mes hommes et moi devrons payer pour avoir attaqué votre frère.

— Je veillerai à ce que vous obteniez justice.

Compte tenu du rôle de Colin dans le viol de la jeune femme, il était peut-être indiqué qu'il soit jugé par Jamie.

La justice. Que signifiait-elle, dans ce cas ? Il l'avait toujours assimilée à la loi mais, cette fois, la réponse n'était pas aussi tranchée. Niall Lamont avait eu maille à partir avec elle et, compte tenu des circonstances, certains de ses choix étaient compréhensibles – même s'ils demeuraient mauvais. L'accusation de Caitrina lui revint en tête. La trahison de Duncan l'avait-elle influencé malgré lui et rendu trop rigide dans sa perception du bien et du mal ?

Il n'avait jamais remis en question la culpabilité de Duncan, mais se demandait à présent s'il n'avait pas jugé son frère aîné avec trop de sévérité. C'était une idée très dérangeante et il n'était pas certain d'être prêt à l'examiner.

— Vous savez, reprit Niall, je vous crois presque.

Jamie continua à ramer en silence, puis le jeune homme déclara soudain :

— Laissez-lui le temps.

Jamie le regarda, surpris.

— Qu'est-ce que cela peut vous faire ? J'aurais cru que vous seriez heureux qu'elle soit débarrassée de moi.

— C'est vrai. Vous êtes le dernier avec lequel j'aurais voulu qu'elle se marie. Mais je ne suis pas aveugle. Je sais ce qu'elle ressent pour vous et je veux son bonheur.

Jamie hocha la tête. « Moi aussi. » Mais il n'était pas sûr d'être celui qui pourrait le lui apporter. Car, quoi que dise son frère, c'était Caitrina qui avait besoin de croire en lui.

24

Il fallut moins d'une heure à Caitrina pour prendre sa décision. Elle ne pouvait rester assise à attendre sans rien faire pendant que son frère lui était arraché une fois de plus. Si Jamie refusait de l'écouter, il restait une personne à laquelle elle pouvait s'adresser.

Elle serra les dents, refoulant un haut-le-cœur.

Sa nourrice la regardait dans le miroir tout en mettant la dernière touche à sa coiffure.

Caitrina contempla son reflet, stupéfiée par la métamorphose apportée par une nouvelle robe et quelques épingles à cheveux. L'espace d'un instant, ce fut comme un retour vers le passé. Mais la femme qui se mirait dans la psyché n'avait plus rien à voir avec la belle insouciante qui, le printemps dernier, avait revêtu ses plus beaux atours et rencontré un beau chevalier dans un royaume enchanté. Peut-être ce royaume n'avait-il même jamais existé. Celle qui se tenait en face d'elle savait ce que signifiait de tout perdre, puis de trouver le courage de vivre et d'aimer de nouveau.

Elle ne voulait plus être l'enfant naïve et dorlotée qu'elle avait été. Jamie ne lui avait jamais caché la vérité et l'avait traitée en égale. Elle n'était plus inconsciente de ce qui se passait autour d'elle, ce qui rendait la vie plus compliquée mais aussi plus riche.

Elle caressa l'épais velours bleu argent de son corsage, un léger sourire au coin des lèvres. Une chose n'avait pas changé : elle savait apprécier une belle robe. Elle avait envoyé Mor au village avec la bourse que lui avait donnée Jamie et l'ordre de lui acheter une tenue. À sa surprise, sa nourrice était rentrée avec cette belle toilette de cour en velours entièrement brodé, agrémentée d'un jupon de satin ivoire. Elle lui apprit que Jamie l'avait commandée quelques jours plus tôt. Le cœur de Caitrina se serra quand elle comprit qu'il avait voulu lui faire une surprise.

Ses cheveux avaient été relevés en un chignon complexe tenu par un diadème en perles de culture. Jamie le lui avait offert le jour de leurs noces, avec un collier et des boucles d'oreilles assorties. C'était la première fois qu'elle portait cette parure – et peut-être aussi la dernière. Quelle ironie !

Elle ne voulait pas penser à la douleur de leur séparation car pour l'heure, une seule chose comptait pour elle : sa mission.

— Tu es sûre de ce que tu fais ? demanda Mor.

— Oui, tout à fait sûre.

Elle était prête à négocier avec le diable en personne pour sauver son frère. En l'occurrence, avec le comte d'Argyll.

Heureusement, Jamie n'avait pas donné l'ordre qu'elle reste cloîtrée au château mais le capitaine de ses gardes avait insisté pour l'accompagner avec au moins une douzaine d'hommes.

— Je partirai dès que mon escorte sera prête et que j'aurai vu Brian.

— Le garçon va de mieux en mieux, l'assura Mor.

C'était un grand soulagement, mais Caitrina avait besoin de le vérifier par elle-même. Quelques minutes plus tard, elle ouvrit la porte de sa chambre et fut ravie de le voir assis dans son lit. Il avait été lavé et son crâne était bandé de frais. Ses joues avaient retrouvé une roseur saine.

Une jolie servante était assise à son chevet.

— J'en ai assez de ce bouillon, dit-il en lui montrant son bol. Je meurs de faim. Je ne pourrais pas avoir un petit morceau de bœuf ?

« Mon Dieu, on dirait Malcom tout craché », pensa Caitrina. En revanche, son air gouailleur trahissait l'influence de Niall. Son cœur se serra en constatant à quel point il avait grandi. Il n'avait encore que treize ans mais, comme elle, il avait vécu la mort et la destruction de leur clan. En outre, la vie de proscrit avait laissé ses marques.

Il l'aperçut sur le seuil et son visage s'illumina.

— Caiti ! Je suis content que tu sois venue. Tu peux expliquer à Mairi que j'ai besoin de viande pour retrouver mes forces ?

— Ce sont les ordres de Mor, se défendit la jeune fille. Elle a dit qu'il était encore trop faible pour absorber autre chose que du bouillon.

— Trop faible ! s'indigna Brian. C'est normal puisqu'on ne me donne que de la moelle bouillie et de l'eau !

Son air outragé fit sourire Caitrina. Aucun guerrier ne supporterait d'être traité de faible, quelles que soient les circonstances. Elle s'assit sur le bord du lit et fit signe à la servante de sortir.

— Je parlerai à Mor, promit-elle à son frère. Je verrai ce que je peux faire pour qu'on te donne un repas plus consistant si tu promets de rester au lit et de te reposer jusqu'à mon retour.

— Où vas-tu, demanda Brian, inquiet. Et où est Niall ? Pourquoi n'est-il pas passé me voir ? Personne ne me dit jamais rien...

Caitrina hésita. La vérité serait sans doute dure à entendre mais elle savait d'expérience qu'être tenu dans l'ignorance ne le protégerait pas. Après ce qu'il avait vécu ces derniers mois, il avait le droit de savoir.

— Niall a été emmené à Dunoon. Je pars le retrouver.

Il pâlit mais ne réagit pas, autre preuve des changements qui s'étaient opérés en lui au cours des derniers mois. Son sang-froid confirma à Caitrina qu'elle avait bien fait de le lui dire. Elle aurait voulu lui caresser le front en l'assurant que tout se passerait bien, mais Brian n'était plus un enfant et elle ne voulait pas lui donner de faux espoirs.

— Je reviendrai le plus tôt possible, promit-elle.

— Je ne comprends pas ce qu'il s'est passé. Niall était certain qu'on ne nous trouverait pas.

Caitrina se mordit la lèvre et avoua :

— C'est moi qui ai dit à Jamie où vous étiez cachés.

Il écarquilla les yeux.

— Tu as révélé notre cachette à l'Exécuteur d'Argyll ? Mais c'est un maudit Campbell ! Notre ennemi !

— Il n'est pas comme ça, le défendit-elle. C'est l'homme le plus honorable que je connaisse. Il a rendu notre terre à nos gens et les a traités comme son propre clan malgré leur hostilité à son égard.

Elle détestait ce surnom d'« Exécuteur ». Jamie n'était pas un tueur de sang-froid ni un homme effectuant aveuglément les basses besognes de son chef. Il faisait ce qui lui paraissait juste. Brian ne semblait pas disposé à le croire, ce qui était compréhensible. Après tout, il était devenu un proscrit à cause des Campbell.

— Mais pourquoi maintenant ? demanda-t-il. Pourquoi as-tu jugé nécessaire de le lui dire ? C'est à cause de moi ?

— Non, non, le rassura-t-elle.

Elle lui expliqua l'arrivée d'Auchinbreck et de ses hommes à Rothesday, suivie de celle de Jamie.

— Je ne pouvais courir le risque qu'Auchinbreck vous trouve le premier. J'ai pensé que mon mari vous protégerait.

— Et tu ne le penses plus ?

— Non, je...

Elle s'interrompit, prenant conscience de ce qu'elle venait de dire. Non, elle n'avait pas changé d'avis. En dépit de ce qu'il s'était passé entre eux, elle croyait toujours que Jamie aiderait son frère. C'était l'humeur changeante de son cousin qu'elle redoutait. Comment lui expliquer ?

— C'est compliqué, résuma-t-elle.

— Tu crois qu'il n'a pas assez d'influence sur Argyll ?

Son analyse de la situation prit Caitrina de court. Parfois, il lui rappelait tellement leur père !

Elle réfléchit. Même si son instinct lui dictait de se méfier d'Argyll comme de la peste, il était clair que Jamie croyait en lui.

Si elle faisait confiance à Jamie, cela signifiait-il qu'elle devait aussi faire confiance à son cousin ? Elle savait quel genre d'homme était son mari. Aurait-il fait allégeance à un despote ? Jamie avait raison : tôt ou tard, il fallait choisir son camp. Soit elle était pour Jamie et son cousin, soit elle était contre. La situation n'était ni noire ni blanche, mais un savant dégradé de gris.

En qui croyait-elle le plus ? Son cœur connaissait la réponse, mais elle avait trop peur de l'admettre car cela revenait à reconnaître qu'elle avait commis une grave erreur.

— Jamie a de l'influence et a promis de défendre Niall et les autres. Mais j'ai peur que cela ne suffise pas. Il y a trop en jeu pour se reposer sur des incertitudes. Je ne lui aurais jamais dévoilé votre cachette si j'avais su ce qu'il comptait faire.

— Je m'en doutais, dit Brian. Il t'a piégée, n'est-ce pas ?

— Non ! Il ne ferait jamais ça. Il a présumé que je comprendrais son geste.

— Tu as tenté de le convaincre ?

— Il a refusé de m'entendre. Il a dit qu'il devait faire son devoir.

— Et que voulais-tu qu'il fasse ? C'est l'Exécuteur d'Argyll. Même un Campbell doit obéir à son laird.

Seigneur, même un adolescent de treize ans pouvait le comprendre. Son sentiment de trahison l'avait complètement aveuglée. Quand elle avait demandé à Jamie de placer son devoir envers elle avant sa loyauté à son cousin, il avait refusé. Cela lui avait paru si simple alors, mais quand il lui avait retourné sa question, elle n'avait pas su répondre. Au lieu de cela, elle avait tout gâché avec ses menaces et ses ultimatums.

Elle l'avait fait fuir, ne lui laissant aucun choix après qu'il eut tant fait pour elle.

Plus elle repensait à ces derniers mois, plus son malaise augmentait. Il était l'un des hommes les plus puissants des Highlands et l'avait épousée alors qu'elle n'avait rien. Sans lui, le clan Lamont se serait désintégré. Non seulement il lui avait permis de récupérer ses terres, mais il avait puisé dans sa propre fortune pour reconstruire Ascog. Ils n'auraient rien pu faire sans lui. Elle n'avait ni son expérience ni son autorité. Même si les Lamont ne l'aimaient pas, ils comptaient sur lui. En outre, ils auraient encore besoin de son aide si Niall voulait récupérer son titre.

Mais il n'y avait pas que son clan ; elle aussi avait besoin de lui. Comme une femme a besoin d'un homme, une âme d'une âme sœur. Il faisait partie d'elle. Il l'avait ramenée à la vie, lui avait apporté la sécurité et l'avait rendue heureuse.

Elle revint soudain à la question de Brian. Qu'aurait-elle voulu qu'il fasse ?

— Je n'en sais rien. J'espérais gagner du temps, mais il m'a dit que Niall et les autres devraient répondre de leurs actes et que le plus tôt serait le mieux.

Elle sentit la frustration de Brian. Il n'aimait pas plus qu'elle savoir leur frère entre les griffes d'Argyll.

— Nous n'avons pas le choix, déclara-t-il. Tant qu'Argyll représente la loi, ton mari a raison.

Il lui adressa un regard soutenu avant d'ajouter :

— Il doit vraiment t'aimer pour faire passer ton frère avant le sien.

Elle déglutit, tentant de déloger le nœud dans sa gorge. Avec le recul, elle se sentait honteuse.

— Qu'espères-tu en te rendant à Dunoon ? demanda encore Brian.

— Je ne sais pas mais je dois faire quelque chose.

Autant pour Niall que pour elle-même.

Caitrina avait l'impression de faire une course contre le temps face à une catastrophe annoncée. Chaque seconde de son voyage semblait jouer contre elle tandis que la certitude d'avoir commis une erreur ne cessait de croître.

Terrifiée à l'idée que Jamie l'ait prise au mot et ne veuille plus la voir, elle était penchée en avant sur sa selle, pressant sa monture.

— C'est encore loin ? demanda-t-elle.

En dépit de la nuit tombante, elle distinguait la mine renfrognée de William Campbell. Il désapprouvait ce voyage précipité à travers la péninsule de Cowal mais n'avait pas voulu risquer de contrarier la dame de son laird. Ils s'étaient mis en route peu après midi, avaient traversé le Firth of Clyde à bord d'un *birlinn* jusqu'à Toward, puis avaient échangé leur embarcation contre des chevaux pour parcourir la douzaine de kilomètres le long de la côte jusqu'à Dunoon.

— À peine quelques kilomètres, madame. Nous devrions y être avant la nuit.

La nervosité de Caitrina était à son comble. Non seulement la réaction de Jamie lui nouait le ventre, mais elle redoutait aussi de se retrouver nez à nez avec Argyll.

Même si elle ne l'aimait pas, Archibald Campbell était sans conteste l'homme le plus puissant des Highlands. Il était facile de le haïr, cependant la réalité était plus complexe. Confirmerait-il ses craintes ou les apaiserait-il ?

Elle le saurait bientôt.

Son pouls s'accéléra quand la silhouette d'un énorme donjon se matérialisa soudain au détour de la route. La forteresse était perchée sur un promontoire rocheux dominant le Firth. Son agitation augmenta encore quand ils approchèrent. Au-delà de la barbacane, les épaisses murailles de la tour principale, grossièrement bâties des siècles auparavant, paraissaient encore plus impressionnantes.

Comme le maître des lieux.

La vue du château ébranla sa détermination. Qu'allait-elle faire ? Se jeter aux pieds d'Argyll et implorer sa pitié ? Encore fallait-il qu'il en ait.

Peu importait, elle était prête à tout.

Résolue, elle descendit de cheval et se tourna vers le garde le plus proche avant de pouvoir changer d'avis.

— Conduisez-moi au comte.

Un autre homme se dirigeait vers eux et entendit sa requête. Il se présenta comme le majordome, puis déclara :

— Nous n'avons pas été prévenus de votre arrivée, madame. Je vais vous faire préparer une chambre et informerai monsieur le comte et votre mari de votre présence.

— Merci, je n'ai pas besoin de chambre, je dois voir le comte sur-le-champ. Cela ne peut pas attendre.

L'homme parut mal à l'aise, n'ayant visiblement pas l'habitude de voir une femme réclamer un entretien avec son maître.

— Je crains qu'il ne soit en réunion avec ses gardes. On ne peut pas le déranger.

Devinant l'objet de cette réunion, Caitrina demanda :

— Mon mari se trouve-t-il avec lui ?

— Oui.

Elle n'avait pas besoin d'en savoir plus. Elle grimpa les marches quatre à quatre, le majordome courant derrière elle.

— Attendez ! Vous ne pouvez pas entrer !

Caitrina lui adressa son sourire le plus éblouissant.

— Oh, je suis sûre qu'il n'y verra aucun inconvénient.

— Mais...

Déjà, elle traversait la grande salle. Elle aperçut deux portes. Elle en choisit une au hasard et l'ouvrit. C'était le bureau du laird.

Une douzaine de paires d'yeux la fixèrent comme s'ils voyaient une apparition. Sa nervosité grimpa encore d'un cran mais elle était résolue à ne pas la montrer. Affichant un sourire assuré et un maintien impeccable, elle s'avança dans la pièce.

— Qu'est-ce que cela signifie ?

Un homme aux traits aiguisés assis au bout de table s'adressa au majordome qui venait de faire irruption dans le bureau, derrière Caitrina. Celle-ci balaya rapidement la pièce du regard et fut déçue en n'y voyant pas Jamie. En dépit de leur dispute, sa présence aurait été un soutien précieux. Il faudrait donc qu'elle affronte seule le diable en personne.

Le comte d'Argyll ne correspondait guère à son attente. Ses vêtements et ses bijoux, les plus beaux qu'elle ait jamais vus, correspondaient bien à ceux d'un fidèle courtisan du roi Jacques, mais un éclat particulier dans son regard ainsi qu'une certaine dureté dans ses traits trahissaient ses origines de Highlander. Ses traits étaient anguleux, ses lèvres minces et son expression aussi sévère que l'indiquait son sobriquet : *Gillesbuig Grumach*, « Archibald le sinistre ». Il paraissait plus que sa petite trentaine d'années, ce qui n'avait rien d'étonnant compte tenu de sa jeunesse mouvementée. Son père était mort alors qu'il n'était qu'un enfant et il avait subi de nombreuses attaques, même des tentatives de meurtre, de la part de ceux chargés de veiller sur lui.

329

— Je suis désolé, seigneur, s'excusa le majordome. La dame a insisté.

Le comte la regarda des pieds à la tête.

— Et qui est cette dame ?

Caitrina inspira profondément et s'avança.

— Caitrina Campbell, seigneur. L'épouse de votre cousin.

S'il fut surpris, Argyll n'en montra rien.

— Que puis-je faire pour vous ?

— M'accorder une minute de votre temps, seigneur. Si vous le voulez bien.

Voyant qu'il était sur le point de refuser, elle ajouta à la hâte :

— Il s'agit d'une affaire de la plus haute importance.

Elle attendit, le cœur battant, certaine qu'il allait la renvoyer mais, à sa surprise, il fit signe à ses hommes de se retirer.

Puis il lui demanda d'avancer. Elle se tint devant la table massive, se retenant de ne pas se tordre les mains ou de gesticuler. Elle se sentait comme une enfant fugueuse attendant son châtiment. Honteuse de sa lâcheté, elle redressa le dos, le regardant en face.

Argyll l'examina durant un long moment, son regard s'arrêtant sur les taches de boue sur sa robe et ses souliers.

— Décidément, faire irruption dans mon bureau sans frapper semble devenir une manie dans votre famille. Au moins, vous, vous avez fait l'effort de mettre une tenue appropriée.

— Je vous demande pardon ?

— Peu importe. Alors, quelle est cette affaire urgente ?

— Il s'agit de mon frère et de ses hommes. Je sais qu'ils sont ici. Je suis venue plaider pour eux. Si vous les écoutez, je suis sûre que vous comprendrez pourquoi ils ont agi de la sorte. Mais j'aimerais leur parler d'abord, si vous le permettez.

330

Argyll resta silencieux quelques instants, ses yeux noirs scrutant son visage avec une intensité troublante. Puis il répondit enfin :

— Vous savez de quoi votre frère et ses hommes sont accusés et aussi que votre mari les a conduits ici pour que je les juge ?

— Oui, seigneur. Jamie m'a juré que vous vous montreriez clément.

Argyll caressa sa barbiche d'un air songeur.

— Il vous a dit ceci et vous êtes venue quand même ?

Elle acquiesça, se sentant à nouveau comme une enfant fautive.

Argyll pianota sur la table, émettant un cliquetis qui acheva de hérisser les nerfs de Caitrina.

— Les hommes de votre frère sont enfermés dans la tour, attendant ma sentence, déclara-t-il enfin.

Il marqua une pause en la regardant d'un air calculateur, avant d'achever :

— Mais je crains que vous n'arriviez trop tard. Votre frère nous a déjà quittés.

25

Caitrina eut l'impression d'avoir percuté un mur et eut le soufflé coupé. Elle était arrivée trop tard. Niall était mort.

L'espace d'un instant, elle fut aveuglée par un désespoir fulgurant. Le pire s'était produit. Toutefois, il ne dura qu'un instant. Une force plus profonde repoussa sa détresse. Jamie n'aurait pas laissé cette tragédie arriver. Elle en était certaine.

Elle croyait en lui. Sans restriction. Grâce à lui, les Highlands étaient un pays plus juste. Indépendamment de son allégeance à son cousin, il aurait agi pour le bien de Niall, elle le savait.

Il avait fallu la ruse d'Argyll pour le lui prouver. Était-ce là son intention ? Elle regarda l'homme le plus puissant et le plus méprisé des Highlands. Faire confiance à Jamie signifiait admettre qu'Argyll n'était pas le monstre qu'elle avait cru. Son mari n'aurait pas été loyal à un tel homme. Il devait avoir d'autres qualités, même si, pour l'heure, elles ne sautaient pas aux yeux.

Argyll la mettait à l'épreuve. Pensait-il qu'elle n'était pas digne de son précieux cousin ? C'était peut-être le cas quelques minutes plus tôt, mais elle comptait bien lui démontrer le contraire. Elle prit un ton dégagé, comme si son frère était passé pour une visite de courtoisie.

— Quel dommage que je l'aie manqué ! s'exclama-t-elle d'un ton léger. Pensez-vous qu'il sera bientôt de retour ?

Argyll arqua un sourcil broussailleux et elle crut détecter une lueur d'approbation dans son regard.

— Jamie devait me l'amener pour être jugé. Ne voulez-vous pas entendre ma sentence ?

Caitrina lui adressa un sourire mielleux.

— Oh, je suis sûre que mon mari m'en informera.

— De quoi dois-je t'informer ? demanda la voix de Jamie.

Son cœur fit un bond dans sa poitrine. Elle fit volte-face et avança vers lui, voulant se jeter dans ses bras et implorer son pardon. Son regard l'arrêta net dans son élan.

— Que fais-tu ici, Caitrina ?

Tout espoir de réconciliation s'envola en fumée. Il semblait regarder à travers elle, comme s'il ne la voyait pas.

Jamie n'en avait pas cru ses oreilles quand, se trouvant dans l'écurie, Will lui avait appris que Caitrina se trouvait au château.

L'espace d'un instant, il pensa qu'elle était venue le trouver pour s'excuser, jusqu'à ce qu'il apprenne qu'elle avait insisté pour s'entretenir avec son cousin. Elle était ici pour Argyll et non pour lui.

Sachant qu'elle haïssait le comte et le tenait partiellement pour responsable du raid sur Ascog, il devait admettre qu'elle avait du cran. Il ne pouvait qu'admirer sa détermination à sauver son frère, même si cela ne faisait que rendre plus flagrant encore son manque de confiance en lui.

De la revoir si vite était comme de saupoudrer de sel une plaie ouverte. Elle était si belle qu'il en avait mal. Mais il y avait quelque chose de différent... La robe, les bijoux, la coiffure. Pour la première fois depuis le drame d'Ascog, elle s'était parée de ses plus beaux atours. Elle ressemblait à une princesse. Pas une princesse de conte de fées, mais une vraie princesse. Une femme noble et sûre d'elle, qui s'était battue et avait survécu au pire.

Son cousin rompit le silence gêné qui s'était abattu sur la pièce.

— Figure-toi que ton épouse est venue rendre visite à son frère.

— Je vois, fit Jamie.

La déception était forte. Il n'avait qu'une envie : sortir de cette pièce et filer au galop le plus loin d'elle possible.

— Je lui ai dit qu'elle était arrivée trop tard, poursuivit Argyll. Que son frère nous avait quittés.

Jamie lui lança un regard surpris. Il avait voulu faire croire à Caitrina que Niall était mort et, pourtant, elle ne paraissait pas affligée. Il s'efforça de masquer son impatience. Il connaissait suffisamment son cousin pour savoir qu'il ne fallait pas le presser. Il attendit la suite, se demandant à quel jeu il jouait.

— Je m'attendais à ce qu'elle en déduise qu'il était mort.

Jamie se tourna vers Caitrina, mais elle ne réagissait toujours pas. Il commençait à comprendre où Argyll voulait en venir. Les trahisons qu'il avait subies dans son enfance avaient laissé sur lui une profonde empreinte et rien n'était plus important à ses yeux que la loyauté. L'apparition soudaine de Caitrina l'avait fait douter de la sincérité de celle-ci envers son mari. Jamie appréciait la sollicitude de son cousin, mais il n'avait pas besoin de son aide. Argyll lui adressa un regard signifiant qu'il savait pertinemment ce qu'il pensait mais qu'il s'y prenait mal.

Caitrina retrouva enfin la parole.

— Je n'y ai pas vraiment cru.

Jamie lança un regard interrogateur à son cousin qui cachait mal son agacement.

— J'ai cru comprendre que ton épouse avait la plus haute opinion de toi. Elle présume que je la partage.

— Je vois, marmonna Jamie.

Cette soudaine démonstration de foi était réconfortante mais insuffisante… et trop tardive. Refusant de voir la supplique dans les yeux de sa femme, il détourna la tête.

— J'allais justement lui faire part de mon désappointement quand tu es entré, poursuivit Argyll en se tournant vers Caitrina. Voyez-vous, mon capitaine, d'ordinaire si diligent, a commis une erreur regrettable sur la route de Dunoon.

— Vraiment ? dit Caitrina, prudente.

— Votre frère lui a filé entre les doigts alors qu'ils faisaient une pause pour laisser boire les chevaux. Ils lui ont donné la chasse mais il s'est envolé.

À la façon dont Argyll regarda Jamie, il était clair qu'il n'était pas dupe. Le comte ne pourrait être tenu pour responsable de l'évasion de Niall. Colin ne pourrait s'en prendre qu'à un seul homme.

— Niall s'est échappé ?

Incrédule, Caitrina se tourna vers Jamie. La question suivante se forma dans sa bouche mais elle eut la sagesse de ne pas la poser. Elle demanda plutôt :

— Et les autres ?

— Ils sont libres de rentrer à Rothesay, répondit Jamie. Je m'occupais justement de leur libération quand tu es arrivée.

Ahurie, Caitrina chercha ses mots, puis se tourna vers Argyll.

— Merci.

— Remerciez plutôt votre mari. C'est lui qui a versé l'or pour racheter leurs crimes.

— Jamie, je…

Avant qu'elle n'ait pu terminer, il lui prit le bras et l'entraîna vers la porte.

— Si tu veux bien nous excuser, Archie, je vais accompagner ma femme jusqu'à sa chambre.

— Si tu as besoin d'autre chose, fais-le-moi savoir, répondit Argyll avec un sourire narquois.

Jamie lui lança un regard torve, agacé par la lueur amusée dans les yeux de son cousin. Décidément, Archibald le Sinistre pouvait être un vrai bouffon ! Il était peut-être satisfait par cette démonstration de loyauté, mais pas lui !

Le majordome avait préparé une chambre au troisième étage de la tour sud, celle qu'utilisait Lizzie quand elle séjournait à Dunoon. On y avait monté de l'eau fraîche et les affaires de Caitrina étaient disposées sur le lit pour la nuit.

Il se tint devant la cheminée en attendant que le majordome soit sorti.

Dès qu'il eut refermé la porte, Caitrina s'approcha de lui. Il sentit son parfum féminin l'envelopper. Cela ne cesserait donc jamais, ce besoin déchirant d'elle ? Cette incapacité à réfléchir dès qu'elle était proche ? Cette sensation que, s'il ne la prenait pas tout de suite dans ses bras et l'embrassait, il en mourrait ?

— Jamie, je suis déso...

— Mes hommes te raccompagneront à Rothesay demain matin, la coupa-t-il.

— Tu ne viens pas avec moi ?

Il entendit le tremblement dans sa voix mais garda les yeux rivés sur le mur derrière elle, refusant de croiser son regard.

— Il me semble que tu as été claire. Je pars m'installer à Castleswene. Tu n'as plus à craindre que je me mêle de tes affaires, quelles qu'elles soient.

Le message était sans ambiguïté : ils vivraient désormais chacun de leur côté. Il sentit son estomac se retourner. La seule idée de l'imaginer avec un autre homme...

— Mais...

Il daigna enfin la regarder.

— Mais quoi, Caitrina ? N'est-ce pas ce que tu voulais ?

La désolation sur son visage lui alla droit au cœur. Cela faisait trop mal. « Il faut que je sorte d'ici. » Il avait beau l'aimer à la folie, cela ne suffisait pas. Elle lui était désormais reconnaissante mais il ne voulait pas de sa gratitude. Il voulait son amour et sa confiance, son cœur et son âme. Il se tourna pour partir.

— Je t'en prie, ne t'en va pas. Ce n'est pas ce que je veux.

Sa petite main lui agrippa le bras.

— Peut-être pas pour le moment, répondit-il. Mais que se passera-t-il la prochaine fois que nous ne sommes pas d'accord ou que mon devoir exige de moi quelque chose que tu réprouves ? Me chasseras-tu encore de ta maison ?

— Mon Dieu, je regrette tellement mon geste, Jamie ! Je n'aurais jamais dû te donner un ultimatum. J'ai eu tort de marchander avec tes sentiments pour moi. J'avais peur, je ne savais plus quoi faire. Tu peux le comprendre ?

Oui, sans doute le pouvait-il. Il admirait sa passion, sa franchise, son amour inconditionnel pour sa famille. Il était jaloux.

Il entendit un son et baissa les yeux. Bigre ! Elle pleurait ! Il pouvait tout endurer sauf les larmes. Sa main le démangeait de les essuyer, mais il se retint.

— Et si cela avait été ta sœur qui était en péril ? demanda-t-elle doucement. Imagine que la situation soit inversée...

Il serra les dents.

— Je ne t'aurais quand même pas demandé de choisir.

— Tu en es sûr ? Il m'a pourtant semblé que tu me demandais de choisir entre mon frère et toi. Peut-être que si tu m'avais expliqué ton plan...

Il grimaça. Elle avait raison sur ce point. Il avait l'habitude de prendre ses décisions seul.

— Peut-être aurais-je dû m'expliquer davantage, concéda-t-il. Mais pourquoi dois-tu toujours imaginer le pire en moi ?

— J'ai eu des années d'entraînement. Je savais qu'il serait difficile d'être mariée à un Campbell mais, quand j'ai compris que je t'aimais, j'ai pensé que cela suffirait. Je me trompais. Les vieilles tensions ne disparaîtront pas parce que j'en ai décidé ainsi. Cela demande du travail.

— Que veux-tu dire ?

— Que je veux tout savoir sur toi, Jamie. Et si cela signifie de fréquenter Argyll, je veux bien essayer.

— Tu ferais ça pour moi ?

Elle hocha la tête.

— J'ai foi en toi, Jamie. Ce n'est que lorsque ton cousin a tenté de me piéger que je l'ai compris, mais cette foi a toujours été là.

Il sentit une fissure se former dans son armure. Il entendait la vulnérabilité dans sa voix et voulait désespérément la croire.

— J'ai commis une erreur, poursuivit-elle. J'en commettrai d'autres. Mais tu es très exigeant avec ceux qui t'entourent. J'ai besoin de savoir si tu pourras me pardonner.

— Tu es en train de dire que je suis rigide et intransigeant ?

Elle esquissa un sourire.

— Peut-être un peu. Je t'aime, Jamie. Tu as apporté le bonheur et l'amour dans ma vie. J'ai eu tort de croire que je pouvais te demander de choisir entre ta loyauté envers ton clan et celle envers moi, car, au fond, ce n'est qu'une seule et même chose. Je ne le ferai plus jamais. Le fait de savoir que tu m'aimes me suffit.

Elle ajouta tout bas :

— Si tu m'aimes toujours. S'il te plaît, dis-moi qu'il n'est pas trop tard.

Ses lèvres tremblaient et Jamie sentit ses dernières résistances s'effriter. Il essuya sa joue du pouce en la regardant dans les yeux.

— Oui, je t'aime toujours. Je n'ai jamais cessé de t'aimer.

Le visage baigné de larmes de Caitrina s'illumina.

— Alors rien d'autre n'a d'importance. Tu as mon amour et ma loyauté à jamais. Je jure de ne jamais douter de toi.

— Jamais ?

Elle se mordit la lèvre.

— Enfin… presque jamais. En tout cas, pas pour les choses importantes.

Il se mit à rire et l'attira à lui. Cela lui suffirait aussi.

Caitrina était couchée dans le lit, s'abandonnant à l'étreinte de son mari. Elle se lova contre lui, le dos contre son torse, et se colla encore un peu plus quand il pinça doucement le sein qu'il tenait dans sa main.

— Tu es insatiable, murmura-t-il dans son oreille.

Son souffle chaud fit courir de délicieux frissons tout le long de son dos. Elle n'aurait jamais cru qu'il fût possible d'avoir encore envie de faire l'amour, après leurs fougueux ébats, un peu plus tôt.

— J'ai besoin de repos, gémit-il.

— Menteur !

Il protesta et glissa une main agile le long de son ventre, puis entre ses cuisses.

— Je réfléchissais, dit-elle tout en se calant confortablement contre lui, l'invitant à poursuivre.

Il déposa une série de baisers brûlants sur sa nuque et dans son cou tout en pinçant son mamelon.

— À quoi réfléchissais-tu ?

Elle rouvrit les yeux.

— Tu cherches à détourner mon attention !

— Et j'y parviens ?

« Oh ! oui. » Elle sentait son sexe durci rond entre ses cuisses tandis qu'il glissait un doigt en elle. Elle renversa la tête contre son épaule tandis que ses caresses l'amenaient au bord d'un nouveau torrent de plaisir.

Il lui saisit les hanches et les releva afin de se placer à l'orée de son intimité. Elle l'émoustilla sans merci, frottant doucement son sexe entre ses plis humides sans le prendre en elle. La sensation était divine, son épais membre chaud allant et venant entre ses jambes. À sa respiration saccadée, elle devinait que ses provocations étaient en train de le rendre fou.

Enfin, il lui prit la taille et la pénétra lentement, profondément. Elle gémit de plaisir tandis qu'il continuait de la caresser tout en allant et venant en elle.

Il la serra fort contre lui, donna un grand coup de reins et s'immobilisa. Elle sentit son corps frémir d'anticipation, puis, juste au moment où elle pensait ne pouvoir le supporter plus longtemps, il entra plus loin encore en elle et elle sentit les spasmes la soulever en un paroxysme intense qui semblait ne jamais devoir finir. Il la pilonna de plus en plus vite jusqu'à ce qu'il pousse à son tour un long cri de jouissance.

Longtemps après le dernier frisson, elle se souvint du début de leur conversation.

— Tu l'as laissé s'enfuir, n'est-ce pas ? dit-elle sans le regarder.

Il se figea.

— Pourquoi cette question ?

— Cela ne te ressemble pas de laisser un prisonnier te filer entre les doigts.

— Ta confiance en mes compétences me flatte mais je t'assure que je ne suis pas infaillible.

— Dis-moi la vérité.

Comme il ne répondait pas, elle insista :

— Pourquoi ? Tu n'étais plus sûr de ton cousin ?

— Non, je sais qu'Argyll aurait tenu parole. Je lui ai juste facilité les choses en donnant le choix à ton frère.

— Tu veux dire que Niall a choisi de devenir un hors-la-loi plutôt que de rentrer à Ascog ? s'exclama-t-elle, incrédule.

— Je crois qu'il avait d'autres projets.

Caitrina comprit alors. Niall ne pourrait trouver le repos tant que le coupable n'aurait pas payé pour ce qu'il avait fait à la femme qu'il aimait. Cela lui fendait le cœur. Elle aurait tant voulu le garder avec elle et le protéger, mais il avait pris sa propre décision. Elle savait aussi ce que cela signifiait : Niall était un proscrit et, à ce titre, était perdu à jamais pour elle et pour le clan.

— Il ne pourra jamais occuper sa place de chef, observa-t-elle.

— Non. Brian sera le prochain chef, quand il sera en âge de prendre le titre. En attendant, je dirigerai Ascog pour lui.

C'était réconfortant. Brian avait l'étoffe d'un bon chef. Sous la tutelle et avec les conseils de Jamie, il deviendrait un Highlander respecté.

— Et Argyll ?

— Mon cousin n'aime pas perdre des terres, mais il a donné son accord.

Restait une chose qu'elle ne comprenait toujours pas.

— Pourquoi l'as-tu fait, Jamie ? Pourquoi as-tu laissé Niall partir ?

Il se redressa sur un coude pour la regarder dans les yeux.

— Dans un souci de justice.

— Et tu penses qu'il ne l'aurait pas obtenue ici, à Dunoon ?

— Pas dans ce cas. La loi ne peut aider ton frère.

— La loi et la justice, ce n'est pas la même chose ?

— Je le croyais.

— Tu as changé d'avis ?

Il déposa un baiser sur son front avant de répondre :

— Je pense que cela laisse une marge d'appréciation. Une certaine femme m'a accusé un jour d'être obsédé par le passé. Elle n'avait peut-être pas complètement tort.

— Tu m'en diras tant !

Il avait compromis son devoir pour secourir Niall. Elle savait ce qu'il pensait des hors-la-loi après la disgrâce de Duncan et pourtant il avait aidé son frère tout en sachant qu'il rejoindrait les MacGregor pour se battre.

— Et qu'en est-il des MacGregor ?

— Tu es aussi impitoyable que ton frère ! protesta-t-il. Rien ne pourra racheter leurs crimes mais... Je ferai mon possible pour m'assurer qu'ils soient jugés équitablement, comme n'importe qui d'autre.

Un large sourire illumina le visage de Caitrina. Comment pouvait-elle avoir douté de lui ? Argyll avait de la chance de l'avoir à ses côtés. Elle aussi. Il était un élément modérateur. Si Argyll dépassait les bornes, Jamie serait là pour réagir. Elle sourit intérieurement. Et si Jamie oubliait, elle serait là pour le lui rappeler.

Elle avait fait son choix et opté pour son mari. Les problèmes qu'ils devraient affronter ne seraient pas faciles. Jamie avançait sur un terrain périlleux, miné par les conflits des Highlands, mais elle l'aimait pour l'homme fort et juste qu'il était.

Elle se mit à rire. Elle n'avait jamais été aussi heureuse. Elle possédait tout ce qu'elle désirait : un foyer, la sécurité, l'amour... Elle n'oublierait jamais le passé mais elle avait de quoi se construire un nouvel avenir.

— Je t'aime, Jamie Campbell.

Il l'embrassa tendrement.

— Je t'aime aussi, même si je n'aurais jamais cru entendre un jour ces deux mots associés.

— Lesquels ?

— « Aimer » et « Campbell ».

— Fais-toi une raison, car tu vas les entendre jusqu'à la fin de tes jours.

Note de l'auteur

Jamie Campbell repose sur une compilation de personnages historiques et plus particulièrement sur sir Dugald Campbell d'Auchinbreck. Capitaine de Castleswene, il aurait convaincu les MacGregor de se rendre à Argyll, bien que certaines sources attribuent cette prouesse à Campbell d'Ardkinglas – le père d'Auchinbreck mourut à la bataille de Glenlivet en se battant pour Argyll. James Campbell de Lawers, pour sa part, était l'un des traqueurs des MacGregor les plus redoutables et Donald Campbell de Calder était connu comme le bras droit d'Argyll et le gardien de Mingarry Castle. Une apostille à l'attention des lecteurs de ma première trilogie : l'une des filles d'Auchinbreck, Florence, épousa John Garve Maclean, le fils de Lachlan de Coll et de Flora MacLeod (voir *La Fierté du Highlander*).

Caitrina et ses proches sont des personnages de fiction. En revanche, l'attaque et la destruction du château d'Ascog s'inspirent d'un événement réel, encore plus horrible que celui que je décris. Il se produisit environ quarante ans plus tard, en 1646, lors des guerres des trois royaumes. À l'époque, les Lamont soutenaient les royalistes et le marquis de Montrose, ce qui les plaçait en conflit direct avec le marquis d'Argyll – le fils d'Archibald le sinistre.

À la suite de la défaite des Campbell par James Graham, premier marquis de Montrose, à la bataille d'Inverlochy en 1645, les Lamont dévastèrent les terres des Campbell. Lorsque Montrose fut vaincu à son tour l'année suivante, Argyll chercha à se venger et attaqua les Lamont à coups de canon à Toward et à Ascog. Les Lamont capitulèrent après avoir signé un accord leur promettant la vie sauve. Au lieu de cela, plus de cent membres du clan – peut-être même deux cents – furent conduits à Dunoon. Trente-six d'entre eux furent pendus dans le cimetière. On fait même état d'hommes enterrés vivants. Aujourd'hui encore, dans le château de Dunoon, une plaque commémore le massacre des Lamont.

Les châteaux de Toward et d'Ascog furent entièrement détruits.

Des années plus tard, le massacre de Toward et d'Ascog revint hanter le marquis d'Argyll. La sœur de Lamont de Toward, Isobel, était parvenue à sortir de Dunoon – en la cachant dans sa chevelure – une copie signée des « articles de capitulation » promettant la vie sauve aux MacGregor. Seize ans plus tard, ce document servit de pièce à conviction dans le procès d'Argyll, qui fut condamné à mort.

Bien que les guerres des trois royaumes soient la cause immédiate du conflit entre les Lamont et les Campbell, le lien entre les Lamont et les MacGregor y joua sans doute aussi un rôle. L'histoire du devoir d'hospitalité entre les deux clans se déroula au début du XVIIe siècle. Les Lamont auraient remercié les MacGregor de leur hospitalité en les abritant quand ils devinrent proscrits, un délit passible de la peine de mort.

Archibald le sinistre, septième comte d'Argyll et « Promesse des Highlands », dupa effectivement le chef des MacGregor plus ou moins comme je l'ai décrit, bien que cet épisode se soit déroulé quelques années plus tôt. Alexander MacGregor de Glenstrae, surnommé « la flèche de Glen Lyon » fut pendu et écartelé à Édimbourg avec dix de ses hommes le 20 janvier 1604. Vingt-cinq MacGregor en tout furent exécutés dans les semaines qui suivirent. Ces exécutions provoquèrent un surcroît de violences de la part des MacGregor. Ces derniers s'en prirent, entre autres, aux MacLaren – auxquels je fais allusion dans le livre –, un clan voisin qui occupa Balquhidder jusqu'à ce qu'ils en soient chassés par les MacGregor.

J'ai concentré les persécutions et bon nombre des prohibitions concernant les MacGregor sur une période, mais la campagne contre leur clan s'étala sur de nombreuses années. Elle culmina en 1604, année qui suivit la bataille de Glenfruin et le massacre des Colquhouns par les MacGregor, puis de nouveau en 1611. Toutefois, entre ces deux pics, le clan ne semble pas avoir été soumis. Dans une lettre datée de 1609 et adressée au roi à Londres, sir Alexander Colquhoun de Luss se plaint que la campagne ne progresse pas assez.

On ne saura jamais si le comte d'Argyll s'est acharné sur les malheureux MacGregor pour des intérêts territoriaux ou des raisons plus personnelles. Bien qu'Argyll ait été relégué par l'histoire dans le camp des « méchants », il est clair que les deux parties ont commis des atrocités.

Le duc d'Argyll est toujours le gardien héréditaire du château royal de Dunoon et verse le loyer symbolique d'une rose rouge… offerte la dernière fois à la reine Elizabeth II lors de sa visite.

Les Collines de Lomond – ainsi dénommées sur la carte de John Speed datant de 1610 – correspondent aujourd'hui à la région appelée les Trossachs.

Pour plus d'informations sur le comte d'Argyll et les MacGregor, n'hésitez pas à consulter mon site Web : www.monicamccarty.com.

*Découvrez les prochaines nouveautés
des différentes collections J'ai lu pour elle*

AVENTURES
&PASSIONS

Le 4 avril

Inédit **Les fantômes de Maiden Lane - 2 -
Troubles plaisirs** ❧ **Elizabeth Hoyt**
Si Hero trouve son fiancé ennuyeux et dépourvu d'humour, elle s'y
est résolue jusqu'au moment où elle rencontre le frère de ce dernier, Griffin Remmington, en plein cœur du quartier St. Giles.
Choqué de croiser une si sage lady dans ces ruelles, Griffin insiste
pour l'escorter. Hero est stupéfaite : ce débauché aux mœurs
dépravées, opposé en tout point à ce qu'elle aime, éveille en elle
une folle envie d'aventures…

Les blessures du passé ❧ Lisa Kleypas
Ce jour-là, lady Aline accueille un homme d'affaires new-yorkais
et ses associés. Parmi les invités, elle remarque un homme aux
cheveux noirs. Soudain, l'inconnu se retourne, leurs regards se
croisent. Lady Aline tressaille : McKenna est de retour ! Elle aurait
préféré ne jamais le revoir…

Passion d'une nuit d'été ❧ Eloïsa James
Quand Charlotte Calverstill a accepté de se rendre au bal masqué
de Stuart Hill avec son amie Julia, elle était loin d'imaginer que sa
vie basculerait ! Irrésistiblement attirée par un inconnu, elle
s'abandonne à lui sans réserve. La voilà irrémédiablement
compromise… Trois ans plus tard, elle reconnaît son amant d'un
soir en la personne d'Alexander, duc de Sheffield.

Le 18 avril

Les archanges du diable - 1 -
Le cavalier de l'orage ❧ **Anne Gracie**
Après avoir récolté gloire et honneur sur les champs de bataille, Gabriel Fitzpaine aspire enfin à vivre en paix et s'installe dans la splendide demeure qu'il vient d'hériter. Mais le danger rôde toujours et semble le guetter à chaque seconde... Une nuit, le long des falaises, il croise une ravissante lady en détresse.

Terres d'Écosse - 1 - *Prisonnière de ton cœur*
❧ **Mary Wine**
Depuis la mort du roi, l'Écosse est en proie à de terribles complots. Avec effroi, lord Torin McLeren découvre que McBoyd, son voisin, conspire contre le royaume avec la complicité des Anglais. Pour Torin il n'y a qu'une façon d'éviter la guerre : enlever la fille de son ennemi, Shannon McBoyd, promise en mariage aux alliés de son père...

Les Lockhart - 2 - *Le bijou convoité* ❧ **Julia London**
Le précieux dragon d'or, jadis volé au clan des Lockhart, aurait été offert à une certaine Amelia ! Chargé de récupérer l'objet, Griffin Lockhart s'installe à Londres sous une fausse identité. Aux bals de la saison, à défaut de retrouver Amelia, il rencontre la belle Lucy Addison. Mais sa sœur, Anna, comprend bientôt qu'il n'est pas celui qu'il prétend être...

Le 4 avril

CRÉPUSCULE

`Inédit` *Les ombres de la nuit - 7 -*
Le plaisir d'un prince ∞ **Kresley Cole**

Il y a des siècles, pour fuir le sadique Cruach, Lucia a fait vœu de chasteté à la déesse Skathi. En échange, elle a reçu le don de manier les arcs : sa seule défense contre Cruach qui, tôt ou tard, reviendra à la vie. Mais Lucia pourrait bien trahir sa promesse et courir un grand danger si elle succombe à sa passion pour Garreth MacRieve, prince des Lykae.

`Inédit` *Le royaume des Carpates - 2 -*
Sombres désirs ∞ **Christine Feehan**

La chirurgienne Shea O'Halloran est étrangement attirée jusqu'aux confins des Carpates, appelée par une voix profonde et masculine, qui semble faire partie d'elle-même. Elle y fait la connaissance d'un homme tourmenté. Par quels sombres désirs est habité ce bel étranger et pourquoi l'avoir fait venir auprès de lui ? Fera-t-il d'elle sa bienfaitrice, sa proie ? Ou peut-être son âme sœur…

Le 4 avril

FRISSONS

Du suspense et de la passion

Inédit **Secrets en série** ❧ **Laura Griffin**

Elaina McCord rêve de devenir profileuse au FBI. Elle se lance à la poursuite d'un dangereux *serial killer* qui agit dans les marais. Des femmes sont droguées et assassinées avec une brutalité qui ne connaît pas de commune mesure. L'agent McCord va s'entourer des meilleurs légistes et traceurs du Texas pour mener l'enquête. Elle va vite découvrir que c'est sa propre vie qui est en danger…

Inédit **Dernier cri avant l'oubli** ❧ **Kate Brady**

Cela fait bientôt sept ans que Beth Denison tente de refaire sa vie… Loin de cette nuit tragique pendant laquelle tout aurait pu s'effondrer, Beth a refait sa vie avec sa fille. Un jour, un appel anonyme la rappelle à l'ordre. Bankes Chewy est sorti de prison et il revient pour terminer ce qu'il a commencé, sept ans plus tôt…

Le 18 avril

Passion intense

Des romans légers et coquins

Inédit ***Carrément sexy*** ⊗ **Erin McCarthy**

Après le décès brutal de son mari dans un accident de voiture, Tamara s'est promis de tirer un trait sur le monde des courses... Jusqu'à ce qu'elle rencontre Elec. Beau comme un dieu, il éveille instantanément en elle un brasier ardent. Mais voilà, Tamara est plus âgée que lui et mère de deux petits garçons... Jusqu'où l'entraînera la passion ?

Pris au jeu ⊗ **Nicole Jordan**

Provoqué au jeu par Damien Sinclair, le prince des Libertins, Aubrey Wyndham dilapide tout son héritage en quelques parties de dés. Pour récupérer l'argent, sa sœur Vanessa a une solution, implorer la bonté de Sinclair. Mais pourquoi ferait-il preuve de clémence envers elle ? Contre toute attente, le débauché lui propose un marché : il annulera la dette si elle se soumet à ses moindres caprices...

9896

Composition
FACOMPO

Achevé d'imprimer en Italie
par Grafica Veneta
le 21 février 2012.

Dépôt légal : février 2012.
EAN 9782290042090

ÉDITIONS J'AI LU
87, quai Panhard-et-Levassor, 75013 Paris

Diffusion France et étranger : Flammarion